姊兒的心計 4 完

文創風 265

郁雨竹 著

目錄

第九十一章 改變

隨著四皇子登位，各方的矛盾都有所變化，而四皇子這邊的人也不再像以前一樣齊心，王廷日傳話給魏清莛，讓任武昀以後處事收斂一些。

魏清莛沈思了半天，等到晚上任武昀爬上床，魏清莛就將王廷日說的話告訴他，最後道：「我也不知道表哥說的對不對，但是我覺得有禮些也好，總不能讓人抓著把柄吧？」

任武昀小心地避著她的肚子，將人抱在懷裡，閉著眼睛道：「哪裡這麼麻煩？他要是不想動我，我就是在朝堂上當著百官的面叫他喜哥兒他也能幫我圓過來，他要是真不樂意遷就我了，自然會訓斥我，他要是不想再看到我了，就算我畢恭畢敬的，他也能找出其他理由來，所以妳說的那些根本不必要。」

任武昀將頭埋在妻子脖子裡，嘟囔道：「我從小在宮裡見多了，別怕，我有分寸的。」

魏清莛推開任武昀，就著月光仔細地盯著他打量，又摸了摸他的額頭，懷疑地看向他，任武昀該不會被人穿越了吧？

任武昀被那懷疑的眼神看得一愣，繼而大聲叫道：「爺我聰明絕頂，妳有必要這麼詫異嗎？」

「不是，」魏清莛搖頭道：「我早就知道爺聰明絕頂了，但爺從沒有這麼多愁善感過，你今兒個是怎麼了？」

任武昀就嘆了一口氣。「煩的，如今還沒登基呢就這麼多事了，要是喜哥兒做了皇上，還不知道有多少事呢。」任武昀頓了頓，道：「清莛，以後我請旨出去帶兵，妳願不願意和我一塊去？」

魏清莛詫異道：「邊關是由四王守著的，你去哪裡帶兵？是要去南邊嗎？也不是不可以，只是老王妃會答應嗎？」任武昀一直跟隨著四皇子，對平南王府的事情幾乎不插手。

任武昀低低地道：「不是去南邊，總之妳只要願意就行了。」

魏清莛若有所思，看來四皇子真的決定要收回四王的兵權了。在此之前，先受到衝擊的應該是世家吧？也不知道四皇子會採取什麼手段。

四皇子妃派女官帶著禮物來看魏清莛，魏清莛有些迷糊地接過賞賜，女官笑道：「四夫人，四公子為國事操勞，四皇子妃又聽說您身懷六甲，心中歉疚，就派了下官過來看望，還望四夫人多加理解才是。」

魏清莛一愣，笑道：「那都是四公子應當的，倒煩勞四皇子妃惦記了。」

魏清莛送走女官，就嘀咕了一句「還真會來事」，轉身，蘇嬤嬤就出現在她面前，魏清莛嚇了一跳，拍著胸口道：「嬤嬤走路也不帶聲，嚇了我一跳。」

「是老奴的不是，」蘇嬤嬤擔憂地問道：「夫人沒事吧？先喝一杯熱水壓壓驚。」

魏清莛不在意地問道：「怎麼了？」

蘇嬤嬤皺眉道：「女官是直接到您這兒來的，按理說也該給王妃和二夫人送一份禮去啊，您說四皇子妃這是什麼意思？」

魏清莛停下腳步。「四皇子妃沒給王妃和二夫人送東西？」

蘇嬤嬤肯定道：「沒有。」雖然姑娘才嫁進來沒多久就分家，而且梧桐院和王府那邊離得遠，但其實兩邊都有來往，特別是蘇嬤嬤，為了以後魏清莛在平南王府中生活得更好些，她一直在努力讓梧桐院的人和王府裡的老人套交情，所以她很快就拿到了確切的消息。

魏清莛嘆嘆道：「看來這件事不是四皇子授意的，應該是四皇子妃自作主張。我聽四公子說陶家的這位大姑娘在草原上的時候就看上四皇子了，兩人也一直有書信來往，她也是四皇子求來的，按說四皇子的眼光應該不差呀？」

蘇嬤嬤垂下眼眸，任家三位公子都是四皇子的舅舅，四皇子妃單單給魏清莛送禮，不管是為了拉攏任武昀、還是為了離間任家三兄弟，手段都不高明。四皇子選中四皇子妃，也不知道是因為她是安北王府的大姑娘，還是真的喜歡，總之，四皇子妃的手段不足，四皇子以後只怕有得擔心了。

魏清莛在心裡為四皇子掬了一把同情淚，揮手道：「那就讓人給王妃和二夫人遞個信吧。」幸虧王爺和任武晛與任武昀感情好，而王妃和陸氏都是心中有溝壑的人，不然她真的會有麻煩。

四皇子回到東宮的時候，從四皇子妃的女官那裡聽說了這件事。他現在已是板上釘釘的儲君，皇上為了他方便處理政務，就讓他們搬進了東宮，雖然成王府還在用，但大多是四皇子的幕僚到那裡去討論事情。

四皇子聽說四皇子妃單單就給魏清莛送去了禮物，腳步一頓，就不在意地繼續走，只回了一句：「知道了。」但晚上卻歇在了書房，沒有回寢宮。

有些事情，的確是隨著世事的變化而變化，就比如，對他越發恭敬的竇容。這樣，那些依然沒變的就顯得彌足珍貴了，四皇子睜著眼睛在床上回想了一個晚上，好像除了任武昀和王廷日，所有人對他都不一樣了。

王廷日是不抱希望的，他只想要王家沈冤昭雪，之後他好像就沒什麼要求他的了，所以他無畏無求，自然無懼，那麼小舅舅呢？

四皇子想到任武昀生龍活虎、咋咋呼呼的樣子，會心地一笑。

四皇子連著七天歇在書房，四皇子妃總算是有所感，她若有所思地想了一下，對身邊的女官溫柔地笑道：「廚房裡的湯煲好了嗎？讓人拿來，我親自給四皇子送去。」

平南王府的任武昀正累得攤手攤腳在榻上，仰著脖子張嘴讓魏清莛餵他喝湯。

魏清莛擰了他一下。「就累成這樣，連拿勺子的力氣都沒有了？」

「那幫禿子太能折騰了，不就是暫時接管他們禁衛軍嗎？我還不樂意呢，要不是怕那天有人搗蛋，誰樂意去幹這個？還不如練兵來得爽快呢。」

「得了便宜還賣乖，要是慶典順利進行，負責禁衛軍統領的肯定會受賞，他們這是眼紅你來搶功勞了。」

任武昀又何嘗不知？但喜哥兒信不過別人，可他也看不上那些功績啊！這十來天任武昀幾乎都泡在禁衛軍裡了，禁衛軍和金吾衛不一樣，要是在金吾衛，他好歹也有一些威望，裡頭的人有小一半和他交好，他還能指使動人，但禁衛軍——任武昀頭疼了。

魏清莛想了一下道：「既然他們只是擔心你搶功勞，不如你和四皇子說說，讓你只管但不擔著那個名聲就是了。」

任武昀想了下，咂巴咂巴嘴。「這樣好像也行。」反正他喜歡的是打來的功勞。有了魏清莛的提議，接下來事情就進行得很順利了，即使禁衛軍統領還是有些不服氣，但最終也沒像開始時那樣抗拒任武昀了。

而在四皇子心中，任武昀的地位又鞏固了些，果然，什麼時候小舅舅都是不會變的，為了他，都沒計較那些功勞了。既然如此，四皇子也和往常一樣不計較這些，想也沒想的就揮筆同意了。

竇容看得微微皺眉。

阿昀和四皇子還是這樣，以後要是四皇子因為平南王府而對阿昀產生懷疑了怎麼辦？

不管眾人心思如何，春節還是在眾人的忙碌中到來了。

任武昀三天前就沒回家，而是住在皇宮裡，魏清莛一大早就被蘇嬤嬤挖起來穿上禮服，看到魏清莛大大的肚子，憂愁道：「本來四公子說要給您請假，先前中秋這些都請過去了，誰料到皇上會突然禪位，這樣您想不進宮都不行了。」

蘇嬤嬤仔細地交代阿梨要寸步不離地照顧魏清莛，魏清莛揮手道：「妳也別為難她了，她也就能陪我到外殿，進去朝賀還是我一人的事。」

蘇嬤嬤從懷裡拿出一個荷包塞給魏清莛，道：「夫人，這是表少爺找人特地配的藥丸子，要是有意外，您就吃一顆。」

魏清莛捏捏荷包，點頭道：「我知道了，回頭替我謝謝表哥。」

王妃和二夫人在王府大廳等著了，見到兩人，蘇嬤嬤又鄭重地轉達了四公子的話，王妃笑道：「我們知道四弟稀罕你們家四夫人，一定會看緊她的。」

「走吧，到那裡時辰也差不多了。」

上了車，陸氏就塞了一個熱呼呼的雞蛋給魏清莛，道：「多吃一些，這次盛典，進宮朝賀的命婦很多，只怕到了中午也沒吃的。」而且這麼多人，皇宮裡的東西端上來的時候都冷了，又油膩膩的，能吃下肚子的少之又少。

魏清莛點頭，她正是吃東西最多的時候，雖然已經吃過早餐，但再塞下一個雞蛋還是綽綽有餘的。

魏清莛跟在王妃和陸氏身後進宮，到了大殿，大家三三兩兩的聚在一起，看到平南王府女眷過來，不少人都頷首表示問候。

平南王妃含笑著點頭，直接帶著兩人到了前面。這裡的命婦大多是中年婦人，就是陸氏也將近四十歲，魏清莛算是最年輕的，才十多歲的年輕面龐，又挺著個大肚子，不少夫人都看過來，打趣道：「這位就是四公子的夫人吧？我們可是早就聽說四公子喜歡得不得了，捧在手心裡怕摔了，含在嘴裡怕化了。」

旁邊就有一人嘻嘻地笑道：「也不怪四公子喜歡，論誰敢當著全京城的面給四公子送花和送荷包，是個男人都化了。」

周圍頓時一靜，前面一位夫人是純屬打趣，含著善意，可後面這一位可就是赤裸裸的罵人挑釁了。

魏清莛好奇地看著她，四十多歲，身上是從二品的命婦服，很面生，不認識。魏清莛當即毫不客氣地回擊道：「原來夫人這麼有經驗啊。」滿臉的好奇讚嘆。

「噗哧」，有一位夫人當即笑出聲來。

有了一人起頭，周圍的夫人們也就不避諱地笑起來，王妃矜持地道：「四弟妹，不得無禮，徐夫人也不過是開玩笑罷了，她哪裡就有那種經驗了？」王妃看向那位夫人，笑道：「倒讓徐夫人見笑了，我家弟妹和我那四弟一樣天真爛漫，她喜歡我四弟也就毫不掩飾，加上我四弟打了勝仗，難免就驕傲些，這才鬧了那麼一齣笑話，不過他們還年輕，我以後一定好好教導他們。」

陸氏則不贊同道：「大嫂說得太嚴重了，誰沒年輕的時候？我看四弟和四弟妹就很好，我還羨慕得很呢，要是我家公子也能勝仗歸來遊街，我也願意拿著花和荷包去扔他。」

周圍人就笑起來。「都好大一把年紀了也不害臊，人家小年輕才這樣，妳也這樣，小心人家笑掉大牙。」插科打諢的，就將剛才的事情揭過去了。

不過魏清莛還是知道了對面那位臉色難看的夫人是徐夫人。

徐夫人？六皇子的外家就姓徐。

王妃就在她耳邊低聲道：「她是六皇子的舅母，今日大喜，不要招惹她。」

魏清莛點頭，鬧出事來丟的是四皇子和平南王府的臉。

盛典很快開始，魏清莛照著品階站好位置，給太后和皇后行叩拜之禮。而前面，皇上也正在給四皇子加冕，正式將皇位傳到四皇子手上。

臺階下，六皇子低垂著頭，手緊緊地握住，滿眼的不甘。

魏清莛這一隊行完禮，額頭冒出細汗，慢慢地移到一邊站好。魏清莛悄悄地摸摸肚子，平復一下呼吸，跪拜真是花費力氣，她肚子大，起身和跪拜都不方便，只是短短的半刻鐘，她就出了一身汗，虧得她懷孕之後也一直有計劃的鍛鍊身體，不然早撐不住了。

魏清莛望了眼看不到邊的命婦，心裡算了算，摸了摸肚子，看來今天有得熬了。

魏清莛沒站多久，她敏銳地察覺到有人朝她這邊看過來，她以為是王妃或是陸氏，扯了一抹笑，卻不敢抬頭去看。

上座的太后看到她嘴角的笑，微微一愣，偏頭對自己貼身的女官吩咐了幾句。

那女官就悄悄地退下了。

除了身側的皇后和站在後面伺候的四皇子妃，場中沒有誰注意。

四皇子妃好奇地追隨那名女官的身影，見她走到魏清莛的身邊低聲說了一句什麼，只見魏清莛猶豫了一下就隨著她悄悄地退到後面。

四皇子妃垂下眼眸，任武昀比她想像的還要受寵。太后與她都出自安北王府，但太后從不偏移娘家，在皇后入宮後，平南王府一度佔據四王之首，現在她雖然入宮了，但四皇子對平南王府也比安北王府要信任得多，就算她不喜歡這些爭鬥，為了她的家族和以後的孩子也必須學會爭。

魏清莛有些不安地坐在後面的偏殿裡，那個領了她過來的女官安撫道：「夫人不用擔心，太后娘娘常說四公子赤子之心，在宮裡，除了太子殿下，娘娘也就最喜歡和四公子說話了。四夫人先坐在這裡吃些東西，等開席了下官再來叫您。」

「麻煩大人了。」魏清莛拿出一個荷包遞給女官。這是進宮前蘇嬤嬤特意給她準備的上等封紅。

女官大大方方地接了，退下去。

不一會兒，就有一個小宮女送一碟點心上來，魏清莛朝她感激的點頭，又拿了一個荷包給宮女，宮女低聲彙報外面的情況；得知可能還要一個多時辰的時間，魏清莛就鬆了一口氣。幸虧她被接進來了。不過怎麼是太后呢？她還以為是皇后呢。

整個偏殿就只剩下魏清莛一個人了，她微微放鬆地靠在椅子上，這樣會讓她的腰好受些。中間要是餓了，就拿出荷包裡的東西小口地吃著。

她不太敢吃桌上的食物，就是水也不願多喝，在進宮前，王妃和陸氏就告訴過她，除非是在皇后的宮中，不然能不吃就不要吃。

等到魏清莛從偏殿中被請出去已經過了未初，將近未正，差不多下午兩點鐘了。

冬天就這一點好，暖暖的太陽照在人身上總比夏日的毒太陽要好得多。

當然，這是魏清莛的想法，那些沒有資格進到大殿，在外面行跪拜禮的命婦都已冷得兩腿打顫，就是在大殿內的也好不到哪裡去，眾人臉上都有些疲憊。

魏清莛悄無聲息地回到自己的位置，附近幾人都有些羨慕地看了一眼魏清莛紅潤的臉蛋，一看就是沒受什麼罪的，不過視線劃過魏清莛的肚子時，眼裡又閃過了然。

挺著這麼大的一個肚子，難怪了！平南王府和二夫人還站在那裡呢。

最後一批命婦朝賀結束，皇后道：「開宴吧。」便帶頭往另一處大殿裡去，那裡早已布置妥當。

魏清莛隨王妃坐到自己的位上，因為她的品階還算高，離太后和皇后還算近。

太后看著她笑問皇后：「這就是昀哥兒的媳婦吧？長得真有福氣。哀家先前一直在吃齋念佛，倒是沒見過。」

皇后笑道：「正是昀哥兒的媳婦。」招手叫魏清莛上前。「快來拜見太后娘娘。」

魏清莛就要下跪，太后趕緊叫女官拉住她。「妳大著肚子不方便，昀哥兒就跟我的孩子似的，妳倒不必拘泥那些禮節。」太后從手腕上滑下一串佛珠套進魏清莛的手腕，笑道：「這是哀家給妳的見面禮。」

魏清莛笑著大大方方地謝恩。

太后見她不扭捏，心中微喜，笑道：「這孩子和昀哥兒倒是一個性子，難怪會給昀哥兒扔了這麼多的花和荷包，昀哥兒還驕傲得跟什麼似的，好，這樣就好。」

魏清莛臉色大紅，太后看到她紅了臉，更是大笑出聲。

皇后有些驚詫地看著魏清莛，大殿裡的人都驚訝地看著太后和魏清莛，要知道，自從太子走後，太后就再沒這樣大笑過了。

第九十二章　改革

新皇新氣象，新年也是新氣象。

全國上下喜氣洋洋，皇上免了全國一年賦稅，根據任武昀帶回來的消息，皇上似乎已經打算朝世家下手了。

皇上和太上皇最不同的一點在於，他夠堅韌，而且他手中的兵權要比太上皇多得多。雖然可能會遭遇阻攔，但他的勝算要比太上皇大許多。

魏清莛卻很擔心。「皇上才登基，不用這樣急吧？」

「皇上也是沒辦法，先前西地的事我們就懷疑有異心的不只西地的百姓，這才叫人到各處去看看，發現各地世家盤剝嚴重，百姓已經大大不滿了，皇上要是不動手，只怕撐不多久戰事就起了。」

「那皇上打算怎麼對付世家？直接查他們是否貪污腐敗？是否違法亂紀？」

「除了這個還有什麼辦法？」任武昀疑惑地看向妻子。

魏清莛靜默了一下，想到歷史上所有的變革好像都是圍繞土地進行的，但這個時代似乎忘了這一點似的，大家都只是從調查對方的違法亂紀上入手。

既然沒有先例，那不如就從土地入手，起碼能緩解一下矛盾，轉移一下朝廷的注意力，這樣皇上也有時間準備。

這只是表面上的。

實際上是魏清莛總覺得這樣鬥來鬥去的怪沒意思，百姓沒了世家和四王盤剝，難道就不會有官員地主盤剝了嗎？那樣皇上削藩與否對百姓又有什麼影響呢？

不如趁此機會為百姓多謀一些私利。

魏清莛就對任武昀道：「……朝廷不如規定一個交租上限，例如六成或五成，地主們不得向佃農收超過這個數額的租金，若違反了可以罰款。要知道，現在有些無良的地主租金可是高到七、八成的，而且現在大部分的稅收都來自人頭稅，田地稅反而比較少……」魏清莛沒研究過古代史，對此時的稅收制度也是一知半解，她所瞭解的也就是從電視上看到的一些關於清朝的稅收制度，但就是這樣，也比現在的時空先進了不只一點。

任武昀細細地聽著。魏清莛講得亂七八糟，繁雜無比，任武昀聽得半懂半不懂，但是他直覺這是好東西，既然不懂，他就記下來，打算回頭再跟皇上說。

第二天，任武昀在退朝後就隨著皇上的腳步進了御書房。

皇上看著他笑道：「怎麼？這麼快就來辭禁衛軍的活了？」

任武昀一愣，這才記起自己身上還有禁衛軍的活呢，他本來是打算今天逃班回家陪魏清莛的。

皇上看他那樣子，還有什麼不明白的？氣得劈手就甩過來一本奏摺。「你就不能為我多分一些憂？如今滿朝文武都看著，我身邊也就這幾個得用的人，你還整天想著逃班。」

任武昀有些不好意思，想到自己來這兒的目的，瞬間就挺直背，梗著脖子道：「我來不就是為了你分憂的？我可是想到了好主意的。」任武昀將昨晚魏清莛說的話一股腦兒地轉述給皇上聽，最後順口來一句。「怎麼樣？這個法子好吧？到時悄無聲息地把他們手上的土地都分給百姓，看他們還囂張什麼？」

任武昀本只是順口來的一句，卻沒想到皇上眼睛一亮，擊掌道：「這個辦法好！」

任武昀一愣，皇上目光炯炯地看著任武昀。「這個法子是誰想出來的？」

任武昀驕傲地道：「自然是……清莛。」他在皇上能看透事實的目光中臨時改口。

「她？」皇上很懷疑地看向任武昀。

任武昀頓時不樂意了。「就是清莛，你可別小看她，西郊二十里外的田地幾乎有一小半都是清莛買下來的，她對土地這種事知道的最清楚了。」

皇上蹙眉。「我記得她嫁妝上沒寫這個呀？」

任武昀摸摸鼻子，道：「那是她和桐哥兒的私產，沒寫上嫁妝，總之你信這是清莛說的就是了。」

皇上就想到剛才任武昀也是說得亂七八糟，看得出來是臨時想到說出來的，所以皇上自以為理解的點頭，看來那的確有可能是魏清莛自己想的。

這是一個大工程，皇上當然不可能找群臣商量，他只叫來自己的幾個心腹，除了竇容，其他人都是寒門出身。

任武昀坐在一旁無聊，他又聽不懂，可是看著討論得興致勃勃的一屋子人，他也不好意思打擾，就自己溜出去了。

皇上和竇容的餘光看見，齊齊抽了一下嘴角，當做什麼都沒看見的扭過頭去。

有了智囊的參與就是不一樣，沒出兩個月，皇上開始大肆扶持農業，世家都做好了應對的準備，結果好像皇上全部的心思都放在農事上，還沒等眾人反應過來，皇上就頒布了新的條例，無一例外，都是關於農事的。

而此時，王廷日也正從一堆手稿中翻出一本泛黃的稿子，翻到其中一頁，喃喃道：「竟和祖父不謀而合，難道宮中也有祖父的手稿？」王廷日又搖頭。「不可能，要是宮中有祖父的手稿，當年太上皇應不至於那樣急促才是，那到底是誰提出來的呢？」

這是一個大功，皇上自然不可能算到魏清莛頭上，因為她是女子，就算賞賜也有限，可是記在任武昀頭上就不一樣了，但不管記在誰頭上，現在都不能公諸於眾，現在世家還沒反應過來，可等他們反應過來的時候，只怕那個出主意的人就是他們的攻擊對象了，所以皇上不願意此時給任武昀封賞。

任武昀也沒意識到這是自己的功勞，也沒想到這是一個大功勞。

本來皇上還想安慰對方一下，可是看著任武昀每天都開開心心地下朝回家陪老婆，皇上頓時將心中的話給憋回去了。他是哪隻眼睛看到任武昀會心存不滿的？

新皇登基，又是禪位，不像以往有什麼忌諱，不能辦宴會。短短的一個月，魏清莛就接到了八家的請柬，其中只有兩家是壽宴，其他家都是普通的堂會。

任武昀翻了一下，一律以身體不便回絕了，轉身就抱怨道：「妳再有一個月就生產了，竟然還給妳下帖子，以後這些事直接交給蘇嬤嬤就是了。」

魏清莛肚子沈甸甸的，她不舒服地側坐著，不耐煩地道：「知道了，我都不管了。」

任武昀知道魏清莛這幾天不舒服，連忙順毛捋，等魏清莛靠在迎枕上睡過去後才出去找蘇嬤嬤。

魏清莛要生產，王府裡也很重視，畢竟這是任武昀的第一個孩子，而且平南王的兩個兒子都是在南地，他們的妻子也跟隨著去了南地，孩子也是在南地生的，到現在平南王和王妃都沒有見過兩個小孫子，所以算起來，平南王府京城這邊已經十多年沒有新生嬰兒出世了。

任武昀是老太妃年近四十時生的幼子，那時平南王都已經二十一歲，次子剛剛出生，因此平南王和王妃是把任武昀當兒子養的，現在魏清莛要生產，他們自然關心得很。

就連一直將自己關在院子裡的老王妃也派了人來過問，蘇嬤嬤不敢全部用王廷日派來的人，就用了王妃送來的一個產婆，據說是平南王府用慣的，當年金哥兒出生也是她接生的，很有經驗，加上任武昀自己找的一個，王廷日送來的一個，三位穩婆都安排進了梧桐院不遠處的院子裡住著。

魏清莛是打算自己奶孩子的，和任武昀一說，任武昀雖然覺得沒必要，但也沒怎麼覺得違反規矩，見妻子這兩天煩躁，就事事順著她，想也沒想就答應了，倒是蘇嬤嬤滿臉責怪地看著任武昀，不過因為有王廷日警告在先，她也就提了一下建議。

魏清莛為了不特立獨行，也讓蘇嬤嬤給孩子選奶娘，選了用不用、怎麼用卻在她。

產房就準備在旁邊的偏房裡，魏清莛現在是一天看三回，非要她們打掃再打掃，裡面還用醋消毒過一遍，更別說那些會直接接觸到她的用具。但就是這樣萬事俱備，她還是覺得有些恐慌。

生孩子，光是現有的知識也讓她覺得疼痛，但只要想到小小的、軟軟的孩子，魏清莛又覺得不這麼恐怖了。

任武昀是最直接知道妻子的那種恐慌的，魏清莛晚上總是睡著睡著就會驚醒，沒辦法，他只好抱著魏清莛一遍一遍地安慰，有心想說生完這一胎就不生了，但話到嘴邊打了彎又吐不出來。

任武昀喜歡孩子，孩子，自然是越多越好！

任武昀心中有些愧疚，只好儘量早點回家陪妻子，盡心地哄她，魏清莛有什麼要求，不管有理沒理，任武昀都想也不想的答應，看得阿梨等人都覺得特對不起姑爺。

魏清莛的恐慌一直持續到了預產期倒數第十五天的時候，魏清莛一覺醒來，外面已經嘰嘰喳喳地有鳥叫聲了。

魏清莛有些恍惚地看著外面樹上的嫩芽，詫異地問道：「這是春天到了？」

桐哥兒不理解地看向姊姊。「春天不是早到了嗎？」

魏清莛看到桐哥兒眼裡的單純迷茫，微微一笑，道：「是啊，春天早就到了，桐哥兒怎麼還不去書院？」

桐哥兒眼裡的迷茫更甚。「姊姊，妳是不是生病了？師傅出去有事，他讓我最近不用去書院，我已經和妳說過，姊姊怎麼又忘了？」

是啊，最近忘了很多事呢！魏清莛拍拍桐哥兒肩膀。「行了，姊姊又記起來了，你今天是不是要去找小黑？晚上早點回來，姊姊給你和你姊夫做好吃的。」
凡是女人，幾乎都要走一遭生產的過程，既然別人都能熬過來，沒道理她就不行，要知道論運動和力氣，她可是遠勝於一般女子的。
魏清莛暗暗給自己打氣，心中剩下的恐慌也消散了不少。這才記起最近的疏忽。
魏清莛折騰了不少人，其中最慘的就是任武昀同學了，魏清莛決定今晚好好補償補償他，怎麼說，也不能讓丈夫覺得自己太無理取鬧吧？
所以，等任武昀處理完公務，緊趕慢趕趕回家的時候，就看到魏清莛一臉笑意的坐在飯桌上等他，任武昀恍惚了一下，然後就有些忐忑地走向妻子，不知道今天妻子又想起了什麼。待看到坐在旁邊撐著下巴的桐哥兒，任武昀心一鬆，有小舅子在，妻子應該不會提什麼太離譜的要求吧？
「你回來了？快去洗手，我今晚特意給你們做了好吃的。」
任武昀的目光在飯桌上一掃，大紅燒肉，爆炒斑鳩、乾炸鹿肉、燒鯰魚、野兔丁、蟹粉獅子頭……全都是他和桐哥兒愛吃的。
任武昀戰戰兢兢地坐在魏清莛的旁邊拿起筷子，腦海中快速的閃過最近魏清莛讓他去找太醫問生產的注意事項以及美容護膚的事，難道還有比這更艱難的事？
魏清莛給任武昀挾了一筷子野兔丁，抱歉道：「最近也不知道怎麼了，心情特別浮躁，可能就是太醫說的產前抑鬱。這段時間倒是辛苦你了，現在想想，我也覺得前幾日的確有些胡鬧，也有些忽略你和桐哥兒了，阿昀，你還生我的氣嗎？」

任武昀心中頓時愧疚起來，太醫的確說過懷孕的女人脾氣有些怪，但清莛卻是很好的，她本來就夠害怕了，只是找些事來轉移自己的注意力，看，現在不就恢復了嗎？

任武昀又怎麼會怪她，反而拍著胸脯表示，她要是有什麼還要問太醫的儘管告訴他，他馬上就去問吳太醫。

魏清莛搖頭道：「這種事哪用你去問？回頭我們問一下穩婆，不然讓蘇嬤嬤去問太醫就可以了。」魏清莛好像忘記了當初任武昀提出這個方法的時候，她曾經無理取鬧地要求過一定要任武昀親自去問。

任武昀此時自然也選擇性的忘記了。

桐哥兒又給自己挾了一個獅子頭，大大的眼睛看著姊姊和姊夫不吃飯，只是在一旁說話，眼裡閃過迷茫，就放下獅子頭給姊姊和姊夫各挾了一筷子菜。

任武昀見了欣慰不已，摸著桐哥兒的腦袋道：「桐哥兒越來越懂事了。」

桐哥兒翻了個白眼，決定不和姊夫計較，但還是提醒道：「姊夫，桐哥兒早就長大了。」

任武昀知道桐哥兒現在只有八歲的智商，但因為被魏清莛保護得好，也比一般八歲的孩子要單純得多，聞言打趣道：「桐哥兒長大了，那是不是該娶媳婦了？」

一家三口開開心心地吃了一頓晚飯。

魏清莛調整過來後就開始積極地配合穩婆鍛鍊身體，每天還要躺在床上照著穩婆的教導呼吸，保證一旦發作能以最快的迅速進入狀態。

王妃和陸氏也每天都過來看一遭，摸摸魏清莛的肚子，道：「妳的肚子倒比別人的第一胎要大些，肯定是個大胖小子。」

「不是說肚子越大越難生產嗎？」魏清莛有些擔憂。

陸氏一愣，笑道：「這也不是一定的，生產的要素有很多種，我看妳狀態好，說不定一下子就生出來了呢。」

魏清莛想想也是，她又沒有見過別人的肚子，而且她都嚴格按照吳太醫開的營養方子吃東西，就算大也大不到哪裡去，畢竟吳太醫每隔十天就要給她把一次脈的。

孩子要是營養過剩，吳太醫應該會知道的。

魏清莛摸摸肚子，自得的想，說不定她懷的還是雙胞胎呢。

在魏清莛那樣胡思亂想後不久，她就發作了。

那時她正坐在窗前看外面新冒出來的綠葉，她很想出去走，但現在天還冷著，而且時不時的就會下一場毛毛雨，任武昀給丫頭們下令不許她亂走，她要鍛鍊身體也只能在屋子裡。

扯遠了，現在回來，當時她正坐在窗前，才指著那花盆想讓阿梨把它抱到窗口這邊，就感覺她的肚子被狠狠地踢了一腳。

魏清莛開心又無奈地輕拍了一下肚子，道：「你又頑皮了，小心你出來後我叫你爹揍你。」

話才說完，孩子又狠狠地踢了她一腳，魏清莛疼得低呼一聲。

凝碧著急地跑進來問道：「夫人，您怎麼了？」

魏清莛不在意地揮手道：「沒事，只是孩子踢我呢。」

凝碧鬆了一口氣，才要轉身，魏清莛就突然痛苦地抱著肚子叫道：「快，快去叫蘇嬤嬤，我，我快要生了。」

凝碧瞪大了眼睛，連忙跑出去。

阿梨則從外面跑進來一把扶住魏清莛，鎮定道：「夫人別怕，這是剛開始，您先坐一下，吳太醫和穩婆都在府裡呢。」說著在魏清莛的背後放一個枕頭，讓魏清莛靠在上面。

魏清莛也漸漸冷靜下來，多日的訓練還是有一點效果的。魏清莛讚許地看向阿梨，抓住毯子的手緊了緊。

阿梨強笑了兩聲，她能說她也很緊張嗎？

蘇嬤嬤很快就進來，然後是三位穩婆，三個穩婆看了一下，笑道：「夫人不用緊張，現在還有時間，我們先吃些東西，然後再去產房。」

魏清莛鬆了一口氣。「不是說三天後嗎？怎麼現在就生了？剛剛孩子踢得很凶，現在又沒有動靜了。」

穩婆安慰道：「預產期只是個大概，提前推後幾天都是不要緊的，夫人不用擔心，小少爺現在也在攢力氣呢。」

第九十三章　產子

吳太醫也很快到了，他給魏清莛把脈後說的話和穩婆的差不多。

阿杏第一時間叫人去通知任武昀回來，蘇嬤嬤則親自去廚房準備兩個荷包蛋給魏清莛，還將阿桔、阿桃給叫過來，讓她們看好太醫開的藥和魏清莛等一下要用到的東西。

王府人員簡單，雖然不會害魏清莛，但蘇嬤嬤一向謹慎慣了，有些事還是要做的。

魏清莛剛吃完東西，任武昀就滿頭大汗的跑進來，見魏清莛還好好的坐在那兒就鬆了一口氣。

魏清莛看到任武昀心神也是一鬆，拉著任武昀的手道：「要是我生的是女兒怎麼辦？」

任武昀拍著胸脯道：「女兒我也喜歡。」

「可你每天都叫他兒子。」

「我就覺得他是兒子。」任武昀剛擦掉的汗又冒了出來。

「你怎麼知道？你又看不見。」

「我的種我自然知道。」

蘇嬤嬤趕緊過來打斷兩人的對話，請魏清莛去產房。

魏清莛也知道這時不是討論這個的時候，反正是男是女很快就知道了。

王妃和陸氏聽說魏清莛發動了，連忙過來。同時，出去報消息的也通知了魏青桐，桐哥兒頓時丟下小黑，跑回家來。

到了下午，梧桐院已經齊集了王府裡除老王妃外所有的主子。

任武昀著急的在院子裡走來走去，桐哥兒也伸長了脖子看，王爺看他這樣，就一把拉過他，笑道：「沒事，生孩子都是這樣的，只怕今晚上還生不出來呢，我們先到你書房那裡等著。」

任武昮在一旁皺眉，沒有動彈，看向產房時眼裡閃過緊張。

任武昀自然更不會去了，連連搖頭。「大哥和二哥先去書房休息一下吧，我和桐哥兒在這兒就好。」任武昀跑去問吳太醫還要多久，吳太醫剛想張嘴說話，產房裡就傳來一聲短促的低呼聲。

任武昀立馬渾身緊繃，跑到產房窗下，緊張地看著。

王妃和陸氏看著，眼裡閃過羨慕和欣慰。

當年這門親事定的倒是不錯。

桐哥兒自然也聽到了姊姊的低呼聲，看見姊夫緊張地在窗下徘徊，他連忙也跑到那裡去，一個勁兒地盯著裡面看，企圖透過這緊閉的窗看到裡面的動靜。

桐哥兒緊張地問任武昀。「姊夫，姊姊要生小侄兒了？」

「嗯，很快就生下來了。」像是安慰桐哥兒，也像是安慰自己。

魏清莛這胎的確很快就生下來了，雖然她覺得很痛也覺得很漫長，穩婆卻驚喜道：「夫人生產得真順利，我們已經看到孩子的頭，再使一把力就好了。」

魏清莛憋足了氣使勁兒，穩婆就驚喜地叫道：「孩子的肩膀出來了，夫人加油啊，來，先吸一口氣……」

「生了，生了，夫人，是一個胖乎乎的少爺。」

三位穩婆看到如此順利，心中俱是詫異，她們還以為要忙到明天早上呢，一般貴人們生產都是很費時間的，就是因為她們的力氣不夠，不然就是忍不了痛，總是用不對勁兒，倒是很少看見有貴人這麼快就生下孩子的。

其中一個穩婆抱過孩子給孩子清洗一下，蘇嬤嬤則給另外兩個穩婆打下手幫魏清莛清理一下。

魏清莛雖然很痛，但並沒有暈過去，她關心地看向孩子的方向，問道：「怎麼沒聽見孩子的哭聲？」

穩婆笑道：「夫人別急。」說著拍了拍孩子的屁股，剛才還安靜的孩子頓時嘹亮的哭了一嗓子，把抱著他的穩婆嚇了一跳，繼而恭維道：「小少爺哭得可真大聲。」

窗外的任武昀聽到孩子的哭聲，滿頭大汗地問道：「怎麼了？怎麼了？孩子怎麼了？四夫人沒事吧？」

蘇嬤嬤這才想起，她們竟然忘了出去說。

其中一個穩婆得到蘇嬤嬤的示意，連忙笑著出去道喜。

外面的人聽說魏清莛生了個男孩，而且母子平安，心中大喜，王爺道：「去，在大門口掛上一把弓箭，今天大喜，府中下人俱有賞錢，派人去給老王妃報喜。」

任武昀也高興地喊道：「賞，梧桐院所有人都賞！」

桐哥兒在一旁滿頭大汗地叫道：「我姊姊呢？小侄兒呢？怎麼不見？」

「哎呦，舅老爺不要心急，四夫人如今還不能出屋，小少爺也不能見風，等小少爺清洗好了，您就能進屋去看了。」穩婆笑盈盈地說道。雖然產房不能進，但外面這層廳卻是不要緊，到時把大門弄嚴實了，孩子也包好了就行。

阿梨這才回過神來，連忙拿了一個上等的封紅給那穩婆，笑道：「嬤嬤等著，等一下我們爺還有賞的。」

穩婆笑得更加真心。

任武昀驚奇地看著他兒子，想用手摸摸，卻又不敢，只是緊張地看著襁褓裡紅皺皺的孩子。

桐哥兒也驚奇地看著這個孩子，皺了皺鼻子道：「好醜啊！」

任武昀不滿道：「你小時候比他還醜呢。」

桐哥兒不信。「姊夫又沒見過我小時候，你怎麼知道我長得醜？姊姊可是說了，我小的時候也長得很漂亮。」

蘇嬤嬤在一旁笑道：「才出生的孩子都是這樣的，等三、四天後孩子就會變得好看了。」

「真的？」

「自然。」蘇嬤嬤摸了摸桐哥兒的頭，見外面天色已黑，道：「少爺也在外頭站了大半天了，快回去吧，讓阿桔給你打個熱水好好的去去乏，明天再過來看夫人和小少爺。」

桐哥兒不捨的看了一眼被簾子嚴實地遮住的門口，任武昀忙讓阿桔帶桐哥兒回去。

任武昀小心的趴在床前看小小一團的兒子，驚奇道：「這麼小，什麼時候才長大啊？」

在裡屋的魏清莛聽到翻了一個白眼，這才想到任武昀看不見，沒好氣地道：「還小啊，你兒子整整有五斤重呢。」她都佩服自己怎麼這麼厲害，竟然能這麼快把那小子給生下來的。

任武昀看了看兒子，又比對了一下自己的胳膊，覺得兒子是真的很小，但他也問過穩婆，第一胎孩子五斤重的確算是很大了，任武昀不敢反駁。

魏清莛卻不願放過他。「好了，現在你有兒子了，以後可不能再讓我生了，實在是太疼了。」

任武昀用手小心的摸摸兒子的小臉蛋，遲疑道：「以後妳要是真的不想生再說吧。」任武昀只覺得看著這小小的一團，心都軟成一片，更別說魏清莛了。

果然，任武昀此話一出，裡屋的魏清莛就不說話了。

魏清莛躺在床上，自己生了一會兒自己的氣，繼而想到，現在頭一個兒子才出生，離第二胎還遠著呢，不用這麼急著考慮。

蘇嬤嬤站在一旁，見這兩口子一點自覺性都沒有，就在一旁提點道：「四公子，四夫人，小少爺的名字還沒取呢，您看要不要去問一問老王爺和老王妃的意思？」

魏清莛趕緊搖頭，老王爺和老王妃都對這孩子不上心，誰知道他們會取個什麼名字啊？

任武昀更是直接跳起來道：「兒子的名字我要親自取，你們誰也不准插手。」說著跑去書房臨時翻書。

裡屋的魏清莛很是無語，一般懷上孩子之後父母必要商量的一件事就是孩子的名字，但是這個孩子被發現的時候魏清莛就動了胎氣，夫妻倆都小心翼翼地不敢亂動，心神都放在這上面。等到魏清莛坐穩胎之後任武昀卻跑去打仗了，兩人也都沒想起這一茬，唯一想起孩子的也用來爭議孩子的性別，壓根兒沒想起來要給孩子取名字。

等到任武昀打仗回來，沒多久又出了禪位的事，這下兩人更加想不起來給孩子取名了，要不是蘇嬤嬤提醒，只怕這兩口子能一直忽略到孩子滿月都沒想起來。

任武昀是書到用時方恨少，一直到孩子洗三都沒有想到一個好的名字。

等到洗三結束，謝氏就不免問起孩子的名字。「總不能老是寶寶、寶寶的叫著，孩子的名字取好了嗎？」

魏清莛笑道：「四公子要給他取個響亮的名字，所以現在還在想呢。」

謝氏和秦氏一愣。「這麼久？不過也可以先取一個小名叫著，大名倒不急著取。」

王妃和陸氏對視一眼，眼裡都閃過笑意，她們都想到了這幾天梧桐院鬧的動靜。

「取小名還是取寓意好一點的吧。」

「我倒覺得不如取普通一些的，這樣孩子好養大。」

大家就孩子的小名討論起來，讓魏清莛詫異的是，不僅老王妃送來了禮物，就是老王爺也送來了一塊雙魚玉珮。

任武昀最關心的卻還是兒子的名字，現在魏清莛還在坐月子，他不能進去，只好寫在紙上讓阿梨帶進去給她看，然後隔著一道簾子道：「我覺得第一個和第三個名字好，聽上去就霸氣，別人一聽就知道是我任武昀的兒子了。」

魏清莛低頭看上面的名字，嘴角抽抽。「擎蒼，鵬虎？」魏清莛毫不留情的反駁。「不行，我兒子的名字必須要有內涵，你不能光把字組合在一起就行了。像你的名字，你從武字輩，昀，《玉篇》注日光也，表示著溫暖和陽光，你不能光追求霸氣，就把內涵丟了，我兒子以後要做一個有內涵的人。」

阿梨縮在一旁，只當自己不存在，這已經是第三天了，兩位主子為小少爺的名字不知爭了多少遍，反正她就知道小少爺到現在還沒有取名字。

魏清莛顯然也想到了這點，斬釘截鐵地道：「兒子的大名先放到一邊，我們得先把小名取起來。」

任武昀精神一振。「我早就想好了，小名就叫大虎，要不就叫獅子。」好像知道魏清莛會反對，任武昀立馬道：「妳別嫌我取的名字糙，這都是寓意，咱們把小名取得大氣一些，以後我們兒子也壯實一些。」

魏清莛默然，良久才道：「大虎不好聽，還是叫老虎吧。」

「行，就這麼定下了。」任武昀快速地答應下來，好像是怕魏清莛反悔似的，他立馬向所有人宣布，兒子的小名就叫老虎，然後就一個勁兒地叫起來了。

魏清莛的確有些後悔了，但想想這也就是小名，最要緊的還是大名，畢竟以後大名才是他的主要稱謂。

阿梨和阿杏、凝碧、凝華對視一眼，都默默地看向小少爺，心裡默默地為他默哀。

桐哥兒回來得知小侄子有了名字，就開心的「老虎、老虎」地叫開了。

有了小名，任武昀也不再急著給兒子取大名了，而是仔細地翻找書籍，打算好好的給兒子取一個好一點的名字。

在老虎滿月前夕，任武昀終於找到了一個好名字，他不顧蘇嬤嬤的阻攔站在魏清莛的床前，認真的給魏清莛朗誦了一首詩。

魏清莛眨巴著眼睛聽完，道：「這是楚辭裡屈原的《九歌・國殤》，可是這和咱兒子的名字有什麼關係？」

任武昀嚴肅道：「誠既勇兮又以武，終剛強兮不可凌，兒子的名字就從此出，叫誠勇，任誠勇，心誠且勇，不可彎折，《大戴禮記・文王官人》裡也說『誠勇必有難懾之色』。」

「這個名字是你找到的？」魏清莛吃驚地看著任武昀。

任武昀挺足了胸膛，驕傲道：「我將楚辭反覆翻了幾遍，這才找出來的。」

魏清莛點頭道：「好名字，那以後咱兒子就叫誠勇。」

任武昀咧了嘴笑。這個好心情一直保持著，梧桐院的人都知道四公子心情好，四公子心情好，他們的心情也好，卻不再像一年前那樣往任武昀跟前湊了，因為自從四公子的零用錢被嚴格限制以後，四公子就變得吝嗇起來了。

本來以為小少爺出生，這種現象會好轉，可誰知，小少爺出生，四公子打賞的錢更少了。

任武昀有很多的東西想買給兒子，他就只能省吃儉用了，連在外面的應酬也減了不少，一是他要省錢，二來是他要回家看兒子。

魏清莛要是知道兒子還有這種功效，鐵定大聲笑上三聲以示祝賀。

其次知道任武昀心情好的則是朝中的官員，這幾天任武昀對誰都是笑嘻嘻的，就算有人在朝堂上抨擊新皇的新政策，他也不像以前那樣暴跳如雷地跳出來和人打擂臺了，而是好言好語地和他們說話。

那些官員又得寸進尺的，但任武昀的脾氣雖然變好了，胡攪蠻纏的本事卻一點也沒變弱，依然不鬆口的和人硬抗。老道的人就看出脾氣好的任武昀比脾氣不好的任武昀還要難對付，因為他脾氣不好，你可以把他說的暴跳如雷，從而進行人身攻擊以達到他們目的，但最近不管他們怎麼挑釁，任武昀都好脾氣的沒有發作。

幾個老臣就吹鬍子瞪眼地想，任武昀當了爹果然不是什麼好事。

皇上和竇容卻鬆了一口氣。

皇上不願任武昀過多的參與到這件事上去，倒不是說他忌諱，而是這是一件會得罪人的事，皇上是想把那些人拉下來，但不想經過任武昀的手。不然出了岔子，以後清算的時候到底要不要算他的？

皇上不止一次的讓竇容攔下任武昀，甚至還給他放了半個月的假讓他在家陪兒子——這可真是滿朝文武第一人，在古代，男子可是沒有產假的。現在看來，這的確是個喜事，小表弟一出生，小舅舅的脾氣也變好了，就不知道能持續到什麼時候。

一下朝，任武昀就跑去找皇上。「後天老虎滿月酒，你來不來？」

皇上頭也不抬地道：「我要是去了，你們王府還不得忙死？」

「說的也是，」任武昀歪頭想了一下。「那你把禮物給我，後天我替你送給我兒子。」

皇上嘴角抽抽，終於抬起頭來。「小舅舅，你好像很缺錢似的？」

任武昀狠狠地點頭，渴望地看著他。

皇上無奈地扶額，要說窮，其實他才是最窮的那個好不好？不過見小舅舅眼巴巴地看著他，皇上還是點頭道：「我會給小表弟準備一份大禮的。」

任武昀這才滿意地離開。

第九十四章　外放

老虎滿月，王廷日給他送了一整套陳衍之手抄四書，任武昀看到禮單很是不滿地嘀咕。「以後我兒子是要當將軍的。」

魏清莛卻驚喜不已，陳衍之是五代時的大文豪，這套四書的價值只怕比王爺送的那棵半人高的珊瑚還要貴重。魏清莛讓人收起來，不滿地掐了一把任武昀。「胡說些什麼呢，這套書要收好來，以後傳給子孫。」

任武昀一聽說傳給子孫，立刻就要跳起來，誰知魏清莛下一句卻嘀咕道：「以後要是子孫落魄了，還能賣個好價錢呢。」

任武昀面色古怪起來，左右看看，見沒人注意，這才湊到魏清莛耳邊威脅道：「爺的子孫會窮到賣書的地步嗎？」

魏清莛點頭道：「當然不會，我這不是為了預防嗎？再者我看表哥這禮物就很好，孩子跟著你習武，但是也要學文啊，最好是文武雙全，有這麼一本好書在也能鞭笞他。」

任武昀很懷疑，只是還沒等他問出口，前面就有人來叫兩人出去接旨，皇上給小少爺送禮來了。

任武昀眼裡閃過迷惑，送禮還要頒旨？魏清莛也不懂，只好抱著老虎出去接旨。

皇上封老虎為世襲四品僉事，除此之外還有一盒東珠和一套五彩十二生肖。

任武昀接過聖旨，頒旨的公公恭喜道：「四公子大喜！」

任武昀高興地大喊一聲。「賞！」

那位公公好像也很高興能得到任武昀的賞賜，沒有多留，說了幾句皇上的祝福語就告退了。

魏清莛古怪地看著懷裡正睜著圓溜溜的眼睛亂轉的兒子，這才滿月就是四品官了？

平南王笑道：「這可算是恩典了，當年昀哥兒滿月的時候都沒這待遇。」

任武昀樂道：「大哥，老虎這是沾了我的光呢！」

任武晛在一旁聽了失笑。「行了，趕緊去招待客人，讓莛姊兒把孩子抱回去吧，畢竟才滿月，別讓他吹風。」

任武昀連連點頭，親自護送魏清莛回後院。

女眷們都聚在這裡，聽說老虎就是四品的官了，眾人神色複雜，秦氏和謝氏是單純的高興，其他人中有羨慕的，也有嫉妒的，但不管是哪一樣，大家都是滿臉喜意地說著恭喜的話，直把孩子的好說得天花亂墜。

大家聚到下午，老虎早就累得睡過去，只是因為不斷有人提出想看孩子，她只好一直抱著。

任武昀習慣性的回來看兒子，見後面女眷眾多，他哪裡好過去，就不免有些煩躁。「都這個時辰了，她們怎麼還不走？你去，讓四夫人想辦法送她們走。」

日泉苦著臉去找阿梨。

魏清莛不擅交際，此時也正巴巴的坐著，大半天下來早就累了。聽到阿梨的傳話，魏清莛也就不掩飾地將疲態露出來。

秦氏和謝氏心領神會的起身告辭，有了兩人帶頭，不少人見魏清莛神色疲憊，也紛紛提出告辭。

王妃和陸氏就送她們出去，沒多久，魏清莛的院子就靜了下來，任武昀這才興沖沖地跑進來。

他心疼地看著魏清莛。「妳也真是的，她們不走，妳不會趕人嗎？蘇嬷嬷可是說了，妳要坐四十天的月子，今天就累著了，以後落下毛病怎麼辦？」

任武昀也沒心情看兒子了，連忙接過兒子交給阿梨，自己扶魏清莛進屋，讓人打熱水來伺候魏清莛梳洗。「妳先躺著休息一下，等到晚飯的時候我再叫妳。」

魏清莛點頭，任武昀見她睡下了，這才過去抱兒子。

京城的十月，天氣已經變得涼爽了，孩子就是穿上小褂也不會覺得炎熱。

老虎已經七個多月，才剛剛學會爬，此時正坐在毯子上自己拿著一個木雕的老虎「咕嚕咕嚕」的說著自己才懂的話，沒幾下就將老虎丟到一邊去，然後就突然爬過去抓起來繼續扔。

魏清莛坐在一邊含笑看著他爬來爬去，老虎虎頭虎腦地四處看，見母親只是看著他笑，不給他撿東西，就揚著拳頭「啊啊啊」地叫著。

任武昀進來看到的就是自家傻兒子一個人在那裡「啊啊啊」地叫個不停，他快步上前一把把兒子抱起來面對面的看著，笑道：「我兒子真聰明，這麼小就會說話了。」

魏清莛讓人去打水來讓任武昀梳洗，聞言笑道：「又在胡說，你兒子什麼時候會講話了？」

「誰說我兒子不會的？他只是說不出來而已，其實他都懂的，是不是兒子？」

老虎咬著手指「啊啊」兩聲。

任武昀就自得道：「妳看我沒說錯吧？」

魏清莛懶得反駁，在任武昀看來，他兒子就是天下第一聰明。

本來魏清莛還欣喜任武昀竟然這麼寵愛兒子的，可現在她只能防著任武昀把孩子給寵壞了。

「你今天怎麼回來這麼早？」

「別提了，」任武昀把老虎交給他乳娘，皺眉道：「皇上和世家又打起來了，他們反應過來了，對於皇上先前提的政策都反悔了，而且皇上新提出來的屯兵制他們也沒同意，總之我出宮前他們還在吵呢，我不耐煩聽就悄悄回來了。」

對於皇上時不時的和朝臣吵架，魏清莛早就習慣了。

也不知道皇上是怎麼引導的，總之現在雖然每天上朝好像都會吵架，但火藥味卻比太上皇在位的時候淡很多，那些人好像也知道皇上無意動兵，而且見皇上雖然處罰嚴厲，但從沒出過血，所以一個個都是有什麼說什麼。

朝堂也是一天比一天熱鬧。

其實皇上不是沒想動過手，在三月的時候，江南傳出一個官員竟然貪污朝堂的糧種錢，那時候皇上就想殺了他的，而且負責抄家的還是任武昀。

還是任武昀回來嚷得魏清莛知道，那時候老虎才滿月不久，魏清莛正是心最柔軟的時候，而且在她看來這也罪不至死，反正皇上不是缺錢嗎？與其殺人，不如沒收他所有的財產。

皇上本來是想殺了那官員，家眷收監充奴，魏清莛覺得很沒有必要，無意間說了一番話，那番話被任武昀告訴皇上，皇上趁著旨意還沒下，就改成讓那官員流放，所有家產沒收充公。

而後，皇上讓人查了不少的貪官出來，無一例外，全都沒收家產，一分錢都沒留下，曾經有家眷挾帶金銀，一被查出來，一律流放，不分男女。奇跡般的是，在抄了二十幾家之後，朝政一肅，皇上那時就哭笑不得。「他們竟是要錢不要命了，朕要殺了他們，貪官該怎樣還是怎樣，但朕要抄了他們全家，他們竟然老實了。」

可也正因為皇上沒有讓人流血，朝中的言論也越來越大膽，竇容卻覺得這是好事，還正兒八經地給皇上道喜。

任武昀大馬金刀的坐在飯桌前，阿梨才擺好飯菜，乳娘也抱著老虎上來了，老虎看見父親，掙扎地爬進任武昀的懷裡，看見桌上的盤子，伸手就要抓。

任武昀快速地抓住他的手，就是這樣，老虎的手也碰到了桌上的盤子。

「叫你胡鬧，我吃了你！」任武昀一口就咬住他的手。

「格格……」老虎卻以為父親是在和自己玩，將手伸進父親的嘴裡，眼睛亮晶晶地看著他。

魏清莛一把抱過他。「行了別鬧了，趕緊吃飯，吃完了帶他到花園裡去走走。」魏清莛看著聽到花園就興奮地一直往外爬的兒子，抱緊他，輕輕地拍了一下他的屁股。「行了，安分一點，不然等一下不帶你出去玩了。」自三個月後，老虎每天都要到花園裡走走才肯睡覺，就是下雨，他也要到那裡去看看，魏清莛不知道他這倔性子到底是隨了誰的。

任武昀刮了刮他的臉，道：「我等一下帶他去大哥那兒，有些事要和大哥說。」

小老虎對和父親出門非常的興奮，握緊拳頭「啊啊」地叫著。

任武昀卻不敢太過放鬆，十月，京城的夜晚已經有些微寒了，他拿小毯子將兒子包好就興沖沖地帶他去大哥的書房。

平南王看到任武昀抱著兒子進來，習慣性地微微皺眉，雖然知道沒有效果，但還是道：「老祖宗的規矩，抱孫不抱兒，先前也就算了，孩子一天比一天大，小心把孩子寵壞了。」

雖然平南王寵任武昀，但任家和大多數家族一樣信奉的是棍棒教育，任武昀的三個侄兒，包括金哥兒在內，他們父親對他們都是板著臉的。

平南王至今都沒有抱過自己的兩個兒子，金哥兒也沒被任武昀抱過。

任武昀這樣對小老虎已經過了。

任武昀一點也不在意，在他看來，他要不寵兒子，還有誰寵？別人都有祖父、祖母抱著，但他的兒子，任武昀想到小老虎出生至今，老王爺和老王妃還沒見過孩子一面，眼色微沈，繼而笑嘻嘻地打諢過去。

他將兒子抱在腿上，和平南王說起朝政。

皇上想讓任武昀去安徽任都督，總領安徽的事務。

平南王皺眉。「都督要管的可不只是練兵，連地方政務也要批閱的，要我說還不如在金吾衛中任職。」

「大哥，我想去試試。」任武昀一直想幫皇上做些什麼，只是現在他在金吾衛中並沒有多少作為，應該說他在京城裡並沒有多少他能做的事，所以他想出去走走。

在平南王看來，任武昀的定位一直是武將，他打仗很厲害，卻不可能對地方政務有什麼作為，所以他不同意。

任武昀不在乎地道：「不是還有師爺嗎？皇上和竇容都說了，到那時給我選一個好師爺，我給帶到任上去。」

平南王一噎。那和監視有什麼區別？

平南王嚥下到嘴的話，他知道昀哥兒和皇上、竇容在一起的時間比他們兄弟兩人加在一起的還要多，昀哥兒對他們很信任，特別是對皇上，即使皇上已經登基大半年了，但有時他還是能聽到昀哥兒私底下叫皇上喜哥兒，皇上也是和以前一樣應著，所以他才搞不懂皇上的想法。

平南王有些發愁地想，要是二弟沒有去南邊，也許他還有一個幫忙參考的人。

「這件事弟妹知道了嗎？」平南王只能寄希望於魏清莛了。

任武昀摸摸鼻子。「我還沒和她說呢。」

平南王眼睛一亮，道：「你最好還是去和弟妹說一聲吧，畢竟這一去，最少也要三年。」

任武昀磨蹭了一下，他本來是想請大嫂幫忙去說項的，結果看大哥這樣子，估計是不可能了。

任武昀只好將兒子抱好，重新回去。

平南王看著任武昀小心翼翼地將小老虎抱在懷裡，眼睛微瞇，戀家也是有戀家的好處的，平南王決定以後不再就任武昀總是抱著小老虎的事說他了。

晚上，任武昀躊躇良久才將此事告訴魏清莛，他本來以為魏清莛會罵他，誰知道魏清莛卻是高興地問道：「你說的是真的？皇上真的讓你去做都督？」

任武昀點頭。「對啊，現在就等著旨意下來了。」

魏清莛迷惑道：「官員換職不是要到五、六月分的時候嗎？」

「哦，前任被我給抄了。」任武昀不在意地道。「他受賄被底下的告上來，我就帶著人把他給抄了，上次我不是跟妳說過了嗎？」

「你抄了那麼多的人，我哪裡記得這麼多啊。」魏清莛抱怨了一句，又興奮道：「那我們什麼時候走？我明天是不是要開始收拾行李了？啊，還要通知桐哥兒一聲，他和孔先生去山東也不知道什麼時候能回來，他要是回來的話，那是住在府裡好，還是去找我們好？也不知道孔先生願不願意去安徽待一段時間。」

任武昀愣了一下，才遲疑地問道：「妳要和我一塊兒去？」

魏清莛理所當然地道：「我當然要和你一塊兒去了，難道我不和你一塊兒去？」

任武昀沒想到魏清莛會和自己一塊兒去的，此時一想到這個可能，他立馬思索起這個可能性來。「我明天去問一下皇上，妳先別收拾東西。」

魏清莛一個激靈，抬頭看他。「怎麼？你本來打算不帶我去嗎？」

「都督是掌兵權的……」

魏清莛立馬明白了，四個藩王本來就分去了四塊兵力，要是掌兵權的都督再有異心，那皇上還當個什麼勁兒？所以都督的家眷是要留京做人質的。

初始的興奮褪去，魏清莛立馬覺得不對勁。「都督不是只掌兵權嗎？怎麼你還要管地方事務？」

任武昀無奈道：「這不是朝中無人嗎？」

去年先是一場旱災，太上皇發怒後殺了不少的官員，後來西地的戰爭又牽連了不少官員，即使那年有一場科舉，但朝中的人還是缺，加上這大半年來皇上的抄家行動，落馬的大多是五品以上的官員，所以現在朝中的官員屬於斷層階段，中上層的官員現在一時補充不上來，巧的是，前不久有人告安徽都督強佔農民土地，打死了人。

刑部的人去查的時候正好把安徽知府也給查出來了，本來皇上還想放那安徽知府一馬，畢竟他現在沒有合適的人選調任過去，可那安徽知府不知死活的撞到了任武昀的手裡，囂張得不得了，還沒等皇上下旨，任武昀先把人給揍了一頓。

得，現在也不用考慮，皇上直接就讓任武昀把人給抄了。

所以任武昀是下去任都督，但也兼任了安徽知府。

不過知府只是個四品的官，但都督是二品，所以還是叫都督威風些。

「我不管，總之我就要跟你一塊兒去，你看小老虎現在才七個月，雖然認人了，但兩、三年不見面，你回來看他還認不認得你。」魏清莛充分發揮了枕頭風的威力，沒到半個時辰，任武昀就神情堅定地承諾明天一定會去和皇上提的。

第二天，任武昀磨蹭著直到所有的官員都下去後，就屁顛屁顛地跑去御書房。

「皇上，你說讓我去安徽，什麼時候下旨？」

皇上詫異地看向任武昀，昨天他提出來的時候阿昀還有些猶豫，怎麼今天就同意了？「你要是真願意去，今天就可以下旨。」

任武昀點頭道：「我願意去，不過我有一個條件。」

皇上眼裡的異色更甚，放下手中的筆，好整以暇地問道：「什麼條件？」

任武昀臉色微紅。「我要帶家眷去。」

皇上嘴巴微張，良久。「你再說一遍，我剛才好像沒聽清。」

任武昀輕咳了一聲，道：「我要帶清莛和老虎一塊兒去。」

皇上認真地看著他，半晌才道：「好。」

任武昀高興地問道：「你真的答應了？」

「你都這樣說了，我能不答應嗎？」

「那你就趕緊下旨吧，你說我們什麼時候啟程，我們就什麼時候啟程。」

皇上低低地笑道：「哪有這麼快？你的師爺還沒請呢，而且小舅母收拾東西也要一段時間吧？」

任武昀不在意地道：「收拾東西很快的，三、兩天就搞定了，你們不是說師爺你們來安排嗎？你們隨便叫一個幕僚跟我一塊兒去就成了，這件事你和竇容來安排，我先回去和清莛說一聲，免得她擔心。」

任武昀興沖沖地衝回家。

皇上搖頭失笑，依然跟著新皇的魏公公擔憂地道：「皇上，都督可是掌兵權的，這家眷……」

皇上不在意地道：「朕信他。」

魏公公諾諾地應了一聲。

皇上的確不太擔心任武昀，跟隨任武昀的師爺是他派去的，任武昀的反應和以前一樣。他之所以急急地將任武昀派出去，也是不想他擠在中間為難。

這大半年來任武昀替他抄了不少人家，得罪了不少人，其中就不乏四王的人。平南王府還好說，畢竟是平南王作主。

其他三王可沒這麼好說話，僅僅是兩個月，安北王和東順王就給他上了五道摺子，若任武昀繼續留在京城，他怕會護不住任武昀。

竇容很快就知道任武昀要求帶家眷赴任的要求了，他難得的和皇上取笑道：「他還說他不懼內，每次出來和我們喝酒都不敢多喝，我們取笑他，他還非得仰高了脖子說是他夫人怕他，他是為了孩子才不喝酒的，這件事一看就是被魏清莛慫恿的，不然他可想不起來要帶家眷去。」

皇上笑道：「讓他帶去也好，有她看著，我也放心些。」

竇容張張嘴，良久。「你不覺得他們一樣不靠譜嗎？」

皇上抽抽嘴角，道：「有時候兩人還是很靠譜的。」

第九十五章　到任

沒多久，大家都知道了任武昀要外放的事，聽說任武昀是去安徽任都督，京中不少人都嘆道——皇上對任武昀可真是寵愛有加，這時候將人摘出去，任武昀至少短時間內是不會出什麼問題了。最關鍵的是，朝中應該會比較安靜一些了。

不少人則是暗暗鬆了一口氣，實在是最近任武昀抄了太多的人家，有不少人都心驚膽顫起來了。

待第二天他們聽到任武昀不僅是都督，還兼任安徽知府時，一個個的抽抽嘴角，有一個比較直接的御史就上前直言任武昀不適合當知府，還是派一個懂得庶務的人去吧。

皇上不在意地表示相信任武昀的能力，他一定會做好安徽知府這個職位的。

眾人心中皆不信，奈何皇上態度，幾人一點辦法也沒有。

魏清莛知道皇上沒有公布任武昀帶家眷的事，所以她也不敢宣揚，生怕傳出風聲被那些朝臣拿話來說，最後橫加阻攔。

所以魏清莛除了去舅母家和秦氏那裡一趟，幾乎都沒和其他人告別，除了平南王府和這兩家，都沒人知道那天出京的不僅是任武昀，還有他的妻兒。

魏清莛收拾的行李不少，大多數是小老虎的東西，光是預計小老虎三年的衣服都裝了快一車了。

任武昀是打算做出一番事業來的，所以預計常駐安徽，對那幾輛大車的行李也就見怪不怪。

所以留心任武昀的人就張大了嘴巴看著任武昀騎著馬走在前面，後面跟著八輛馬車，再加上護衛馬車的人員，浩浩蕩蕩的一行人離開了京城。

不少人都撇撇嘴不屑地想，這到底是去當官，還是去享福啊？沒人想到馬車裡會坐著任武昀的妻兒。

魏清莛沒出現在京城，京城中的人也不懷疑，實在是魏清莛太內向了，她嫁給任武昀後露面的次數是一個巴掌都數得過來，她不出門，那些想巴結她的人也沒辦法，所以除了幾家，沒其他人知道魏清莛已經離開京城，等到京城的人發現的時候，魏清莛和任武昀已經在安徽安家了。

那還是因為派去盯著任武昀的人回報說，都督府裡住進了一位女主人。

出任都督竟然帶著家眷，這是違反國法的事情，朝中不少人就開始攻擊任武昀，甚至還有人將平南王府給扯下水。

安北王瞄了一眼平南王，見他只是垂著眼不說話，平靜地移開視線，他知道，這次的事不會對人家造成什麼影響的。

果然，只聽得上面皇上淡淡地道：「任將軍身邊的師爺是朕委派的，哪位都督想將家眷接去任地，和朕說一聲，朕照著任將軍的待遇給他送去。」

眾人頓時不語了。

皇上和任武昀的交情誰人不知？

皇上這樣放心地將地方政務也交給任武昀，不就是仗著任武昀身邊跟著一個全能師爺嗎？說是師爺，其實不過是皇上的死士。

誰願意身邊跟著一個死士，不管做什麼都會被皇上一一知道，甚至做個什麼決策都要問過死士的意見。

皇上冷眼看著底下人反應，冷哼一聲，揭過不提。

而此時，魏清莛正帶著小老虎巡看都督府的後院。

安徽的都督府經過上任的修繕，雖然算不上富麗堂皇，但檔次高了不是一星半點，幾乎可以和平南王府相比了。

魏清莛好奇地問任武昀。「這都督把這兒修的這麼好，三年之後他就離開，豈不是虧大了？」

「能做到都督這個位置上的大多都四、五十歲了，他們都不願挪窩，皇上顧忌四王，也願意讓都督和底下的軍隊磨合得好一些，一般也很少調任，所以只要年紀不是特別大的，也沒有犯錯被抓著，一般做個十年、八年的不成問題。」

魏清莛了然。

都督府很大，看得出上任是個子孫繁多的，魏清莛用不了這麼多的院子，就和在平南王府一樣，將用不到的院子封起來，只選了正院住下，小老虎還小，就和他們住在一起。

任武昀還要去見當地的官員，他也就只能送魏清莛回到內院，就帶著皇上給他的黃師爺去見外面候著的文官、武官了。

魏清莛則帶著阿梨等人將屋子收拾乾淨，小老虎被放在地上爬來爬去。

等魏清莛注意到的時候，小老虎已經滿身的灰塵，露著兩顆小牙齒呵呵地笑著。

乳娘低頭站在一旁，她想把小少爺抱起來的，只是小少爺好像很喜歡在地上爬，誰要是去抱他，他就會死命的掙扎，小少爺雖然才八個月，但力氣非常大，她一個人根本抱不住，要是太用力肯定會傷到孩子的。

魏清莛無奈地叫乳娘下去打熱水上來給小老虎洗澡。

魏清莛抱著小老虎刮著他的鼻子道：「你這麼喜歡泥巴，明天我把你丟到田裡去好不好？」

小老虎「啊啊」地叫著，好像在認同母親的話。

等到伺候好小老虎，再將一些急用的東西規整好，天色也暗了，眾人也累癱了。

魏清莛道：「讓她們下去休息吧，剩下的東西明天再弄。這幾天凡是來拜訪的一律推了，等我們弄好，再在府裡宴請那些夫人，一次解決。」

蘇嬤嬤道：「夫人就是懶的。」

魏清莛一點也不介意。「不然一次見一家，我們就是見到過年也未必見得完，回頭找爺要一份名單，將那些人都請來，何必去浪費那個時間。」

蘇嬤嬤沒有意見，看著外面昏暗的天色，道：「四公子還沒回來，估計是給絆住了。」

話音剛落，月泉就回來稟報說今晚任武昀不回來用晚飯了，諸位大人在醉仙樓擺了酒席，怕是得很晚才散。

「你回來了，誰在那裡伺候著？」

月泉恭恭敬敬地回道：「回嬤嬤，日泉在爺跟前呢。」

蘇嬤嬤就下去給月泉塞了一個荷包，笑道：「那你也快點回去，可要把爺給伺候好了，不過也別讓爺喝太多酒，傷身。」

月泉知道蘇嬤嬤是警告他別讓爺喝迷糊了，做出糊塗事。月泉趕忙應下，卻不敢收蘇嬤嬤的這個荷包。

蘇嬤嬤不在意地道：「趕緊拿著吧，這也是夫人給你的獎賞，快去吧。」

魏清莛梳洗完打著哈欠就要上床睡覺，蘇嬤嬤趕緊攔住她。「好夫人，這可不是在京城，京城裡誰不知道平南王府的規矩？而且爺的名聲在外，也就沒人動那個心思，可現在是在安徽，這地方的人可不懂，到時候有人將人送到爺跟前，一次、兩次的爺不心動，可要是四次、五次的呢，現在您不坐著等爺回來，怎麼還能先上床睡覺？」

魏清莛不在意地道：「嬤嬤放心好了，我會注意的。」魏清莛知道，男人是不能誘惑的，那種美女脫光了在男人面前，男人卻面不改色、心不多跳的實在是太少了，魏清莛可不會冒那種危險，可這不代表她會犧牲睡眠這樣緊緊的盯著他，那樣不只她累，他也累。

反而還會適得其反。

魏清莛不顧蘇嬤嬤的勸阻，頭一挨到枕頭就睡過去了，實在是太累了，她在馬車上根本就睡不好。

任武昀帶著一身酒氣回來，他小心地進內室換下衣服，簡單地擦洗過就鑽到被子裡。

魏清莛一聞就知道他沒有好好洗澡，掐了一把他的腰。「你又不愛乾淨了。」

任武昀的腿緊緊地壓著魏清莛的，然後雙手抱緊魏清莛讓她動不了，閉著眼睛迷糊道：「行了，我昨天才洗過。」

「昨天是昨天的，今天是今天的，小老虎都比你愛乾淨。」

任武昀嘟囔道：「他恨不得一天十二個時辰都泡在水裡，能一樣嗎？這小子，也不知道像了誰。」

「孩子都喜歡水……」魏清莛話還沒說完，任武昀就打起呼嚕了。

魏清莛微微抬頭看他，忍不住要用手捏他的鼻子，只是手被禁錮著，別說手了，就是身子和腳都動不了。

魏清莛嘆了一口氣，重新躺回任武昀的懷裡，閉著眼睛數羊睡過去了。

早上吃早餐的時候，任武昀嘆道：「安徽這地方就跟一盤散沙似的，黃先生說最要緊的是收服他們，不然我們做什麼事情都不方便。」

魏清莛好奇道：「這就沒有一個地頭蛇跟你們作對？」這才是劇情吧？

任武昀翻著白眼道：「哪還有什麼地頭蛇？去年不都被我們一鍋端了嗎？」

魏清莛頓時想起來了，默了默。「那還有什麼為難的？既然沒有地頭蛇跟你們作對，你們該做什麼就做什麼，該練兵就練兵，該種地就種地，何苦去折騰什麼收服？他們是給皇上做事，要我說這樣就很好，你只要讓他們多為百姓想想，多為百姓做一些事就是了，你收服了他們，那他們到底是聽你的，還是聽皇上的？你的後任要是來了，他們會不會抱成團來找他麻煩？我看就各司其職就是了。當然，這只是我個人的看法，你還是去多問問黃先生的意見。」

在現世，大家只要各司其職就好了，魏清莛不覺得作為首官就要收服底下的人，底下有這麼多人都要收服，回頭又要擔心一言堂，得不到好意見了。

任武昀若有所思。

黃師爺聽說後，恭敬地道：「都督高見，倒是我著相了。」

任武昀毫不臉紅地認下了這個主意是他的，在他看來，夫妻一體，魏清莛的主意自然就是他的主意了。他不介意讓皇帝和竇容知道這是魏清莛的主意，因為他們都不會說出去，也不會介意，但他不會告訴別人，這是他對魏清莛下意識的一個保護，世間的人並不喜歡和容許女子參政。

任武昀的主要精力放在練兵上，安徽因為貧窮，底下的兵都沒有什麼油水，不說驍勇，在魏清莛看來，這就是一批披著軍裝的地痞流氓罷了。

去年任武昀雖然帶著兵把石家和石家養的土匪給滅了，但境內其實還是有幾批小股的土匪，這些兵見了那些土匪就跟耗子見了貓似的，但一出軍營，見著小老百姓隨手拿一些東西都是輕的，有的兵痞勒索、甚至強搶民女都敢幹。

任武昀叫日泉出去打聽到這些消息後氣得踹翻了一張桌子，下定決心要好好地把這些兵操練起來。

魏清莛自然是舉雙手雙腳贊成，她還特意做了任武昀喜歡吃的東西送去犒勞他，這讓任武昀的熱情又高漲了不少。

任武昀著了勁地折騰這些兵，就是那些將也被折騰得夠嗆，軍隊裡吃空餉的不少，任武昀現在還沒有想到查這個，但瞧這個架勢不少人都擔心任武昀會動那個心思。

要是其他人來，說不定他們還會想著聯合起來排擠主官，但是任武昀南征北戰的名聲在外，加上當初他在安徽積威甚重，這讓底下的人都膽顫起來。

何況，任武昀上面還站著一個皇上。

所以不少人就想到了女人這個辦法，要知道，枕頭風這東西，古往今來都是個好東西。

任武昀在軍事上是被仰望的存在，但在民事雖然會被人畏懼，但那些地方官並沒有將他放在心裡，對他們來說，任武昀打仗還行，但其他方面卻不怎麼樣了。

任武昀也不在意，直接叫人傳話出去，皇上給他派了一個師爺專門就是管這個，換一句話說，他不過是轉達黃師爺的意思，而黃師爺是照著皇上的心意辦事的。

有些人縱然不服也不敢做什麼。

魏清莛換了一件平常一點的衣服，問阿梨。「這樣出去應該不會太惹人注目吧？」

阿梨看了看，搖頭道：「不會。」

魏清莛興奮道：「那妳和凝碧也快去換衣服，我們帶小老虎出去玩。」

阿梨猶豫道：「夫人，這不好吧，四公子不在……」

魏清莛不在意地揮手道：「我等一下去和他說，叫阿杏裝上食盒，我們親自帶東西去給他，現在又不是在京城了，我們自然要多出去走走，小老虎長這麼大還沒出去玩過呢。」

阿梨和凝碧低頭看正努力往自己嘴裡塞手指流口水的小少爺，默默地想，小少爺這個年紀沒有出去過真心不算什麼。

魏清莛扯下小老虎的手指，念道：「是不是牙床癢了？總不能是餓了吧？又有奶吃，又有搗碎的肉羹和青菜湯吃，你有這麼餓嗎？」

小老虎不樂意地「啊啊」叫著。

魏清莛也不理他，帶著他往門口去。

等到了車上，魏清莛就抱著他在窗前看外面熙熙攘攘的人群，小老虎第一次看到這樣的情景，看得目不轉睛，腦袋一轉一轉的，圓溜溜的眼睛好奇地看著外面，魏清莛看得心軟軟的，忍不住在他臉上響亮地親了一口。

到了衙門，阿梨去找日泉，日泉看到馬車上的魏清莛和小少爺，腳下一軟，趕緊小跑著過來請安。

魏清莛笑道：「你們爺現在忙什麼呢？」

日泉擦了擦額頭上的冷汗，道：「回夫人，爺正在裡頭看地下傳上來的公文呢，小的這就去把爺叫出來。」

魏清莛疑惑的看著他額頭上的冷汗，點頭道：「那你快去吧。」

任武昀很快就出來了，他鑽進馬車，小老虎看到爹爹，興奮地一個勁兒往任武昀懷裡擠。車上空間很大，任武昀舒服地靠在馬車上，將兒子抱在懷裡，抱怨道：「幸虧妳把我叫出來了，那些人嘰嘰喳喳的就是想不出什麼法子來，又總是吵。」

魏清莛給他打開食盒，將裡面的飯菜拿出來放在桌上給他，接過小老虎讓他吃飯。「吵著吵著說不定就有主意了。」

任武昀快速又優雅的將飯菜吃光，魏清莛就把今天她來的目的告訴他。

任武昀不高興地道：「合著妳是為了出去玩才來給我送飯菜的？」

「當然不是了，我是特地來給你送飯菜，順便看一下你的工作環境的，這不是考慮到小老虎還沒出去玩過嗎？這才帶著他來找你的。」

任武昀的心情這才好轉，大手一揮。「那妳就去吧，把日泉帶上，有什麼不方便出面的讓他去辦。」

「那你身邊不跟著日泉也行？」

「不是還有月泉嗎？」

魏清莛卻知道任武昀還是習慣用日泉，日泉跟了他將近十年，而月泉是這兩年才提拔上來的，平時還是日泉在伺候任武昀，月泉也就是在一旁搭把手。

不過她也沒推辭，大不了下次她開口讓月泉帶路就是了。

第九十六章　算計

徽州是安徽的省會，還算富饒，街上來往的人很多，熱熱鬧鬧的，魏清莛看著兒子目不轉睛的樣子，就讓人駕著馬車慢慢走，讓他看個夠。看到有賣風車的，小老虎緊緊地盯著，伸著手「啊啊」的衝母親叫著，著急地要從車窗裡翻下去，魏清莛連忙抱緊他，對日泉道：「日泉，快去買兩個風車回來，好了好了，風車很快就好了，你給我好好坐著，別往外跳……」

一行人找了一家酒樓進去坐，店小二見魏清莛身後跟著這麼多丫頭、婆子，連忙笑臉迎上來，一臉熱情道：「太太是要吃飯？快請包廂裡坐。」

日泉上前道：「給我們夫人一個臨窗的包廂，要安靜些的。」

店小二一愣，更加的恭敬，點頭道：「小的知道，梅苑就不錯，那兒既安靜又能看到街上的情況，夫人請跟小的來。」

店小二殷勤地等魏清莛點完菜後才下去，下去就找到掌櫃的，掌櫃的沈吟道：「你聽仔細了，那小廝叫的是『夫人』？」

「小的鐵定沒聽錯，就是叫的夫人。掌櫃的，這徽州城裡可沒幾個夫人啊，那幾位夫人小的可都見過的。」

掌櫃的一巴掌拍在他的腦袋上。「你才見過幾位夫人？就敢大言不慚地說見過所有的夫人，行了，趕緊上去小心伺候著，管她是不是夫人，反正我們小心著些就夠了。」
而此時樓上日泉正指了斜對面的一家酒樓道：「夫人，那就是醉仙樓，聽說是這徽州城裡最好的酒樓，背後是河，每年划龍舟的賽事就是在那河上舉行的，聽說可熱鬧了，到那時醉仙樓就熱鬧非凡，安徽省內數得上名號的官員家眷都會過來，就為在裡頭占一席之地。」
「那酒樓的東家是誰？」
日泉笑道：「是石家。」
魏清莛看他，石家早被抄了，果然日泉笑道：「先前是石家，不過石家被抄後讓石家的一個女婿給盤下來了，如今是他經營著。」
魏清莛沈吟道：「爺的接風酒就是在這兒喝的吧？那位東家沒出現？是誰主張在醉仙樓喝酒的？」
日泉解釋道：「夫人，聽說醉仙樓後頭有人，更何況，醉仙樓的確是這兒最好的酒樓，幾位大人選在這兒接風也是看重爺的意思。」
魏清莛點頭。
日泉看了一眼魏清莛道：「只是那天也不知怎麼的，那位東家的一個妹妹就給闖進來了，言語間對爺有些不恭敬，只是爺一向大方，又是在別人的地盤上也就給了對方一個面子，沒計較這麼多，只是……」
魏清莛就冷笑道：「那位姑娘莫非這幾日還出現罵過你們爺？」
日泉低下頭，低聲道：「倒是又見過一次，那人對爺有敵意，諷刺了爺幾句，只是爺沒放在心上。」

魏清莛冷哼，這是欲擒故縱？對著任武昀耍脾氣求存在感？真是有夠蠢的，也不知道這個主意是誰出的。

魏清莛點頭道：「我知道了，你做得很好。」

日泉鬆了一口氣，他還真怕爺在外頭鬧出什麼事來，到時他這個貼身的跟班可就倒楣了。夫人在爺心裡是個什麼位置沒有人比他更清楚了，到時鬧出來，爺不捨得夫人，肯定會把氣撒在他頭上的，還不如提前給夫人預警一番，防患於未然，就是出了什麼事也有夫人替他說情。

魏清莛的目光落在斜對面的鋪子裡，「咦」了一聲，指著對面問道：「怎麼那裡有個玉石鋪子？」

日泉笑道：「那鋪子旁邊有條小巷，從那兒拐進去一整條巷子都是賣這個的，徽州城倒也有不少大人在玩這個，爺還說過要去看看誰經常去買這個，手中十有八九是不乾淨的，賭石需要的金錢很多，官場中，若有人經常買這個，不是家裡特別殷實的，就是貪污受賄的。」

魏清莛啞然。

安徽多產綠松石、菜花玉、鳳陽玉和墨玉。但綠松石極其稀少，就是全國上下的綠松石礦也沒有多少，所以就顯得彌足珍貴。綠松石又以藍色為貴，天藍色的綠松石更難為可貴，要是結構緊密，那綠松石就好像上釉的瓷器一般。

既然是土特產，魏清莛自然有興趣去看一看。只是她看向身後一堆丫頭、婆子，抱起小老虎，道：「阿梨和凝碧、日泉跟著就行了，妳們在這兒等著。」

眾人面面相覷，只是她們習慣了聽命令辦事，蘇嬤嬤又不在，也就沒人開口說反對的話。

其實這些玉石鋪子裡面最多的還是和上玉閣一樣的玉石，只不過因為安徽特產綠松石，所以店裡才單獨闢出一個角落來單獨放置綠松石原礦。

上玉閣裡也不是沒有綠松石，只是品質不一，而且數量少，因為魏清莛沒看過太好的，所以沒買過。當然最重要的是，綠松石雖然好看，但也只有天藍色、淡藍色和藍綠色的還不錯，但國人向來最愛的卻是白色、綠色和紅色，因為對藍色沒有過多的偏愛，綠松石雖然稀少，並沒有引起玉石界的爭奪。

店裡只站了幾個人，店家單獨劃出一塊地方擺放解開的玉石，其他的空地都堆著原石。看到魏清莛等人進來，手裡還抱著一個孩子，微微詫異地看著她，卻又馬上了然地將目光移走。

有的人為表重視，的確會親自到玉石鋪子來選原料回去加工，眾人以為魏清莛是為那些已經解開的玉石來的。

掌櫃的也是這樣認為，連忙上前招待。「夫人是想買什麼樣的玉石？不如讓在下給夫人介紹一二。」

魏清莛笑道：「我想看看綠松石。」

掌櫃的眼睛一亮。「哦？本店正好有幾塊，夫人隨在下來。」

掌櫃的帶魏清莛到擺放開好的玉面前，指著其中的三塊道：「因綠松石稀有，本店也只有這三塊，夫人看如何？」

三塊綠松石算是中等，最好的也不過是藍綠色，魏清莛的目光轉向那些原石，問道：「不知可否有綠松石的原石。」

「自然有的，只是，」掌櫃的有些猶豫的看向魏清莛。「夫人真打算買？要知道買了原石，裡面可不一定有玉。」

魏清莛不在意的道：「試試運氣吧，就是沒有也不要緊，再回來買你這塊就是了。」

掌櫃的笑盈盈地引著魏清莛去到左邊堆了二十多塊的原石邊上，解釋道：「一般綠松石買賭的人少，大部分都是賣家解開了讓商家們買回去加工的，所以……」

魏清莛了然地點頭。

魏清莛將小老虎放在地上，扶著他站好，小老虎看著原石眼睛發亮，揚著手就要撲上去，要不是魏清莛一直抓著他的兩條胳膊，這麼大的力氣撲上去，怕就要磕到石頭上了。

魏清莛抓緊他，笑嗔道：「你就這麼頑皮？小心把你的下巴給磕掉了。」

小老虎的身子一個勁兒地往石頭那邊用力。魏清莛就抱著他將他放在一塊石頭邊上，凝碧和阿梨連忙上前一左一右的看緊他，小少爺的動作快，她們可不敢分神。

魏清莛見小老虎抱著一塊石頭不撒手後，才將注意力轉移到腳下的石頭上。

魏清莛不懂看綠松石，她就直接「看」，這樣效率很高，沒幾下，魏清莛就從中挑選出三塊，憑感覺，就是沒有上等，也在中上了。魏清莛剛想讓掌櫃的結帳，就聽到阿梨「哎呀」一聲。

魏清莛趕緊扭頭去看，就見小老虎用手扒拉著身前的一塊石頭，那塊石頭有他的腦袋那麼大，小手根本抱不起來，這小子竟然直接趴下去要用嘴啃，他動作一向快，要不是凝碧見機直接將手按在原石上，這小子的嘴早就鐵定啃在石頭上了，但就是這樣，他也被凝碧的手磕得嘴疼，眼淚汪汪的抬頭去找母親。

魏清莛趕緊扭過頭去不看他。

小老虎見魏清莛不理他，就委屈的又低頭看石頭和石頭上的手。

凝碧和阿梨也扭過頭去，不敢看小老虎。

魏清莛就小心地瞄他，見他沒有哭出來就鬆了一口氣，誰知她才鬆下那口氣，小老虎就突然看過來，看到母親看他，頓時委屈得不得了。

掌櫃的還在奇怪這一個個的反應怎麼這麼奇怪，孩子磕著了也不上前去看，難道這孩子是前任的？

小老虎「哇」地一聲哭出來，那響亮的聲音嚇了屋裡除平南王府的所有人。

魏清莛見他的眼淚跟不要錢似地往下掉，連忙上前抱起他，安慰道：「不哭，不哭，你這個傻小子，要是娘親不看你，你是不是就不委屈了？」

小老虎根本就聽不懂，他只顧閉著眼睛嚎哭。

掌櫃的這時總算知道剛才眾人為什麼不看這位小少爺了。

魏清莛抱著他轉了兩圈，見他沒有停歇的意思，連忙走到剛才他抱的那塊石頭跟前，阿梨跟緊拿給她，魏清莛拿著那塊石頭湊到小老虎的眼前，哄道：「不哭，不哭了，娘給你買下來好不好？回去以後你想怎麼著就怎麼著。」

魏清莛隨意地看了一眼那塊石頭，一下子就愣住了，上面漂浮的天藍色氣體，比她剛才看到的三塊都濃鬱得多，而且，她剛才看到最好的也只有淡藍色。

魏清莛古怪的看向自家兒子，這到底是意外，還是……

有石頭哄著，娘親又抱著，小老虎哭了大概有一刻鐘，總算是抽抽搭搭地停止了，他委屈地將腦袋靠在娘親的身上，摸著那塊石頭。

魏清莛既然抱著他，又要拿著石頭，就算力氣過人，時間一久也有些吃不消。

要知道小老虎生下來就有五斤，整個人胖乎乎的，這七、八個月來他吃著母乳，一有不順心的地方任武昀就翻遍全京城的哄著他，聽說北地的人長得壯實就是因為從小吃羊乳，所以任武昀還派人特地到北地去拉回來三頭下奶的羊養在平南王府裡。

每天將羊奶去腥給小老虎當零嘴喝，任武昀對兒子的寵愛是全京城都知道的。

魏清莛有些抱不住他，就對日泉道：「將這四塊原石都買了，運回府去，我們先到酒樓裡等著。」

日泉趕緊應下。

幾人轉身就要走，外頭就衝進來一個穿著白色百褶裙的姑娘，她笑嘻嘻地回頭喊道：「這就是我家的店鋪，你說那些在這兒買原石的大人手上多少有些不乾淨完全是錯誤的，這些原石又不貴，不過是幾兩銀子的事，少吃一、兩頓飯就回來了，何至於去貪污受賄？」

日泉才付完錢回頭看到她頓時大驚失色，待看到外面跟進來的人，腳下一軟，險些跌倒在地。日泉驚恐地看向魏清莛。

魏清莛因為角度的關係，所以沒有看到正走進來的幾人，只聽到一個熟悉的聲音道——

「妳以為幾兩銀子就是好賺的？」

魏清莛詫異地看過去，就和剛進門的任武昀對上眼了。

任武昀頓時有些心虛地想縮回腳，想想，還是硬著頭皮進來了。

那位姑娘聽了嘟著嘴就要說話，誰知道小老虎看到父親興奮不已，揚著手叫他抱。

此時掌櫃的也上前招呼。「大姑娘，您來了。」

魏清莛詫異地揚眉，似笑非笑地看著任武昀道：「爺也來了。」沒有問任武昀怎麼到這兒來了。

任武昀鬆了一口氣，笑咪咪地接過小老虎，討好地笑道：「我來接你們回去，怎麼手裡抱著塊石頭？」

「這是你兒子選中的。」魏清莛的目光看向任武昀身後的幾位大人，幾位大人看任武昀的表現，哪裡還不知道遇上正主了，連忙行禮道：「見過夫人。」

魏清莛回禮道：「幾位大人辛苦了，這是出來考察民情？」

有兩個官員正滿頭大汗，不知怎麼圓過來，聽聞立馬點頭道：「對，對，就是陪著都督出來考察民情的。」

幾人有些忐忑地看向魏清莛，要知道隨著任武昀的聲名遠播，魏清莛的名聲也傳了出來，還在做姑娘的時候就射殺刺客救駕，再看現在都督小心討好的樣子，幾位大人覺得一切都不好了。

魏清莛誰都打過招呼了，卻偏偏漏了孫姑娘，孫姑娘眼睛含淚，不忿地看向魏清莛，有些氣呼呼地道：「妳是誰？」

魏清莛好笑地看著她。「這位姑娘是東家？那肯定是孫姑娘了，我是都督夫人，妳可以叫我『魏夫人』。」

不是「任夫人」，而是「魏夫人」。在這個時代，只有女子夠強或是女子娘家夠強，在夫家有足夠重的地位，才能在出嫁之後以本姓冠夫人之稱。這是告訴眾人她在任武昀的心裡足夠重，她的地位在平南王府裡不可撼動。

諸位大人對視一眼，脊背又彎了幾分。

只是可惜，旁人都懂得的，當事人未必懂，孫姑娘沒有對此有什麼反應，只是委屈地看向任武昀。

而此時任武昀的全副心神都在兒子還紅紅的眼睛上。

任武昀大怒，瞪著日泉、阿梨、凝碧，喝問道：「你們是怎麼伺候人的？小少爺怎麼哭起來了？」別人不知道，難道他還不知道他的兒子，小老虎可乖了，輕易不哭的。

日泉和阿梨、凝碧抖了一下，四公子可不是四夫人，連忙跪下請罪。

魏清莛不在意地揮手道：「行了，這件事也不怪他們，這小子看見石頭就跟看見什麼似的，喏，這是你兒子選中的，差點一嘴就啃上去，他們攔著，這小子就哭起來了，你要想讓他啃，那就給他好了。」好像要驗證她的話一樣，小老虎揮舞著手臂就要啃上去。

任武昀趕緊抱緊兒子，遠離石頭，珍愛嘴巴。

在場的人這才發現孩子是任武昀抱著的。眾人沒想到任武昀竟然這樣寵愛孩子，又是一愣，看向那位孫姑娘的眼神就帶了點同情，都督對夫人所出的兒子這樣寵愛，那孫姑娘還有多少可能？

第九十七章　孫姑娘

魏清莛呵呵一笑，看他們父子玩得差不多了，就將石頭交給凝碧，上前抱過小老虎，道：「那你們繼續考察民情吧，我和兒子到酒樓裡去坐坐，這小子也該吃點東西了。」

任武昀立馬點頭。

魏清莛對那位孫姑娘一個眼神都沒有留下，便將那位孫姑娘打得一敗塗地。魏清莛知道，男人很愛面子，前世的弟弟和這世的表哥都說過，不管私底下怎麼鬧，就是不能將矛盾擴大到外人面前，那樣會讓男人很失面子。男人失了面子，惱羞成怒之下說出什麼話也是不受控制的，就像女人激怒之下說出的話也大多不經過大腦。

既然那位孫姑娘只是她買原石的一個東家，無視便是。

魏清莛的無視讓孫姑娘大怒，她從小被父母捧在手心裡，到哪裡都是焦點，何曾被如此輕慢？她張嘴就要挑釁，好在掌櫃的還聰明，連忙拉了下她的衣袖，孫姑娘甩開，只是任武昀的眼神就直直的落在她臉上，孫姑娘只覺得心一凜，頓時被壓迫得說不出話來。

任武昀眼神冰冷，他今天本來只想巡視一下，不想在外面碰到孫姑娘，說起孫家開的原石鋪子，他就跟著過來了，任武昀可不相信這世上有這麼巧的事，他才上街就碰到了孫姑娘。

他雖然決定透過孫姑娘摸清背後之人的意思，但不代表他是毫無底線的，妻兒就是他的底線。今天要是放任孫姑娘在這兒對清莛口出狂言，那以後別人怎麼看清莛？

他絕對不允許外人看輕了清莛，他寧願以後多花費一些時間去順藤摸瓜，也絕對不允許別人拿清莛作筏子。

後面的幾位官員見了，對魏清莛的定位又高了一等，看來回去要告訴自家的婆娘，以後對都督夫人要足夠恭敬才是。

孫姑娘白著臉低著頭站在一邊，任武昀想到自家兒子哭腫的眼睛也沒心情多待，隨意逛了逛，就揮手說要自己考察民情走了。

幾位大人見任武昀急匆匆地往斜對面的酒樓而去，就知道任武昀是去賠罪了，心中為都督大人同情了一把。

魏清莛氣呼呼地回到包廂，坐下來喝了一杯茶後才冷靜下來，她自是相信任武昀的，先不說老王妃定下的規矩，就是任武昀本人也吃夠了妾室的苦。任家四姊弟，他最小，因為妾室，老王爺和老王妃鬧翻，他更是因此而被父母放棄，所以在成親的時候任武昀就說過他一生只有她。

他無意，那些人就是再有本事也撼動不了他，那他幹麼陪著那位孫姑娘來逛街？體察民情？她就沒見過哪位大人體察民情的時候還帶著一個女人。

任武昀一進門，目光就放到坐在桌子上正用力推石頭的兒子身上。「兒子，來，給爹爹看看，有沒有哭壞嗓子？日泉，回到府上就把吳太醫叫來給小少爺看看，怎麼哭得這麼委屈？眼角都紅了。」

魏清莛嘴角抽抽，拍掉任武昀的手。「我可告訴你，現在孩子還不記事，我也就不管你，孩子要是再大一些，我可不許你這樣無法無天地寵著他，我兒子就算不能成為定國安邦的能臣，最起碼也不能是走狗鬥雞的紈袴。」

任武昀摸摸鼻子，不語。

魏清莛就氣得踩了他一腳，日泉和丫頭、婆子都低著頭當做沒看見。

任武昀也不在意，揮手道：「行了，你們都出去吧，讓掌櫃的多上一點菜，我今兒鬥智鬥勇，現在又餓了。」

魏清莛微張著嘴巴，很想諷刺對方兩句，想想還是算了，到頭來還不是她自個生氣，任武昀臉皮厚著呢，罵他也當誇獎來聽。

任武昀見魏清莛不主動問，他只好開口說道：「皇上讓我查一些事情，其中就涉及到孫家，本來沒想著用那個法子的，只是孫家按捺不住，我才到第一天，這位孫姑娘就跳出來了，黃師爺就讓我將計就計，最好能把後頭的人給挖出來。」

「黃師爺也太不正經了，他怎麼不上，讓你上？你可是有老婆、孩子的，做這種事哪裡方便，黃師爺不是還沒成親嗎？正好，讓他上。」

任武昀翻著白眼道：「妳以為他們看見個人就用這招啊，也就是爺，身分高貴，他們才想著把自家妹子送過來的。」

「這麼說來爺還真打算收下了？」魏清莛似笑非笑地看向他。

「當然不是，」任武昀連忙否認。「我連她的手都沒摸過。我說過的，我只要妳一個。」

皇上讓任武昀查孫家什麼，魏清莛不知道，也沒問，她從不會主動去問任武昀工作上的事，只有在任武昀抱怨的時候才會在一旁出出主意什麼的。

就好像任武昀也從不問她和王廷日生意上的事，而關於賭石的事任武昀也很少過問。

夫妻之間也是要有一點空間，而工作就是各自最好的自由空間，這也是為什麼任武昀明顯對她和王廷日有生意往來很有意見，她依然堅持在盛通銀樓和狀元樓的股份，只是減少了和王廷日的見面罷了。

所以魏清莛見任武昀不再提那孫家的事之後，也就不再多問，只是強烈地要求他一定要掌握分寸。「你要是真的敢給我弄個『姊妹』回來，我就帶著你兒子和桐哥兒住到郊外去，一輩子不見你，也不許你兒子見你。」

任武昀打了一個寒顫，連連點頭，之後行事更加的小心。

而此時黃師爺才聽說了任武昀當場給孫姑娘臉色看，並且去追夫人去了，暗罵一聲沒出息，就想著該怎麼維持住這段關係。

而黃師爺不知道，此時的孫家卻鬆了一口氣。

任武昀軟硬不吃，這才想到了美人計，本來只是想試試，任武昀沒要人，但也沒明顯的拒絕，這樣他們的心中反而有了疑慮，這兩天一直舉棋不定。可現在任武昀當場發作了孫姑娘卻讓他們心中一鬆。

很少有人會為了一個女人而發作自己的妻子，任武昀要是站在孫姑娘這邊，他們還會以為任武昀是有所圖謀，現在發作了孫姑娘，倒屬正常，可見任武昀沒發覺他們的計謀。

孫家人自以為是的瞭解了，會心的一笑。任武昀雖然現在發作了孫姑娘，但一開始並沒有拒絕人，說明他對孫姑娘還是有一些心思的，只要天長地久的相處，有了感情，甚至生下任武昀的孩子，可以佔據的空間依然很大。

只要這邊籌碼夠大，孫家在任武昀心中的位置就夠重，到時他們做什麼不成？

所以孫家不但沒有退縮，反而更加的積極了。

黃師爺知道情況後沈默了半晌才想明白，不得不感嘆一聲任將軍的運氣。

而此時好運的任武昀正吃驚地看著手下蔚藍色的玉石，挑眉問妻子。「妳說天藍色是最好的，那這個呢？」

魏清莛也吃驚地看著正在一旁抓了木頭就要往嘴裡塞的小老虎，道：「這就是最好的。」

夫妻倆看向小老虎，魏清莛心中想的是，難道她兒子有特殊能力？也不是不可能，那塊玉珮不就是任家的嗎？說不定就是老王妃祖上的什麼人做的，而現在小老虎遺傳了能力？總不可能純粹是運氣吧？

任武昀心裡想的卻是，也沒聽說過父母會什麼，孩子就能遺傳的呀？想到小老虎快速地動作，就是自己，一不注意可能都抓不住他的動作。任武昀糾結地想，不知道這時候他去多讀一些書還來不來得及，或是他們的下一胎有幸能繼承他新學的本事？

魏清莛接過那天藍色的綠松石，道：「這麼大一塊可以挖個手鐲還剩餘挺多，只是不夠再挖一個了，不如拿來做兩根簪子，一個吊墜，一對耳環。」

任武昀對此沒有興趣，揮手道：「妳作主就好了，清莛，不如我們再試試吧，要是孩子真的能遺傳，那以後妳多看一些書，然後我再把功夫好好練練，也多看一些兵書什麼的。」

魏清莛頓時無語，但她也很想知道兒子到底是不是有異能，連忙點頭。「這個簡單，回頭我再到玉石鋪子裡去選一些原石，回來讓兒子挑選就知道他是不是能遺傳了。」

任武昀就興致勃勃的和魏清莛去玉石鋪子，知道了先前去的那個鋪子是孫家的，而且孫家竟然還想打任武昀的主意，魏清莛壞心眼地專門去他家的鋪子。她挑選的原石都是拿回去自己解開，剩下來的出玉率就低了，關鍵是她並不在店鋪中解石，後人買了不中，對孫家鋪子的生意自然有很大的影響。

孫家的掌櫃看到任武昀帶著魏清莛進來，心中一跳，連忙恭敬地上前招呼，魏清莛道：「我最近聽說玉石也是能賭的，所以來看看，你們這兒有什麼好的原石，拿出來給我看看吧。聽說你們家的鋪子在這一條街上都是有名的。」

「豈敢，豈敢，魏夫人肯來，小店自然是將最好的原石都拿出來的。」掌櫃的轉身就趕緊叫小二去找東家拿個主意。

任武昀和魏清莛好似沒看到般站在一邊看地上的原石。

任武昀也在賭石界混過幾天，還是懂得一些的，現在他就指了那塊最大的，裝模作樣的說了幾句，掌櫃的在後面倒是吃了一驚，沒想到都督竟然也喜歡玩這個。

魏清莛圍著那塊原石轉了兩圈，搖頭道：「這塊太大了，沒那麼多錢。」

掌櫃的眉間一跳，平南王府會缺錢？都督該不會是想賴帳吧？

魏清莛隨意地轉了轉，就點了五塊原石，不滿意的道：「就這幾塊呀？也不是很多嘛。」

剛得了指示的掌櫃連忙哈腰道：「魏夫人，小店還有今兒早上新進的一批貨，現在還沒放出來呢，魏夫人要是想看，不如小的帶都督和夫人去後院？」

魏清莛矜持地點頭，她知道，一般店家都會私藏一些好的貨色賣給熟人，就好比上玉閣，能進得了上玉閣後院的她魏清莛就是其中一個，但滿京城，統共也就五個人罷了。因為有競爭，所以每次去上玉閣的後院，魏清莛都是直接運用玉珮來「看」，這樣快速而有效。

任武昀的眼睛更是一亮，別人不知道他卻是知道的，依清莛的本事十有八九是要狠狠地賺一筆，那他是不是也可以討歡心，藉此多拿一些零花錢？

任武昀笑得見牙不見眼的走在魏清莛的身邊，一塊兒跟著掌櫃的去了後院。

後院有個屋子擺滿了原石，屋子是打通了三間連在一起，足有三個籃球場這麼大。

魏清莛挑眉，看來孫家在安徽的勢力還是不小的，魏清莛瞥了一眼任武昀，去年怎麼不趁著抄了石家的時候一塊兒把孫家也給抄了？

任武昀摸摸鼻子，用眼神告訴魏清莛，四皇子是遵紀守法的好皇子，沒有證據，怎麼能隨便抓人？

魏清莛對掌櫃的揮手道：「我和都督慢慢看，你先去忙吧，留下一個小二給我們搬石頭就成。」

「是，是。」掌櫃的點了自己貼身的小廝留下，慢慢地退下去了。

魏清莛不在意地走在石頭中間，看得出來，裡面這裡的確是孫家留下的精品，至少這裡的出玉率高多了。

魏清莛指了三塊原石，小二和日泉、月泉紛紛上前將被選中的石頭抱出來放在一邊。

任武昀知道魏清莛的眼光高，選出來最少也是中上，但想想蚊子再小也是肉，連忙上前低聲道：「把那些中等的也選出來吧。」

魏清莛瞥了他一眼道：「你知道什麼？原石的價格也是有差異的，你看上面標了號碼，又分成了四堆，就因為各個的價格不一樣，不一定是中上的我就要選。比如這一堆，這應該是他們認為表現最差的，那中等以上的玉我都會選出來，而那一堆，他們認為表現算是中等，價格也定了中等價位，所以我只選中上以上的玉，以此類推，我要我們用最少的錢賺最多的錢。」最關鍵的是，給他們一個教訓。

自從王廷日打算開店以後她就很少在公共場合解石了，大部分都是拉回家或是拉回盛通銀樓解開。可別人沒有她這個習慣，大部分的人，包括商家，他們都喜歡當眾解開原石，因為賭石界有一個不成文的規矩，傳漲不傳垮，一旦賭漲，業界就會口耳相傳出去。所以商家要是解開好玉，也是給他們的店打了一個廣告，同時也是給玉石鋪子打廣告，出玉率高，還有比這更好的活廣告嗎？

可要是她將價值高於價格的玉都收走了呢？雖然解開依然會有玉，但最好的是收支相等，雖然沒賠，但也沒有賺就是了，更別說原石最多的還是沒有玉和價值低的玉了，到那時……魏清莛嘿嘿一笑——看你們還敢不敢打我丈夫的主意！

魏清莛轉了一圈，肚子也有些餓了，小二和日泉、月泉更是累得連路都走不動了，魏清莛一個上午就指了五十三塊的石頭，其中還有一人高的石頭三塊，這些他們三人都要想辦法弄出來，現在見魏清莛終於選完，三人也終於鬆了一口氣。

小二看了一眼滿心歡喜的都督，心裡為他鞠了一把同情淚，從魏清莛隨意地走到哪裡就隨意地指著一塊原石來看，她是不會賭石的，這一次還不知道都督要賠多少錢呢。

掌櫃的看到這麼多的原石時卻大驚失色，再看到原石的表現時就更加的難看了，不過好在此時任武昀和魏清莛都去吃飯了，沒在跟前，所以沒看到。

掌櫃的看著那兩塊幾乎有一人高的原石，很是不捨地道：「這可是我們打算留下等劉大人過生辰的時候送的，都督怎麼就選中了這塊？」

還不是都督夫人看著大就買下的？小二心中腹誹道，幸虧他未來的媳婦不這麼敗家。

掌櫃的很肉痛，因為剛才東家說了，不管都督看中了什麼，一律按照原價格的半價賣給對方，討一個好。

掌櫃的牙疼地想到，不知道東家知不知道都督不是只選了一、兩塊，也不是三、五塊，而是五十三塊啊，而且其中還有好幾塊他認為最具有賭性的原石。

任武昀的心情很好，他大手一揮，讓日泉趕緊回去找帳房拿銀子。

日泉偷眼看向夫人，魏清莛點點頭，本來她想說她身上帶有玉牌，可以去附近的錢莊取的，不過想想還是算了，那是她的嫁妝，既然任武昀想要出銀子那就讓他出好了，他們夫妻共有財產雖然少點，但這點錢還是拿得出來的，而且那些玉一轉手就又是錢了。

日泉趕緊在街上隨便買了個燒餅，一邊啃著，一邊指使著車夫快些。

回到孫家鋪子的時候，掌櫃的已經麻利的將原石都裝車了，任武昀滿意地道：「你那些原石的價格不一樣，爺也沒心情記，你就給爺算出一個結果來吧。」

掌櫃的笑道：「回大人，已經算出來了，一共是五千三百二十兩。這個二十兩是零頭，小店就不要了，都督大人只要給五千三百兩就行了。」

任武昀眨了一下眼睛，歪頭問道：「你確定是五千三百兩？」任武昀雖然沒有去記每一塊原石的價格，但自家選了這麼多，要付銀子，他心中自然有一個大概的數，五千三百兩比之他的預算實在是低得太多。

掌櫃的笑容更親切了，都督大人看來是真會賭石的，一聽就知道不對勁兒，這樣也好，免得他再暗示了，孫家示好總要讓正主知道才是吧。

「回都督大人，的確是這個價。」

任武昀心中冷哼一聲，揮手道：「既如此，日泉。」

「是。」日泉趕緊上前掏出銀子，話說他可是拿了一萬五千兩銀子出來，現在帳房上還只剩下三百二十五兩銀子。其中的五千兩還是先前王爺怕四公子在外頭闖禍私下裡塞給帳房，讓帳房給四公子收拾爛攤子用的。

這下好了，帳上總算是沒開天窗。

第九十八章 爭鋒

任武昀一進馬車，就氣得踹了一腳車上的桌子，桌上的杯盞就咣咣的滚落在地上。

魏清莛一點也不在意地坐在一邊。馬車顛簸，魏清莛就把馬車裡的東西都換成了物美價廉的東西，比如桌上的這套瓷器，看著好看，其實只花了一兩銀子，還多送了兩個杯子，所以即使摔壞了，魏清莛也不心疼多少。

任武昀惡狠狠地道：「當著爺的面行賄爺，一出手就是五千多兩銀子，難怪安徽那麼多官員都替孫家說話，爺就說，一個孫家的姑娘是怎麼闖進醉仙樓的，孫家必須剷除，就算他們沒有在背後給皇上搗亂，也不能留著他們。」

「孫家雖然行賄，但要是官員不收，難道他們還能按著對方收下？」魏清莛不贊同地道：「你剛才也太激動了些。」魏清莛其實是不想占孫家這種便宜的，她雖然給孫家一個教訓，卻走的是光明正大的方子，可現在孫家賄賂，任武昀受賄算怎麼回事？

一萬兩銀子，她還不放在眼裡。

任武昀冷哼一聲，扭過頭去，有便宜不占是傻子，反正他也沒打算領情，就算是對方買一送一吧。

孫家要是知道他們費了這麼大的勁兒和銀子，任武昀卻更加堅定了對付他們的決心不知是何感覺。

任武昀和魏清莛又走了兩家鋪子，這次是任武昀和日泉、月泉進去挑選，魏清莛說了，只靠感覺挑選，不用考慮輸贏。

輸了算她和任武昀的，贏了算各自的。

任武昀摩掌霍霍，求證地問道：「輸了算我們的，贏了算我的？」

魏清莛瞥了他一眼，點頭。

任武昀很缺錢嗎？每個月都給了他二百兩的月例了，話說她每個月二十兩都用不完呢。衣服錢、住宿錢、伙食費等等費用又不用他出，話說他的錢到底花到了什麼地方？要不是他一下衙就回家，日泉也是拍著胸膛表示他向來是三點一線——衙門、軍營、都督府，她都要懷疑他在外面金屋藏嬌了。

任武昀小心翼翼地賺錢去了，日泉和月泉也興奮不已。他們知道主子們是要選回去給小少爺玩的，也就放開手腳，不計較成本的選。當然，也是有標準的，看上去好看的、感覺不錯的。

最後，他們每人都抱著三塊原石出來。

日泉去付錢，魏清莛就先幫他們看了一下，頓時古怪地看了三人一眼。

任武昀、日泉和月泉頓時緊張起來，他們都知道，魏清莛賭石的厲害程度的，三人都眼巴巴地看著魏清莛。

魏清莛展顏一笑。「回去解開就知道了。」

日泉和月泉頓時低下頭，任武昀磨磨牙，見周圍的人都有些好奇地看過來，他只好忍住將人抓起來打一頓屁股的衝動。
上了馬車，任武昀就纏著魏清莛想要知道原石的情況，魏清莛只一個勁兒地搖頭，可憐地看向任武昀，道：「現在知道就沒意思了，等小老虎選過之後解開就知道了，你是要賭石的，要是每次解石之前都知道裡面有沒有玉，那還有什麼意思？」
任武昀想想也是，不過他賭石的運氣一向不錯，想當初，他不過在玉石街混了幾天就賭到了一塊高品質的玉料，玉石街的人可說了，有的人一輩子都賭不到一塊好一點的玉料。
任武昀信心滿滿地等待回去後解開原石。
小老虎一覺醒來，見娘不見了，正哇哇地大哭，奶娘和阿杏等人怎麼哄都沒用。
任武昀看到哭得直打嗝的兒子，帶著煞氣地瞪向下人，一把接過兒子在一旁哄著。
幾個下人嚇得面色蒼白，戰戰兢兢地跪在一邊，魏清莛揮手道：「妳們下去吧。」
魏清莛哄小老虎吃了些東西，這才抱著他一塊兒去放毛料的屋子。
為了公平，魏清莛也從自己選的原石裡面揀出了三塊，和任武昀等人選的九塊放在一起，讓老虎選。
任武昀扶著兒子的胳膊小心地在原石邊走動，小老虎圓圓的腦袋四處看了看，就在任武昀選中的一塊圓圓的原石邊停下，抱著那塊原石不動了。
魏清莛一愣，心中有些失望，之後又有些慶幸。
老虎選的那塊原石裡並沒有玉，兒子沒有異能，魏清莛自然有些失望，之後又有些慶幸。懷璧其罪，這些年她一直小心翼翼，擔驚受怕，她不想兒子也終日生活在那種環境之下，兒子平安快樂地長大，還有比這更重要的嗎？

魏清莛會解石，自己也有一套解石工具，見任武昀興致勃勃的樣子，魏清莛就換了衣服出來，親自解石。

任武昀將小老虎交給阿梨和凝碧，自己給魏清莛打下手，沒過多長時間，小老虎選的那塊原石就解出來了，任武昀看著白花花的石頭，看了一眼魏清莛，又看了一眼在一旁拍手的小老虎，眼中傳遞著詢問。

魏清莛輕輕地點頭。

任武昀知道兒子昨天純粹是靠運氣，就高興道：「不愧是我兒子，運氣就是這麼好。」除了魏清莛聽懂外，其他人都一臉便秘樣的看著地上白花花的石頭，搞不清楚爺是在說笑話還是在自嘲。

任武昀知道了結果，更加有興趣得知這次自己的運氣怎樣，就將另外兩塊原石搬上來解開。

日泉和月泉也紛紛將自己的原石拿上來親自解開。

夫人幫爺解石是天經地義的事，難道他們也敢讓夫人解嗎？好在魏清莛在一旁幫他們畫了線，又指導了一番，兩人很快上手，等到太陽快要下山的時候，八塊原石全都解開了。

任武昀三塊中只有一塊品質中上的玉石，而日泉和月泉的都是中下品質的，這也是魏清莛臉色怪異的原因，三個人選的原石裡面竟然都解出了玉，也不知道是他們運氣太好，還是那家店鋪的出玉率很高。

反正不管是哪一種，任武昀就是認定了自己運氣好。

任武昀志得意滿地用過飯，就搖頭晃腦地躺倒在地上，魏清莛笑道：「我正想和你說，我們把原石解出來後，就將明料賣給盛通銀樓吧。」

任武昀立馬反對，看到妻子疑惑的眼神，任武昀解釋道：「這些玉的品質都不錯，我正有用處，反正交給我處理就是了，不會虧的。」

魏清莛以為任武昀是要拿去送人什麼的，也就不再多問，只是囑咐道：「裡面也有一些玉的品質不是特別好的就賣出去吧，我們帳上的銀子可沒有多少了，再不久就要過年，年節禮又是一筆開銷。」

任武昀狠狠地點頭，他只是不想清莛和王廷日聯繫，東西本來就是要賣出去。不過一些品質非常好的卻要留下給自家用，以後傳給孩子，當初那塊內中有洞的墨玉，雕刻好後就被他們收藏起來。

任武昀憂愁地想到，不僅年節禮要錢，如今他們外放了，不像在京城裡皇上和大哥時常接濟他一些，如今除了俸祿，他完全沒了額外收入，而且京城的各種禮物卻是不能少。

這家的壽辰，那家的喜酒，王府和皇宮裡的禮物，他可以不出席，但禮物卻不能不到。最關鍵的是養兒子的費用可是很高的，再過一年，小老虎就會走會跑了，兒子的各種玩具，各式生活用品，這些無一不是銀子。

任武昀向來不願委屈了兒子，他和魏清莛只穿普通的綢緞都沒問題，但兒子皮膚嬌嫩，任武昀可不捨得兒子穿那樣的衣服，他小的時候即便沒爹疼、沒娘愛，穿的也都是貢品，更何況他兒子。

再大一點就要習武學文，書暫且不說，因為他知道的也不多，但習武要買自己喜歡的武器，還要買小馬駒，這些無一不要錢。

這樣一算下來，任武昀都覺得自己很窮了，任武昀心虛地瞄了一下魏清莛，他堂堂男子漢，豈有吃妻子嫁妝的道理？

任武昀挺了挺胸膛，決定等將這些明料都賣出去後就多買一些恆產，到時候給兒子攢銀子。

任武昀第二天就去找了黃師爺，讓他幫忙想辦法將明料賣出去。

黃師爺頭疼地看著任武昀，見他一臉嚴肅，只好應下，見任武昀就要走，快手地拿出一份文書，笑道：「大人，這是屬下做的一份計劃，冬天將至，來年春天要如何安排最好提前做好工作，一年之計在於春啊。」

任武昀剛拜託人家一件事不好拒絕，只好接過文書往胳膊下一挾，點頭道：「爺知道了，回去就看，地方這邊的事你就自己拿主意吧，我先去軍營了。」

任武昀這幾天都在死命地操練那些徽軍，就是讓他們沒有多餘的精力出來擾民，之後他還要將許多紀律以公文的行事頒布出來，當年他在北地的時候，北軍悍勇，但也沒人敢出去拿了百姓的東西不給錢，要是給告到安北大將軍面前，不死也脫一層皮。

任武昀眼裡閃過寒光，他的兵也絕不比北軍差。

魏清莛見任武昀不耐煩地翻著手中的文書，問道：「你這樣看得進？」

任武昀將文書扔到一邊，不耐煩地道：「看不下去，我又不會種田，怎麼知道如何改進？」

魏清莛撿起來看了一下，才知道是黃師爺對安徽農業的總體規劃。

魏清莛嘆了一口氣，在前世就有一句話貼切的說明安徽的貧窮：前世不修，今世生在徽州。

和貴、桂等地相比，安徽的地理環境算是不錯的了，但這裡人口多，耕種的土地就變少了，魏清莛雖然沒見過這邊的人種田，但在京城的時候她也到自己的田莊裡去看過勞作，這個時代種地的技術幾乎都差不多。

魏清莛仔細地想了想，也想不出什麼好的法子，但她知道，在前世，她家的收成還是不錯的，當然，那是因為他們用了化肥，用了農藥，更重要的是他們用了袁老先生的種子，這些她都不可能給這個時代的農民，她能給的也就是一些小小的建議。

魏清莛想了一個晚上，第二天就開始拿筆編了一個一個的小故事，裡面都涉及到種田，她事無巨細地寫著。

前世她雖然跟著家人一起種地，但還沒資格稱為農民，她只算是聽話辦事的農民跟班，她不知道哪些事情對現在有用，她只能將自己記得的步驟都編進了故事裡。

她不知道的東西，不代表老農民們不知道，他們才是最有智慧的人。

魏清莛找來都督府的任管事，他是王府大總管的弟弟的兒子，是王爺介紹過來的，任武昀用著好，兩人這次來安徽就給帶來了。

魏清莛遞給他一個盒子，道：「裡頭是二千兩的銀票，你在徽州附近找些莊子買下來，開春後我們要種地，佃戶的要求只有一個，怎麼種得聽我們的，地租上可以放寬些，只要三成就行了。順便再找一些在農事上比較精通的農民過來，要是有會識字的就更好了。」

任管事聽著這些要求怪異，但跟了這對夫妻倆大半年的任管事知道這兩人的習慣，也沒有多問，轉身就親自去找人了。

不是他要親力親為，而是實在是閒得慌，四公子不喜歡往家裡宴客，夫人不喜歡出去做客，所以他要做的事實在是有限，他本來還想要是再沒有事情做，就要和任武昀請示是不是換一個位置試試。

他總不能老閒著。

好在上天聽到了他的祈禱，現在就讓他開始有活幹了。

魏清莛將稿子收好，打算等任武昀回來交給他，讓他找人抄寫幾份。

阿梨就從外面進來稟道：「夫人，劉同知的太太來給您請安。」

魏清莛詫異地問凝碧。「妳們昨天收到了帖子？」

凝碧和阿梨面面相覷。「回夫人，沒有。」

那有什麼事值得這樣失禮前來？心裡邊想邊讓阿梨給她找衣服換上。

魏清莛帶著凝碧到前廳去，看到坐在劉太太旁邊的孫姑娘，魏清莛挑眉，坐在上首，對劉太太歉然道：「不知道劉太太會來，所以耽擱了一些時間，還請劉太太見諒。」

劉太太臉面一僵，乾笑道：「哪裡，是我不請自來，倒讓夫人取笑了。」

魏清莛讓凝碧上茶，問道：「不知劉太太找我有何事？」

直截了當的話讓本準備了一肚子鋪墊的劉太太說不出來，劉太太心中不悅，但雙方等級相差太大，她面上不敢流露太多，只是乾笑道：「夫人倒是料事如神，我今兒來還的確是有事和您說。」劉太太為難地看了一眼魏清莛後面的幾個丫頭，低頭喝茶。

魏清莛裝作看不懂地問道：「哦？是什麼事？」

劉太太手中的茶就抖了抖，她吃驚地看向魏清莛，就連一直低頭的孫姑娘都抬頭看一眼魏清莛。

魏清莛心中冷笑，故作好奇地看向劉太太，笑問道：「劉太太，妳不是說有事和我說嗎？是什麼事？」

劉太太無奈，只好點明道：「夫人，我想和您單獨說，這件事只怕是……」

「不用了，」魏清莛的目光落在劉太太身上，道：「我事無不可對人言，沒什麼可回避的。」

孫姑娘的臉色頓時變得有些難看，張嘴就要反駁，只是看到劉太太使的眼色，想到大哥的交代，只好忍下到嘴邊的話，要不是大哥跪在地上求她，打死她也不願去做人家的妾。孫姑娘眼神陰鬱地看向魏清莛，自己已經夠委屈了，這人竟還一而再再而三地諷刺自己。

想到說話做事全沒有一點世家風範的任武昀，孫姑娘就頓時像吞了一隻蒼蠅一樣，只是為了家族……孫姑娘垂下的眼裡含著淚，家族畢竟養育她多年，就算為了家族吧。

劉太太心裡也有些陰霾，想到丈夫說的這位都督上任至今，也就到衙門裡去過幾天，剩下的時間幾乎都泡在軍營裡。劉太太心中冷哼一聲，如今全安徽都靠著她家老爺才得以維持，劉太太眼角瞥了魏清莛一眼，心中暗想，要真惹急了她，她不介意讓她家老爺病幾天。

「夫人說的是，只是這畢竟關係到都督大人的名聲，當然，夫人若覺得沒關係那也就沒問題了。」劉太太也不像剛來時拘謹了，而是有恃無恐地道，嘴角還含著淡淡的笑意。

魏清莛不在意地看了她一眼，道：「什麼事竟能關係到都督大人的名聲？」

劉太太拉著孫姑娘的手，對魏清莛道：「夫人，這位是孫姑娘，她年幼無知，膽子又大，只是都督大人卻是已經成親的人了，該有的忌諱他該知道才是，只是那天諸位大人在醉仙樓給都督大人接風的時候……都督喝醉了，這倒情有可原，只是可憐了孫姑娘，夫人，孫姑娘的家世自然是比不上夫人您，但他們孫家也是官宦人家，這事一出，夫人總要給孫家一個說法。」

魏清莛就好奇地問道：「妳剛才說話不清不楚的，妳說都督喝醉做了什麼？怎麼就要給孫家一個說法了？」

魏清莛好奇的眼神讓劉太太和孫姑娘都有些惱羞成怒，特別是孫姑娘，臉色脹得通紅，難堪地低著頭。

魏清莛卻不打算放過她們，只是直直的看著她們，繼續道：「妳們倒是說呀，都督到底做了什麼讓孫家這麼為難，孫家打算讓我們怎麼賠償？」魏清莛疑惑的目光落在孫姑娘身上。「還有，既然是要給孫家一個說法，怎麼是劉太太帶著孫姑娘來？不應該是孫公子去找都督商議嗎？」

劉太太嘴巴微合，實在是說不出那樣羞人的話來，但想到孫家送過來的玉石，劉太太還是紅著臉咬牙道：「都督喝醉了酒，行動間就對孫姑娘有些不尊重，夫人也是女子，應當知道女子的名節何其重要，所以……」劉太太意味深長地看向魏清莛，想要看她變臉，這次看她還有什麼得意的。

魏清莛卻展顏笑道：「哦？那麼請問孫姑娘，都督是什麼時候對妳不尊重的，又是在哪裡對妳不尊重的，當時都有些什麼人看見，對妳不尊重的行為又是什麼，最後一個問題，為什麼事情過去了這麼久，妳才出來討公道，難道……」魏清莛的目光落在孫姑娘的肚子上。

隨著魏清莛的問話，孫姑娘的臉色越發難看，等到魏清莛的目光落在她的肚子上，她就好像受驚一樣跳起來，惡狠狠地瞪著魏清莛道：「妳胡說！」

劉太太已經目瞪口呆。

魏清莛冷哼一聲，一直保持在臉上的笑容也收了起來，眼神冷冷的看著她們。「我胡說？不知我胡說了什麼，孫姑娘可否為我解惑？」魏清莛冷冷地看著孫姑娘。

孫姑娘張張嘴，眼淚突然落了下來，扭身就跑。

魏清莛冷哼一聲，看向劉太太。

劉太太惱怒尷尬地追出去。

「去，叫個人把今天的事一一的彙報給你們爺聽，告訴他，男主外，女主內，現在是他的事了。」

凝碧一直壓抑著的呼吸才慢慢的恢復，行了一禮，快步離開。

第九十九章　落空

魏清莛坐在椅子上轉了轉手中的杯子，對阿梨道：「去前院叫上幾個人給我牢牢地盯住劉府和孫家，一旦有什麼異動，立刻回來回我。」

阿梨應聲下去。

魏清莛冷然地看向外面，這裡離京城太遠了，很少有人知道京城的任武昀和魏清莛是什麼樣子的，她一點也不介意讓安徽的這些人也瞭解瞭解他們夫妻。

這個時代正室對妾室並不是很重視，應該說兩邊還算相處得不錯，因為妻與妾本就是不可逾越的兩個階級。

因為沒有利益衝突，劉太太才敢帶著人上門，反正魏清莛最多心中不悅罷了。

就是劉太太，她要是坐在家中，突然有人帶了女子上門來說劉大人碰了那女子，劉太太也一定會把人留下。

而孫家的算計則是，只要孫姑娘做了任武昀的妾室，憑著她的聰明才智和孫家的權勢，就算不能取代魏清莛，但也能在任武昀心裡留下一些痕跡，只要能取到床頭風的效果就好了。但他們也沒想到魏清莛會當面問出那樣的話來。

孫姑娘的長兄孫大公子孫碧寶臉色微沈，吩咐管事。「既然她敬酒不吃吃罰酒，你就下去準備吧，也讓都督大人深切體會一下妻賢夫禍少的感覺。」

魏清莛是真的沒打算怎麼著，只是想著等任武昀回來後兩人商議一下，給徽州城的人一個下馬威，讓這些人知道知道，他們夫妻倆也不是好欺負的。只是沒想到，那些人怕任武昀，不敢對付他，卻把矛頭對準了她。

等派出去盯著孫家的人回報說孫家派出好幾撥人，他們跟上去卻發現孫家的人使人在城中各處散播流言，而劉太太也不甘寂寞，當天就讓人去給劉同知傳信，然後魏清莛就知道今天黃師爺要做的事全都被批回來了，無一例外，傳達的意思都是，這些事應該都是知府大人親自做的，黃師爺雖然是都督大人的師爺，但也沒資格替都督大人拿主意。

魏清莛抱著兒子在一旁玩，道：「去把月泉給我叫回來，那天晚上是月泉伺候爺吧？」

今天正好是日泉跟在任武昀的身邊，所以月泉留了下來，聽說魏清莛找，立馬小跑著進來。

魏清莛問道：「把爺那天去喝接風酒的事一五一十地說出來，」魏清莛瞥了他一眼，道：「今天有位姑娘上門來讓你們爺對她負責呢。」

月泉就打了一個寒顫，連忙跪下回話。「回夫人，爺是跟幾位將軍和劉大人坐一桌的，本來就是喝酒說話的，只是吃到後面，爺有些醉了，正要告辭回來的時候，外頭突然闖進來一位姑娘，聽說是醉仙樓東家的妹妹，她一進來就指著爺的鼻子罵，說爺治下不嚴，根本就不配做都督。

「爺本來是不耐煩的，待聽到那位孫姑娘說徽州城第五營的士兵總是出外打秋風，這才耐著性子聽下去，聽完後爺就說了一句他會調查的，抬腳就要走，只是那位姑娘卻突然推向爺，讓爺當場給個話。」

魏清莛打斷他問道：「那她的手碰到你們爺了？」

「沒有。」月泉斬釘截鐵地道：「爺功夫好著呢，就算是喝醉了，但動作還敏捷，更何況，男女授受不親，爺離那位姑娘也不近，那位姑娘一動手，爺就側身讓開了，那時小的見了就要上前拿人，還是爺阻止了，而且外頭也進來兩個婆子將那位姑娘帶下去，小的這才沒理會。」

「後來呢？」

「後來爺也沒留在那兒了，幾位大人就送爺下樓，當時要上馬車的時候那位孫姑娘又跑出來，一定要讓爺給她承諾，爺當時就點頭了，說要是查有此事一定秉公辦理，這才回來的。」

魏清莛疑惑地問道：「當時她沒做什麼出格的動作？」

「沒有，大庭廣眾之下，她又會做些什麼？」

「將當時下去送爺的人的名字寫下來。」

魏清莛拍拍手中的名單，問道：「從頭到尾，你家爺都沒有和那位孫姑娘單獨待過？」

「沒有。」月泉堅定地點頭。

「那你家爺有沒有單獨的出去過？」

「沒有。」月泉現在萬分之一萬的小心，他是知道平南王府的規定的，他更知道爺對夫人的看重，生怕一個不小心，夫人就疑心上爺，到時只怕爺會找到他頭上。

魏清莛點頭。「你下去吧，去把任管事給我找來。」

月泉擦了擦額頭上的冷汗，躬著背就要退下。

「等等。」

月泉的身子一僵，連忙回身繼續跪著。

魏清莛揮手道：「你不用跪了，叫完任管事就去把日泉替換回來，我有些事要吩咐他去做。」

看著夫人嘴角的笑，月泉一點也不羨慕日泉，反而在心裡為他默哀。

魏清莛笑著看手上的名單，其中有一位將軍就是分管五營的。

送任武昀下樓的一共有五人，除了劉大人，還有四個，魏清莛不相信孫家能收買五人。

魏清莛冷笑一聲，讓前來的任管事照著自己說的寫了一張口供，道：「去，找上一個媒婆，你親自帶著她去孫家問問，將我的那些問題全都問明白了，也好讓孫家知道知道我們平南王府的規矩，這件事要是不查清楚，你們爺回去可是要吃老王妃的鞭子的。」

魏清莛從不知道老王妃的那條規矩竟然這麼好用。

任管事張大了嘴巴，從不知道事情還可以這樣做的？

魏清莛瞪他一眼，道：「我們家爺的清白可是很重要的，要是給孫家毀了，他們孫家負責得起嗎？」

任管事嘴角抽抽，厚著臉皮應道：「夫人說得沒錯，我們家四公子在這方面一直潔身自好，絕不能讓孫家壞了爺的名聲。」這樣一說，任管事覺得還真是。任武昀打架、鬥毆，甚至賭錢、喝酒全都沾了，可就一樣，爺他不好色，以前是沒開竅，後來則是沒了機會。

這樣一想，任管事的底氣微微足了一些。

而對付劉太太魏清莛則更直接，日泉一回來，魏清莛就讓他去找七個清倌。「你去問清楚，誰願意去劉大人府上做個妾或是通房什麼的，告訴她們，劉太太和我有仇，她們一過去日子肯定不好過，能不能過得好，甚至能不能活下來全憑她們的本事，但我可以給她們每人一百兩銀子，賣身契也還給她們，以後能不能離開劉府我不管，總之她們只要盡她們的能力將劉府給我搞亂就行了，要是功勞大的，我以後還會有獎勵的。」

就算是一直和魏清莛打交道的日泉，聽到這樣的吩咐都不由得瞠目。

魏清莛笑道：「要是你能見著劉太太，你就告訴她，誰想讓我亂家，我就先亂她的家。」

日泉只好退下。

一出院門日泉就止不住的擔心，四夫人若想對付劉夫人不過一句話的事，讓四爺往京城遞句話不就成了？

日泉和任管事的辦事效率都很高，大半天的工夫就將魏清莛說的人找到了。

而月泉卻快馬加鞭地從郊外蘆臺大營趕回來。「夫人，爺今兒下午和諸位將軍去了蘆臺大營，明天還要閱軍，滿打滿算也得後天才能趕回來，爺說了，他是清白的，夫人想怎麼做就怎麼做。」說到這兒，月泉表忠道：「爺還讓小的和日泉留下供夫人差遣，夫人有什麼吩咐只管讓小的去做，小的赴湯蹈火在所不辭。」

魏清莛牙疼了一下，道：「行了，我又不是幹打家劫舍的，用你怎麼赴湯蹈火？你就先留下吧，明天任管事帶著人去孫家的時候，記得多帶幾個人去圍觀，我不希望外頭說你們爺什麼。」

月泉趕忙應下。

其實任武昀不在更好，魏清莛看著外面漸漸暗沈的天色，微微地一笑，再沒有比現在更好的局勢了。

魏清莛冷哼一聲，孫家不是喜歡用輿論嗎？那她就以其人之道還治其人之身好了。

魏清莛想到孫姑娘一邊要給任武昀做妾，一邊眼底卻透露出對任武昀的鄙夷，心中就忍不住地生怒，自己的丈夫也是她能鄙夷的？

第二天，街上最熱鬧的時刻，任管事就滿臉殺氣的帶著媒婆往孫家趕去，為了營造效果，他是走著去的。

沿路的人看到他滿臉殺氣，本來只以為是誰得罪了他，但看到戰戰兢兢走在他旁邊的花媒婆時，頓時一愣。

不少人心中的八卦之火熊熊燃起，就有不少閒著沒事幹的人悄悄跟在後頭瞧熱鬧。而月泉，就隱在這些人的身後。

花媒婆跟在任管事身後，心中止不住的忐忑，但是想到任管事說的，只要做得好，就會為她兒子尋一個好差事，花媒婆咬咬牙，還是緊跟在任管事的身後。

任管事直接敲響了孫家的大門，開門的小廝看到任管事和他身後的媒婆一愣，怎麼媒婆走到這兒來了，要給府裡人說親也該從東角門進去吧。小廝疑惑的眼光似有似無地落在任管事臉上，這人看上去也有二十多歲了，該不是給這人做親吧？

「你們找誰？」

任管事冷哼一聲，一點也不在意不遠處那些人的偷窺，朗聲道：「我是都督府的大管家，代我家夫人過來問你家姑娘幾句話，要是事實果如你家姑娘所說，花媒婆會代我家夫人作主的。」

偷聽的人譁然。「這孫家的姑娘怎麼就和都督府扯上關係了？不是說都督已經有夫人了嗎？」

「廢話，都督這麼大的官，還不知是多大的老頭子呢，能沒有夫人嗎？我看一定是孫家沒了石家做靠山，這是打算投靠新的靠山了，誰知道人家夫人發飆，這下好了，有熱鬧瞧了。」

「你才廢話呢，都督是平南王府的四公子，平南王爺才四十來歲，四公子能有多老？」

「……孫家還有好幾位未出閣的姑娘呢，不知道是哪位姑娘。」

「自然是庶出的姑娘，孫家怎麼捨得拿出嫡出的姑娘……」

人群中就有一道弱小的聲音道：「只是我聽說孫家的幾位庶出姑娘都死了，只剩下一位嫡出的姑娘了……」

月泉正好站在那人的前面，聞言扭頭去看他，那人縮了一下脖子，膽怯的轉身就跑。

月泉察覺有異，轉身就要去追，只是看熱鬧的人漸漸地多了，他受了阻礙，等擠出來，人也不見了身影，更何況那人戴著帽子遮住面容，月泉只記得那人瘦瘦小小的，除此之外什麼印象也沒留下。

開門的小廝本來是半邊身子躲在門內，此時聽到外面的喧譁，這才察覺不對，連忙探頭去看，才發現不遠處跟著一群人，臉色頓時大變，也等不及和任管事說什麼，「啪」地一聲關上門，轉身朝內院跑去。

任管事的臉色更難看了，好像是被那小廝的無禮給氣的。

有人心思一動，就上前打算跟任管事搭訕，想問問事情。

任管事雖然惱怒，但還是緊閉著嘴巴不說話。真是一個稱職的管家，眾人心想。

我的好管家哎，你倒是說句話呀，不然我怎麼發揮啊？月泉心裡可是急得團團轉。

眾人見在任管事這裡問不出什麼來，就轉向花媒婆，花媒婆難為道：「這畢竟是兩家的事，又涉及到孫姑娘的清譽和都督大人的清白，所以諸位還是不要難為我了，不過要真是都督大人他……我也不知道怎麼辦了，要是一般人家納進門來就是了，偏老王妃定下了這麼個規矩，誰也不准納妾收通房，都督大人的幾位哥哥都遵守得好好的，這要是在都督大人這兒破例，只怕是……」花媒婆惋惜地搖搖頭，難言地看向孫家的大門，好像在可憐關在大宅門裡面的那位孫姑娘。

雖然只是一段話，但信息量太豐富了，有沒有？眾人的熱情更加高漲了，只是還沒等人開始問，大門就重新打開，孫家的大管家親自出來迎接任管事。「失禮，失禮，不知任管事到來，新來的小廝不懂規矩，還請任管事見諒，人已經押起來了，回頭交給任管事，隨便任管事怎麼處置。」

任管事冷哼一聲，淡淡地道：「不必了，還是正事要緊，我是不能去見你們家姑娘的，就讓花媒婆代我去問話吧。」

孫家的管家心中惱怒，臉上的笑意也淡了下來，但他也知道眼前不是掰扯的時候，給身後的人使了一個眼色，就裝作扶著任管事的樣子，想要拉他進來。

任管事輕易地揮掉他的手，但也知道現在不是好時機，就踱步往裡走了。

孫家的管家趕緊再使個眼色，身後的人就將外面的人趕走了，關上大門。

第一百章 反算計

孫家的管家追上等在一邊的任管事，扯著笑道：「任管事，我家公子在大廳等著您呢，請。」

任管事皺眉。「我要見的是你們孫家的姑娘，不過你們家的公子在場更好，也好做個見證。」

已經不在大門外，孫家的管事也不想忍，針鋒相對地道：「任管事說笑了，我們姑娘是姑娘家，和你一個男子見面算怎麼回事？」

任管事譏諷道：「孫姑娘既然不介意闖進接風宴和眾多男子見面，那和我一男子見面有何不可？再說了，我也沒說我要見著你們姑娘的面，不會在中間隔個屏風嗎？我特意帶了花媒婆，就是想讓她來問話的。」

孫家的管家臉上頓時青白相間。

孫碧寶臉色晦澀不明地坐在客廳的上首，看到任管事進來，矜持地點頭。

任管事行過禮之後就說明來意——

「……我家夫人一聽滿心惶恐，生怕我家四公子在外壞了老王妃定下的規矩，這才多問了幾句，只是沒想到劉太太和孫姑娘都不做回答，孫姑娘更是轉身就跑。我家夫人著急，當天就讓人去找四公子回來，誰知道四公子偏去了蘆臺大營閱兵，回來的小廝斬釘截鐵地說四公子沒壞老王妃的規矩，但下午外頭就有人傳出話來，連我家四公子和孫姑娘是如何見面，我家四公子是如何勉強孫姑娘都說得有理有據的，我們夫人也慌了，信四公子不是，不信四公子也不是，這才叫小的帶花媒婆過來問問，要真是……」

任管事惋惜地嘆了一口氣，接著道：「如今這事也不是我們家夫人能做得了主的了，只能請示京城的老王妃了。」

孫碧寶心中暗罵，納個妾都要問京城的老王妃，這是估計他們不會問到老王妃跟前嗎？

孫碧寶自然不會讓自家妹妹出來讓任管事詢問，那樣他們孫家成了什麼了？

任管事當然也不會放棄，只是為難道：「只是此事外頭傳得沸沸揚揚的，我家公子的清白總不能就此玷污，要是此事純屬造謠，孫姑娘願意站出來說明情況，那對孫姑娘也是有利無害，要是……」任管事更加為難地看向孫碧寶。

孫碧寶總算是忍不住臉色微變，甩袖道：「任管事慎言，我家妹妹是女子，她都沒有要求四公子負責，貴府夫人這樣咄咄相逼，也太過分了吧？」

任管事驚呼：「也就是說外頭說的竟是真的了？」頓時又懊惱地跺腳道：「這可如何是好，我們家四公子一直潔身自好，昨天我家夫人一聽四公子說沒有這事，就趕緊寫信回京城向老王妃解釋了，這，這要是事情又有了出入，只怕老王妃要怪我們家夫人隱瞞事實了。」又道：「孫公子說令妹沒讓我家四公子負責這話卻不對，難道昨天不是令妹隨著劉太太上都督府來要求夫人收下令妹嗎？這樣怎能還說沒要求呢？」

孫碧寶頓時氣得夠嗆，起身道：「那卻是誤會了，我妹妹不過是隨著劉太太到府上做客，我原還疑惑，你家夫人怎麼露出那樣的意思，倒逼得我妹妹跑出都督府。」

任管事登時冷下臉。「孫公子此話何意？劉太太帶著孫姑娘不請自來，又說了那樣一番話，是個人都知道劉太太和孫家的意思，難道是我們夫人誤會了？」任管事看向花媒婆。

花媒婆立馬笑著上前將那日在都督府的對話學了一遍，雖然孫碧寶眼睛生寒地看著她，她還是忍著頭皮發麻說完了。

「孫公子，我們不過是想知道那天孫姑娘到底有沒有和我們家四公子在一起，我們夫人一向公正嚴明，要真是我們家四公子的錯，我們府上一定給孫姑娘一個交代，但要是誰敢無緣無故地算計我家四公子，我家夫人也不是吃素的。」

這話說的怪異，要是別人的妻子這樣為丈夫出頭，孫碧寶一定和眾人一樣取笑那人，但輪到孫碧寶是當事人的時候，他卻一點也笑不出來。

任武昀是真的這麼巧的就去蘆臺大營，還是特意去的，只為了讓魏清莛出面？畢竟這些事是他做的和是魏清莛做的，後果可是相差萬里。

要是任武昀，他可以討個公道，但要是魏清莛，最多不過被人說是爭風吃醋罷了。

那麼，魏清莛現在做的這些也是任武昀的主意？

可真夠粗糙的，但，該死的管用。至少，現在是殺敵一千自損八百，他已經死了一千了，就算他極力塑造孫家受害者的身分，今後孫家的名聲還是受到了影響，甚至他妹妹再想聯姻就困難了，最關鍵的是，這件事之後他算是在檯面上被放到了任武昀的對立面。

話說到這個分上，孫家但凡還要一些臉面就不能再提出孫姑娘做妾的事，滿腹的算計就這麼被人打落了。

任管事最後還是沒能見到孫姑娘，兩人不歡而散。守在外面的人看到任管事青著張臉出來就知道是談崩了，只是不知道事情的真相是怎樣的。

但就是這樣半遮半掩的真相才讓人撓心，才一個上午，不少的版本就開始在街頭巷尾裡流傳。

黃師爺拿到了第一手的資料，畢竟他無緣無故地被劉大人刁難了，素來心細的他自然要追查原因，結果他晚上才收到消息，打算等任武昀從軍營裡回來再和他商量的時候，第二天魏清莛就派了人搞了這麼大的動靜。

他很後悔，非常的後悔，他為什麼不在調查的時候，順便把夫人的事也查一查。他現在才深切地瞭解到皇上讓他跟著都督的時候，那句囑咐他多加關注魏清莛的話。

他悔啊。

打入孫家內部，從而瞭解到孫家背後的勢力，一直是黃師爺制定的策略，可這條主張在遇到任武昀和魏清莛的雙重打擊後徹底地宣告結束。

事情已經發生，懊惱也沒用了，黃師爺只好收拾起心情，開始思索著如何幫任武昀解決殘局。

誰知他還沒去找魏清莛，他派出去調查劉大人的人趕回來了，第一句話就是──「黃師爺，不好了，夫人讓日泉帶著七個媒婆和七抬轎子去了劉府。」

黃師爺腳一顫，扭頭問道：「你說什麼？七個媒婆？」

那人眼裡也有些迷惑，搞不懂夫人要做什麼，但還是點頭道：「是啊，就是七個媒婆，如今劉府門前還圍了不少看熱鬧的人。」

黃師爺心中有了不好的預感，問道：「就算是帶了七個媒婆去，也不會招來看熱鬧的人吧？難道他和任管事一樣，是帶著媒婆走著去的？」

那人面目扭曲了一下，搖頭道：「不是，他們是騎著馬坐著轎子打著鑼鼓去的，七抬轎子上頭都綁了大紅花，一看就是辦喜事的，這一溜兒過去七抬轎子，引來了不少看熱鬧的人。」

黃師爺幾乎是立刻就領會了魏清莛的想法，他呆立片刻，那人擔心地問道：「師爺，我們還要去找夫人嗎？」

黃師爺擺手，有氣無力的道：「不用了，一切還是等四公子回來再說吧。」黃師爺轉身回了自己的書房，想了想，還是提筆給皇上寫了密信，將這段時間任武昀和魏清莛的事細細地交代清楚，末了請罪，說自己沒能監督好四公子，實在失職，請皇上降罪。

黃師爺嘆息一聲，讓人快速地將信送到皇上手裡，自己回書房拿了一本書來看，做出一副兩耳不聞窗外事的樣子。

而此時，劉府中的劉太太幾乎要氣瘋了，底下的七個媒婆卻好像沒看到劉太太七竅生煙的樣子，舌尖生蓮地恭維道：「劉太太最是大度，如今徽州城誰不說劉太太賢慧大方，不僅一路與劉大人相濡以沫，共患難，如今富貴了，還到處給劉大人尋美妾。」

「是呀，是呀，說來也是劉大人體貼夫人的辛苦，這才親自找來了這幾位姑娘，這不，您看，哪一個不是水靈靈的？當初劉大人看了立時就呆了，還在這孩子那兒待了一天呢。」被拉住的姑娘臉頰羞紅，更顯得嬌羞美麗。

劉太太看得一陣噁心，看到對方伸到她跟前細膩白嫩的手，再看看自己的手，劉太太眼中的怒火幾乎要噴射出來。

日泉見火候差不多了，就笑道：「劉太太，我們夫人聽說您這樣大方，而且昨天您那樣熱心地為別人介紹妾室，我們夫人想您肯定也是希望別人多多給您介紹妾室這才這樣以身作則的吧？所以我們夫人一早就吩咐了小的去將劉大人看上的幾位姑娘送過來，這樣劉太太也不用再到處跑出去為劉大人納妾的事著急了。」官場中來往，有時候需要去青樓，劉大人來去只點了這七人，魏清莛乾脆讓人將她們贖出來給送到劉家，說是劉大人看上的，只怕現在劉大人還不知道他即將要有七位美妾了呢。

幾個媒婆興高采烈地和劉太太說道：「劉太太不知道，這幾位姑娘啊都是照著您的要求來的，可見劉大人的一片誠心，就說這位五姑娘吧，他們家原先是地主，也有不少的地，只是後來沒落了，但人家可是學了一身的才藝，別的不說，彈琴下棋是完全沒問題，長得更是沒話說，至於性情，哎喲喂，您上哪兒找這麼一個溫柔嫻靜的人啊……」

劉太太看著這一張張嘴，抓住茶杯的手動了動，她身後的嬤嬤連忙上前給劉太太添茶，劉太太抓著茶杯的手一鬆，理智些微回籠。

劉太太深吸一口氣，已經想好了推辭的藉口，只是外頭一個小丫頭疾步進來在劉太太耳邊低聲稟報。「太太，外頭來了好幾位太太，說是接到了府上的帖子，要來喝納妾的喜酒。」劉太太只覺得眼前發暈，搖晃著就要暈過去，嬤嬤立馬過來接住。

就有一個媒婆不滿的嘀咕。「不是說劉太太很賢慧嗎？怎麼一聽說要給劉大人納妾就要暈過去呢？」

劉太太額頭青筋一凸，眼前搖晃了幾下，總算是看清了眼前的人，劉太太惡狠狠地看向說話的媒婆。

那個媒婆一點也沒畏懼的好奇地回看劉太太。

劉太太只覺得臉上火辣辣的，今天的事會不會傳出去，她是不是要成為徽州城的笑柄？

劉太太身後的嬤嬤忍不住惱怒道：「那也沒有一次讓人納七個妾的，別以為我們不知道你們是誰派來的，都督夫人就算品級比我們家太太高，也不能逼著我們老爺納妾。」這是說魏清莛以勢壓人了。

日泉不在乎地道：「可小的看劉大人似乎很樂意呢。」日泉有些諷刺地看向劉太太，既然敢來逼他們家的夫人，怎麼就沒想過自己也有這麼一天呢？「那劉太太到底想怎麼處置幾位姑娘呢？要是劉太太也不願意，幾位姑娘自然不能強逼，那就讓媒婆將幾位姑娘帶走吧。」

劉太太咬牙道：「既然幾位姑娘和我家老爺有情，自然是留下了。」

劉太太身後的嬤嬤驚叫道：「太太！」

劉太太擺手，臉色鐵青，卻堅定的道：「去收拾院子，今天就讓幾位姑娘住進去吧。」

日泉滿意地點頭道：「劉太太果然賢慧，我家夫人體諒您，特地讓小的把納妾文書也給拿來了，回頭小的就親自跑一趟，算是幫您辦下來了，太太不用多謝我們家夫人。」

劉府的人頓時滿眼厭惡地看向日泉，這都督夫人也逼人太甚，竟是步步緊逼了。

劉太太幾乎要吐血，她雖然將人留下了，但怎麼處置還要看她的意思，以後風聲過去了，她將人悄悄地處理了就是，可現在納妾文書一下，劉太太咬牙，之後不管她做什麼都不方便了，而且，一下子多了七個妾……

劉太太第一次後悔起來，她不該眼饞孫家的那份禮，替孫家出這份頭。

看著堂下七個如花似玉的姑娘，劉太太的手指掐進手心裡。

日泉以一個眾人都能聽到的聲音道：「劉太太，我家夫人在京城時就沒人能給她委屈受，太上皇還曾親口讚過我家夫人忠勇，只是來了這徽州城，沒想到隨便一個什麼人都敢爬到我家夫人頭上來了，我家夫人可是說了，誰要是讓她心裡不舒坦，她就讓對方百倍的不舒坦。劉太太對這個結果可還滿意？」

劉太太面無表情地看向他，日泉一點也不在乎的帶著七個媒婆離開。

外頭停了不少的馬車，正是接了魏清莛的帖子來喝劉大人的納妾酒的幾位太太。

日泉帶著人離開，那些人對視一眼，紛紛找藉口離開了，這情景好像不對，這哪裡是納妾，倒像是結仇似的，這時候還是不要上前拉仇恨值了。

只是她們人離開了，卻都留下了下人。都督夫人和劉太太好像對上了。劉大人在徽州城雖然不算是權勢滔天，但也在這兒做了六年了，勢力還是有一些的，而且都督大人幾乎不管衙門裡的事，所以現在衙門裡最大的就是劉大人了。
劉太太在官眷中一向活躍，而都督夫人卻正好相反，很少與官眷們交際。
日泉和劉夫人說的話有意無意地被人傳了出來，徽州城的官場一震，好幾位見過魏清莛的太太，都不可置信地瞪大了眼睛，求證道：「這話真是都督夫人說的？不會是謠傳吧？都督夫人看上去很文靜嫻雅，怎麼會做出這樣的事，說出這樣的話呢？」
來回話的婆子肯定地點頭道：「回太太，外頭都是這樣說的，不僅如此，都督夫人還派了任管事去孫家問那孫姑娘，到底是什麼時候、什麼地方和都督大人做了什麼事，要孫姑娘還都督大人一個清白呢。」
那位太太抽抽嘴角，肯定地道：「這些事一定不會是都督夫人做的，會不會是都督讓人借都督夫人的名做的？」實在是魏清莛塑造的形象太過成功，她在徽州官眷中的印象就是文靜嫻雅。
旁邊聽著的大人頭疼地打斷妻子。「妳以為都督夫人是淑女？她可是能在圍場彎弓射刺客的主，聽說連先前的六皇子，現在的明王她都敢打，還有什麼事是她不能做的？」
太太的身子一僵，頓時覺得整個世界都不好了。
而此時，劉大人正火急火燎地往劉府趕，他從知道有人抬了七抬花轎往他家去的時候就覺得不好了。
以前徽州城是石家作主，石家造反之事平息後，整個徽州城的官場被清洗了一遍，孫家曾依附於石家，在徽州城裡權勢也不弱，但不知他們是手腳乾淨，還是掃尾乾淨，反正孫家也只是勢力收縮而已。

而劉同知自徽州城的主官被革除，整個徽州城就是他作主了，黃師爺雖是都督大人的師爺，但沒有品級，任武昀將所有的事情交給一個師爺，自然讓他不快，正好妻子讓他為難一下黃師爺，他也就順水推舟了。

可這是官場上的事，是男人的事，都督夫人怎麼就插手了？妻子到底還做了什麼事？

徽州城自從石家造反之事平息過後又一次熱鬧起來了，都督夫人一改往日的和煦，竟然在同一天向劉府和孫家發難，不管外頭怎麼說，但徽州城的官員中都有了一個同樣的共識，寧得罪小人，莫得罪女子，特別是都督夫人這樣的女子。

知道是因為劉太太向都督夫人推薦孫姑娘引起的，諸位正室夫人看向劉太太的眼神都有些微妙。劉太太整天喊著要給劉大人納妾，沒想到劉大人沒納著美妾，倒是先為別人介紹起來了。

不少人認為劉太太算是搬起石頭砸自己的腳，但也有不少人覺得魏清莛做得太過，就算劉太太做得不地道，也不用這樣狠，畢竟都在徽州城，以後低頭不見抬頭見。

但事不關己高高掛起，大家各自觀望起來。

但劉府和孫家也不是吃素的，一封私信，一封奏摺就快馬加鞭的往京城送去。

任武昀就是在這種熱鬧中回歸了。

第一百零一章 出氣

不少人都伸長了脖子，等著看任武昀要怎麼處理這件事。

其實說來這是一件很讓男人丟臉的事，不少人都覺得任武昀說不定要和魏清莛吵一架，不就是納個妾嗎？

魏清莛笑容滿面的去迎接任武昀，任武昀故意繃著臉，仰著頭衝魏清莛微微點頭，就在魏清莛的迎接下回去。

在府外張望的人見了紛紛傳言道：「你看，我就說了，一個家還得是大老爺們說了算，都督大人那樣一個霸氣的人，怎麼可能聽一個娘們的話，你看，都督大人一回來，夫人還不得低眉順眼的出來迎接。」

一回到後院，任武昀就放下高揚的頭顱，魏清莛皺眉道：「這件事是我惹出來，你幹麼往自己身上攬？」

「屁話，妳是我夫人，我不擔著誰擔著？」任武昀不悅道。「這件事妳別管了，哼，孫家也太會癡心妄想了！」

魏清莛仔細地看了看他的神色，發現他真的是單純的氣憤，這兩天的糟糕心情總算是好些了。

「你就不心動？那位孫姑娘長得不錯呢，還嬌俏可愛，聽說她在徽州城是很受歡迎的，這兩年上門提親的都快踏斷孫家的門檻了，人家放著正室不做，跑來做你的妾，你就一點都不憐惜、不心疼、不心動？」

來回事的任管事、日泉和月泉同時低下頭，都只覺得背脊生寒，和他們一樣有相同感覺的還有任武昀。

不過下一刻他就意識到魏清莛是在吃醋，他頓時喜笑顏開。「有這麼多人喜歡爺，爺憐惜得過來嗎？爺憐惜妳一人就夠累的了。」

為了獎勵任武昀有這個覺悟，魏清莛親自下廚給他做了一頓好吃的。

任武昀吃得滿嘴油，抱怨道：「蘆臺大營太遠了，當初這個位址選的就不好，要是能搬到魚水溝去，每日來回也方便多了，關鍵是那兒攻守得宜。」任武昀搖搖頭，只是可惜現在不是搬動的好時機，得多經營一段時間。

「皇上那兒答應了？」

「我還沒來得及說呢，過一段時間再上書吧，」任武昀瞥了魏清莛一眼，眼中含笑。「我得先將徽州城的事弄好。」

魏清莛低下頭吃飯。她原先只是想出出氣，可事情好像鬧得有些大。

黃師爺知道任武昀今天回來，一早就候在府裡，任武昀過來的時候，黃師爺的臉是黑的。

任武昀沒注意到，因為黃師爺本來就黑，現在不過是更黑了。

黃師爺輕咳一聲，主動道：「四公子，如今這事要怎麼解決？聽說劉大人的彈劾摺子已經遞上去了。」

任武昀冷哼一聲，道：「他彈劾我？我還要彈劾他呢，你看他把安徽治理成什麼樣了？你也給我寫一個彈劾摺子，他彈劾我一次，我就彈劾他十次。」

黃師爺略過他的話，繼續道：「現在最要緊的是開春的工作只做了一半，就算是要把人給撤了，那也得等到年後，大人，我只是一個師爺，許多事情依然要您拿主意，否則他們是不會聽吩咐的。」黃師爺對任武昀只關注軍營的事很不滿，對他來說，軍隊雖然重要，但地方更重要，民安則社稷安。

要是任武昀能將安徽管理好，那勢必會影響到河南和河北，對皇上只有好處沒有壞處。

黃師爺將憋在心中良久的話告訴任武昀。

任武昀沈默半晌，道：「我只會帶兵，不過這事既然對皇上有利，怎麼做回頭你告訴我，我來公布就是了。」

黃師爺趕緊道：「大人也要時常到衙門裡坐坐才是。」

任武昀點頭。「我知道了。」

黃師爺鬆了一口氣，任武昀雖然不願管事，但好在能聽進人言，最關鍵的是任武昀一心為皇上，而且一旦答應就不會反悔。

兩人商量好了明天要做的事，任武昀這才回去。

雖然明天要處理劉大人的事，還要去孫家一趟，但任武昀的興致依然很高，小別勝新婚，任武昀抱著魏清莛胡鬧了一個晚上。

第二天魏清莛頂著黑眼圈賴床，任武昀神清氣爽的去衙門。魏清莛睜開眼睛看了他一眼，拿起被子蓋住頭，扭過頭去，她沒看見。

只是她注定了不能休息，小老虎一醒過來就要找娘親，奶娘知道四公子在家自然不敢帶小老虎過去，只好將小老虎抱到園子裡玩，只是小老虎哭得震天響，嚇得奶娘和幾個丫頭面無人色。

得知四公子出去後，奶娘咬咬牙，抱著小老虎過來，小老虎看到主屋就哼哼地哭起來。

阿梨撩開簾子出來瞪了奶娘一眼，抱過小老虎送進屋裡。

魏清莛將小老虎塞進被子裡，見他破涕為笑，就笑嗔道：「有這麼多人陪你玩，幹麼非要娘親陪著？」

小老虎「啊啊」兩聲，魏清莛打了一個哈欠，拍拍小老虎的背，微閉著眼睛繼續睡覺。

魏清莛不知道任武昀做了什麼，反正不管是劉府或是孫家都消停了不少，至少第二天她就沒再聽到什麼新鮮的消息了，不過外頭的流言依然沒有消失就是了。

而孫家裡，孫姑娘狠狠地將屋裡能砸的東西都砸了。對著孫碧寶發脾氣道：「是你讓我去的，是你說魏清莛一定會給我們家下聘，好言好語地將我納過去的，這就是你的承諾？現在好了，我的名聲毀了，我以後還怎麼嫁人？」

「好了，我是妳哥哥，我能不著急嗎？只是妳當時也太衝動了，妳要是不跑出來，事情未必就有這麼壞。」孫碧寶見妹妹神情難看，連忙道：「妳也別著急，妳現在還年輕，以後一定能遇到好的。先前妳不也不喜歡任武昀嗎，我讓妳嫂子給妳找一個才華橫溢的好不好？」

孫姑娘這才面色好了些，但她這幾天連門都不敢出，以前一起玩的那些姊妹都用異樣的眼光看她，甚至以前那些家世比不上她的小跟班也敢遠遠地躲著她。

孫姑娘委屈地低下頭。

孫碧寶鬆了一口氣，這個妹妹是府裡唯一的嫡女，從小就嬌慣，她要是鬧起來他還真有些怕。母親在佛堂住了好幾年，但妹妹去請，母親一定會出面為妹妹作主的。

而此時朝堂也亂了起來，本來只是劉大人的一封彈劾魏清莛的奏摺，說她在安徽跋扈，行事蠻橫，竟然逼人納妾，還彈劾任武昀教妻不力。但不知為何，才不過兩天，鋪天蓋地彈劾任武昀的摺子就遞到了皇上跟前。皇上神色不明地看著，問竇容：「你說這些是王廷日幹的？」

竇容低頭。「是。」

皇上靜默片刻，突然一笑。「他倒是好心，朕還沒做什麼呢，王廷日他倒為小舅舅出力來了。」

竇容笑道：「不過是念在魏清莛的面上，只是這事臣也在背後推了一把，也正好趁著這個時候讓有些人認清事實，阿昀還要在安徽待好長一段時間，老是有人在背後找麻煩也不好。」

皇上點頭道：「你說的不錯，那就先放上兩天吧。」

政治權謀就是這麼奇怪，如果有人一味的說任武昀好，那麼群臣擔心任武昀坐大，必定會想盡辦法找任武昀的錯處彈劾他；可若是有人一味的彈劾任武昀，群臣反倒會覺得任武昀是被人算計，反而會回護他。

王廷日造勢彈劾任武昀，反倒是給群臣造成一種任武昀在朝中無自己黨勢的印象，反而讓人放下心來，也讓人下意識地回護他。

平南王在最初聽到任武昀被彈劾時就上了摺子辯駁，還提議徹查劉同知。只是隨後兩天鋪天蓋地彈劾任武昀的發展確實出乎平南王的意料，平南王在驚怒之後卻冷靜了下來，不知道後面是誰在推動，是針對平南王府還是針對皇上，或者只是針對昀哥兒？

平南王打算觀望兩天。

有人在特意打壓任武昀，這是眾臣在看到那雪花般的彈劾摺子時心中冒出的第一個想法；皇上要卸磨殺驢了，這是第二個想法。

第二個想法在看到皇上沒有制止那些人對任武昀的彈劾，只是將事情押後處理的時候更加明顯了，於是老臣們怒了，他們首先站了出來，然後是世家。他們雖然有的理念和皇上相反，但他們又不是仇人，有利益相對的時候也有利益相同的時候，對任武昀尤其如此。

先前任武昀唯皇上是尊，特別是在削藩一事上還站在皇上這邊，加上很拉仇恨的事他都是主動站出來的，所以不怨大家對他咬牙切齒，可這不代表大家願意看到皇上放棄任武昀。

任武昀處事簡單，這樣一個對手總比一個心腸九曲十八彎的人要好對付，而且，皇上要是對任武昀都能下手，那他們這些比不上任武昀的怎麼辦？

所以沒兩天朝堂就呈現了一邊倒的局勢，大部分的人都站在了任武昀這邊，那些原先彈劾任武昀的人也停了下來，觀望起來。

孫家和劉府的事也被扯了出來，一個白鬍子老臣就顫顫巍巍地站出來道：「皇上，如此親自送上門給人做妾的女子真是聞所未聞，見所未見，也不怪魏夫人生氣，更何況，魏夫人說的也沒錯，老王妃的確定下了那條規矩，任都督總不能平白就被人誣衊的壞了規矩吧？不過是白問幾句，要是那位孫姑娘問心無愧，哪裡需要鬧得這樣沸沸揚揚的？

「再說劉同知，」老臣搖了搖頭。「劉氏好歹是官眷，帶著孫氏上門說那些話，那才是真正的逼人納妾，而魏夫人不過是將和劉同知有情的女子送回去給劉大人罷了，算是什麼逼人納妾？純屬是無稽之談。」

幾人紛紛點頭應和。

安北王瞪大了眼睛，這老貨不是讀孟子讀呆的老翰林嗎？

平南王眨眨眼，看向上面的皇上，不由地感嘆皇上的好心思，讓最是重規矩的老翰林來說這件事，還有比這更好的效果嗎？

而在上面含笑的皇上眼光卻看向竇容，和皇上搭檔多年的默契讓他第一時間就接收到了皇上的意思，竇容微微地搖頭，眼睛看向那幾個應和的人。

皇上就知道竇容安排的是那幾個人，這個老翰林是自個跑出來的。

老翰林會喜歡任武昀喜歡到站出來為他說情？

皇上與竇容對視一眼，兩人都同時想到了一個人。

皇上有些不悅地皺起眉頭。

王廷日這樣處處為任武昀出頭，想也知道是為了魏清莛。有人這樣惦記著自己的小舅母，作為外甥的自己自然不會開心，皇上心中忍不住奇怪。「那魏清莛長得也就清秀，才華沒有，除了一手的箭術，還有什麼拿得出來的？怎麼一個個的都喜歡她？」

當時赤那王子的心思他也是知道的，雖然無疾而終了，但皇上還是記在了心裡。

早朝過後，王廷日就得到了消息，他嘴角微翹，在棋盤上落下一子。

王四忍不住道：「少爺，皇上那兒只怕會介意，就是任公子那裡……也會有誤會。」

王廷日笑道：「能有什麼誤會？我的心思他們早就察覺了。」王廷日敲敲棋盤，眼眸微黯，他以為他藏得夠深，但還是叫任武昀他們察覺了，既然已經知道，他又有什麼好隱瞞的呢？

只是，該知道的人還是什麼都不知道。

王四嘆了一口氣，隱到黑暗中。

良久，王廷日低低地道：「有時候有人在一旁搶著，人才會珍惜！」

王四就在黑暗中嘆息一聲。

任武昀皺眉道：「你說還有人在針對孫家？」

「是。」日泉思索地回道：「那日小的聽到後頭有人引導了一句，回頭去看，那人一見著小的扭頭就跑，小的要去追卻讓人給跑了。」

任武昀一巴掌打在他頭上。「早先叫你習武，你偷懶，現在知道錯了吧？」

日泉嘿嘿一笑。「小的回頭就勤奮習武，只是小的天資有限，恐怕拍馬也趕不上爺。」

「貧嘴，還不快說那人是誰？」

日泉立馬嚴肅起來，道：「後來小的見爺將事情都解決了，可坊中的傳聞卻一直不落下，小的就去查，發現雖然孫家和劉府在背後推了一把，但大部分還是在說孫家的事，小的覺得不對，再往下查就發現了先前那人，小的帶著兩個護衛把人給抓著了，爺，您要不要見見那人？」

任武昀問道：「那人和孫家有仇？」

日泉嘿嘿一笑。「爺，那人不僅和孫家有仇，還和孫家有親呢！」

任武昀詫異地挑眉。

日泉就道：「那人是孫老爺錢姨娘的侄兒，是奉孫三姑娘的命在外頭散播對孫家不利的消息的，那位孫三姑娘就是錢姨娘的女兒，可在那位孫三姑娘背後還有好幾個人。」

任武昀將口供給黃師爺看，道：「就算是我們不出手，只怕這孫家也蹦躂不了幾時，真不知道老六怎麼就選中了孫家。」

敵手變弱，黃師爺很舒心。「孫家如此行事的確是出人意料。」至於那位皇子的事，四公子能說，他卻是不能說的。

任武昀見狀有些無趣地撇撇嘴，被審問的人表達了願為他們驅使的意思。

任武昀將事情交給黃師爺。「既然對方有意要合作，我們就成全她們吧，你派個人去和她們談談。」

「是。」這種小事的確不需要任武昀親自出面。

說來孫家也算是作繭自縛，孫家這一輩一共有六位姑娘，除了現在還留在家裡的孫姑娘是嫡出，其他的姑娘都是庶出，值得一提的是，尚在閨中的這位孫姑娘排行第五，但孫家只留下她一個後，她就不讓人再叫她孫五姑娘，而是直接以孫姑娘代之。

孫家的大姑娘和二姑娘倒還罷了，在石家出事前就嫁出去了，雖然嫁的不是很如意，但也沒差到哪裡去。

所以兩位姑奶奶的婆家對她們也壞不到哪裡去，但剩下的三位姑娘就慘了，石家一倒，孫家本來就是石家的下屬，太上皇因為沒有確切的證據，當時也不想將事態擴大，也就放過了孫家。

但孫家作賊心虛，所以太上皇禪位的旨意一下，孫家就趕緊找關係，幾個待嫁的女兒就成了交易品。

也不知道孫家是想將這位五姑娘奇貨可居呢，還是真的疼愛她，直接略過她給最小的那位六姑娘也給訂親嫁出去了。

三姑娘、四姑娘和六姑娘接連被抬出去嫁人，時間安排得這麼緊也該露出些端倪才是，偏孫家給三個姑娘找的都不是什麼好人家，而且去了也不是做妻，而是做妾了，孫家愛惜名聲，就對外宣稱三位姑娘「因病去世」了。

三姑娘的生母錢姨娘很得孫老爺疼愛，本人也會經營，她察覺到不對，就想為女兒爭取一二，但孫老爺是鐵了心，錢姨娘只好兵行險著，想讓女兒和一個商戶之子成就好事，那樣也好過去做一個糟老頭子的妾。偏偏他們行事不周被發現了，錢姨娘當場被打死，三姑娘也很快被送走。

三姑娘心裡一直恨著，想方設法找到了已經被發賣出來的親舅舅一家，再通過他們找到了被「嫁」出去的四姑娘和六姑娘，三個人聯合起來，這次都督府的事一鬧出來，她們也跟著跳出來了。

黃師爺想到三位姑娘計劃中的事，不由地感嘆，果然聖人誠不欺我，寧得罪小人，莫得罪女子啊！

第一百零二章 治地

任武昀就是再不管衙門裡的事，那也不代表他容許別人騎到他頭上來。任武昀第二天就跑去了衙門，帶著黃師爺在各個部門走了一遭，一圈下來，大部分官員這個月的俸祿就被罰了，上衙遲到、早退、聊天，竟然還中途離場，全都罰！

劉大人被罰得最狠，三個月的俸祿都沒了，理由是上班的時候胡思亂想，辦事效率低下，他處理一件公文的時間，黃師爺都處理好五份了。

任武昀指著劉大人的鼻子道：「他不過是一個師爺，你還是同知呢，連一個師爺都比不上，那我還要你幹麼？不如就讓黃師爺當就好了。」

劉同知敢怒不敢言。

衙門裡的人都知道都督這是在找劉同知的麻煩，眾人也只好自認倒楣，他們不敢埋怨任武昀，卻不約而同的埋怨起劉同知來，你說好好的日子你不過，非要把這個瘟神招來幹什麼？

接下來的日子，衙門裡的人充分體會了以前的日子是多麼的美好。

任武昀既然已經答應黃師爺會好好地對待衙門裡的事，自然不會再推拖，他將事情分成兩份，一大早就去軍營處理軍務，中午回家吃一頓飯後就去衙門，將黃師爺批閱好的公文發下去，然後照著黃師爺說的發派任務。

黃師爺是鐵了心的要弄好安徽的農業，這幾日看了不少的書和找了不少的老農請教，總算是有了些思路。

安徽有許多的鹽鹼地，那部分糧食的收成非常的低，現在的人們也知道灌溉澆地，但成本太高了，雖然最後地是肥了，但前期的工作量太大，不是一般家庭能夠負擔得起的。可要是朝廷來做……黃師爺皺起眉頭，這事只怕在朝堂通不過。

黃師爺將自己的為難之處告訴任武昀，任武昀也沒有什麼好的辦法。「既然平民百姓負擔不起，不如就先考慮那些家境比較殷實的人家，先從他們身上下手，要真能改善土質，好歹明年秋天就有一大收成。」

「那樣貧富差距豈不是更大？安徽落草為寇的窮人已經夠多，只怕富的人更富之後會吞併土地，那時只怕窮人更多。」那樣安徽就更加不穩定了。

「那怎麼辦，總不能讓富人出錢幫窮人的地也給灌溉了吧？」

黃師爺一愣，繼而想起這件事的可行性來。

任武昀詫異地瞪眼，這也行？

晚上回去就將這件事告訴魏清莛，告誡她道：「黃師爺的那張嘴可厲害了，以後咱們得離他遠一點，別讓他賣了我們還給他數錢。」

魏清莛的關注點卻不是這個，好奇地問道：「你說黃師爺找到了鹽鹼地的治理方法了？」

任武昀不在意地點頭。「是啊，是跟幾個老農那兒，還有幾本書裡頭找出來的，說是只要細心灌溉，再將水利安排好，將水排出來，再細細地耕種個五、六年就會好轉不少。」

魏清莛若有所思。「我在徽州城附近買了一千畝的地，其中就有三百多畝是鹽鹼地，到時讓底下的管事去和黃師爺說說，讓他們也學學。」

任武昀就咳了出來，瞪大了眼睛道：「妳怎麼在徽州城買地？我們也不過待個兩、三年，與其在這兒買，還不如回京城附近買，就是在江南買也好啊。」

魏清莛不在意地道：「你以為徽州城都是鹽鹼地啊，那不過是一部分罷了，安徽和江蘇曾有米倉的稱呼，就是因為大部分的地還是很肥沃的，我特意讓人去買那些鹽鹼地也不過是為了試驗罷了，你既然到這兒做了父母官，那就要為他們負責，雖然只是短短的幾年，但人生能有幾個幾年，總要有所作為才是。」

任武昀已經不是第一次在魏清莛這裡聽到這樣的話了，他若有所思。

魏清莛就繼續道：「安徽的鹽鹼地多數都是平民在耕種，大部分肥沃的土地都在官僚和地主及那些有錢的商戶手中，普通百姓也只有一部分富戶才有，要讓他們出錢治理鹽鹼地很難。」

都知道鹽鹼地難耕種，這麼多年來，肥沃的土地大多掌握在富人手中，窮人手中的地卻變成了鹽鹼地，所以富的人越富，窮的人越窮。

任武昀就想起了皇上說的將土地贖買回來再分給貧民的話。

魏清莛嘆了一口氣，要是在現代，這樣大的工程一般都是由國家出面的，而現在新皇登基，正是多事之秋。皇上在京城已經夠艱難了，任武昀肯定是不會再給他添這樣的麻煩的，總不能他們自己拉著人去吧。

魏清莛抬頭瞥見任武昀的濃眉大眼，心中頓時閃過一個念頭。魏清莛賊兮兮地跑到任武昀旁邊，低聲問道：「你這幾天不是正在操練徽軍嗎？他們怎麼樣？」

任武昀氣呼呼地道：「還能怎麼樣？我死命地操練了半個多月，還只是走路像些樣子罷了。」

魏清莛知道他沒領會自己的意思，就挑明了道：「我是說將他們拉到前頭去幹活怎麼樣？」

「幹活？幹什麼活？」任武昀迷糊道。

「你們不是想灌溉和修水利嗎，反正那些當兵的現在不打仗也要吃餉，要知道他們吃的用的可都是老百姓交的稅，讓他們在戰後為百姓做一些事也無可厚非啊，你不是說徽軍對老百姓都很霸氣，動不動就隨便欺負老百姓嗎？正好，讓他們將功折過，去給百姓灌溉修水利去。」

任武昀眼睛一亮，磨了磨牙道：「好啊，這次最好能讓他們累個半死，看他們還敢不敢了。」

任武昀得了這個好主意，連忙跑去找黃師爺。

黃師爺詫異道：「您說要讓徽軍去灌溉修水利？」

任武昀點頭。

黃師爺在屋裡走了幾步，眼睛發亮道：「這個主意不錯，我們不僅可以用士兵，還有那些貧民，我們也不要他們白幹，四公子不如上書給皇上，讓貧民以工代役、代稅，也讓他們減輕負擔，至於富戶，他們也必須如此，要是不做工就只能交錢。」

任武昀大手一揮。「行，你去寫摺子吧，回頭我抄一遍就行了。」

此時的朝廷還在為任武昀打抱不平，所以任武昀的摺子很受關注，本來大家以為他是上自辯摺子的，誰知任武昀卻是要為安徽修水利而請求以工代役和以工代稅的。

朝廷靜默了三秒，就反應過來誇獎任武昀。

皇帝嘴角抽抽，宣布——劉同知教妻不嚴，行事不周，罰半年的俸祿，劉氏行為不端，收回宜人誥命。

聖旨發下的同時，任武昀的摺子也被批覆了，皇上同意了任武昀的請求，雖然現在國庫的負擔很重，但任武昀要是能做出成績來，那些稅收他還是捨得的。

劉太太得知了聖旨的內容就昏了過去，劉同知臉色雖然有些晦澀，但還好，他只是被罰俸祿而已。

而此時魏清莛哪裡還記得那些事，現在她正給京城寫信呢。

耿少紅終於定下了親事，大概明年七月就要出嫁。

耿少紅的婚事也算是一波三折，秦氏一直想給耿少紅找一個家庭比較簡單的，但是門第又不能相差太多，以秦氏的說法是，門第相當，兩個人才能生活到一塊兒去，以後兩家人相處也更好。不然要是找一個寒門子弟，只怕家庭簡單是簡單了，但兩家人的生活完全不一樣，到時最累的還是耿少紅。

所以秦氏的目光一直牢牢的盯著一群人，好不容易才選出了三個人，耿少紅膽子也大，直接跑去見那三個人。

等到耿少紅的婚事定下，秦氏終於鬆了一口氣。

魏清莛從耿少紅的信中知道她要訂親，就讓人送回去一份厚厚的禮物，當初給耿少丹的不少，沒道理和她比較好的耿少紅卻沒有吧？

蘇嬤嬤從外面進來，魏清莛將信封好交給阿梨，道：「讓人趕緊送回去，趕在耿姑娘訂親前送到。」

蘇嬤嬤卻道：「夫人不如將給京城的年節禮也一起送回去吧。」

魏清莛愣了一下。「這都快要過年了呀。」

蘇嬤嬤無奈道：「是啊，夫人，府裡也要開始準備了，您不能整天想著出去。」

魏清莛吐吐舌頭，道：「還是分開吧，年節禮還不知道要準備幾天呢，耿姑娘的日子可等不了。」

魏清莛這段時間一直和阿梨去看郊外的莊子，小老虎難得出去，現在每天都扭著身子朝外哼哼，魏清莛就藉此機會又出去了幾次。

既然要開始準備節禮，那就少不得要花錢。

帳房這時候就苦著臉過來稟道：「夫人，如今帳上就只有一千二百三十五兩銀子了。」

魏清莛眨眨眼。「怎麼會這麼少？」現在平南王府已經分家，那麼他們這邊就要單獨備一份年節禮，這個花費可不少，沒有六、七千兩銀子是辦不下來的，當然，他們到最後也會收到年節禮，但總得先送出去不是？

「上次四公子和夫人買原石花費了五千多，後來夫人置辦田地又花費了二千兩，前一段時間任管事和日泉在帳上支了六百兩，四公子也支了一千兩，加上府上的花銷，所以……」

任管事和日泉的銀子是她批准的，但任武昀……

「四公子跟你支銀子，你怎麼沒告訴我？」

帳房一愣，不知道四公子跟他支銀子怎麼還要和魏清莛報備一聲，不是要到月底查帳的時候才回稟嗎？

魏清莛看他那樣子就明白了，這個帳房不是京中原先自己用的，那個帳房被任武昀帶在身邊了，他能用的人太少，只能從家僕裡面選人，這個帳房是來到這邊後提拔上來的。

魏清莛揉揉額頭，問阿梨。「沒有人和他說過府裡的規矩嗎？」

阿梨跪下請罪。「夫人恕罪，這是我們的疏忽。」

帳房頓時有些忐忑起來，不知是府裡的什麼規矩。

「算了，你起來吧，你們也是忙暈了，不過下次將府裡的規矩寫成一個小冊子，以後將規矩什麼的就寫在上面，要是換人了就給新人看一下吧。」魏清莛對帳房道：「不知者不罪，先將帳上的一千兩銀子拿出來吧，明天我再把銀子補上。」

魏清莛很疑惑，任武昀拿那麼多銀子去幹麼？而且還要「偷偷」的拿。

晚上任武昀哼著曲兒回來，魏清莛就盯著他看了一會兒，任武昀摸了摸自己的臉，問道：「我臉上髒了？」

魏清莛搖頭。「不是，我只是在想你最近是不是有什麼事在瞞著我。」

任武昀就心虛地瞄了她一眼，堅決地否定道：「我能有什麼事瞞著妳？行了，小老虎呢，爺可是一整天都沒看到他了。」

小老虎就由奶娘扶著走進來，小老虎還不會走路，現在也就會自己扶著東西站起來，但他也不樂意別人抱著他了，非要別人扶著他的胳膊在地上走動。

任武昀看到兒子，連忙抱起他拋了一下，頭頂著頭哄他。「兒子，爹帶你去玩好玩的好不好？」

小老虎根本就聽不懂老爹說什麼，只是一個勁兒的拍掌嘰哩咕嚕的說著自己才聽得懂的話。

任武昀就抱著兒子逃之夭夭。

魏清莛淡定地將頭髮拆下來，逃得了一時，還逃得了一世嗎？除非他今後不上她的床，不然他能逃到哪裡去？

很顯然，任武昀很快也意會到了這點，沒過多久，他就將兒子抱回來哄著他入睡，然後小心翼翼地跑回來。

魏清莛此時正坐在梳妝檯前梳頭髮，見他回來，就放下梳子坐到床邊似笑非笑道：「回來了？」

任武昀摸摸鼻子，將門關好，坐在魏清莛身邊，猶豫了一下道：「我也是想給家裡多賺一些銀子，現在還只有一個小老虎，以後孩子一多，花銷就更多了。」

魏清莛一愣。「你去做生意了？」

任武昀保證道：「不會虧的。」

魏清莛就有些心疼。任武昀的脾氣她自認還是很瞭解的，他雖然不像那些讀書人那樣看不起商人，但他很大男子主義，幾乎就認定了男子漢大丈夫就是要保家衛國，就是要做將軍，而做生意，魏清莛幾乎不能將這個詞和他聯結起來。

魏清莛很有錢，這也讓她忽略了他們家的情況。

她是有錢，但對任武昀來說，那是她自己的錢，甚至，是一筆連她都不應該用到的錢。以任武昀的世界觀來看，男人就該掙錢養家、養老婆，妻子只有在丈夫無能的時候才會去動用嫁妝。不要說妻子是給自己買東西就能用嫁妝銀子，她是你的妻子，她買東西，那也該做丈夫的付。

魏清莛開始檢討自己是不是太不注意任武昀的自尊心了。

實際說來，任武昀並不是很有錢，他在成親之前，他的錢自己花了一部分，剩下的都拿來支援四皇子了，任武昀一直將皇上當成自己人，所以他沒想過要讓皇上還錢，目前看來皇上也沒那個意識。

所以任武昀成親之前，個人財產幾乎沒有，他的聘禮是平南王和任武晛一早給他準備的，積累了十多年攢下來的，不用他費心，成親所花的費用也是平南王府所出，但是他一成親資產就增加了不少。

因為成親時收的禮物都是他的個人私產，只是很可惜，其中大部分都不能變賣，所以現金依然很少。

分家的時候，平南王和任武晛又各自給了任武昀一萬兩銀子，平南王還讓王妃給了魏清莛一萬兩，後來他們來安徽，平南王又私底下給了一萬兩，但這兩年他們的花費也不少，而且老王妃給的產業幾乎不賺錢，還虧錢，任武昀自己在京郊買了三個莊子和一棟房子，這樣一來，身上的現金就沒剩多少了。

魏清莛平時不注意，她名下的產業不少，她都是直接從錢莊裡拿了錢放到帳房那裡去的，她並不覺得有什麼，現在看來任武昀雖然不說，心裡一定不好受。

魏清莛就抱住任武昀的腰，躺在他的懷裡，仰頭問他：「那你賺了多少錢？」

任武昀自得道：「妳放心吧，這段時間賺了不少，等再過一段時間我給妳拿十萬兩回來。」

魏清莛一愣，急忙坐起來，有些著急地問道：「你做什麼生意賺這麼多錢？」十萬兩？就算是京城的盛通銀樓，她一年的分紅也沒有這麼多。

任武昀就有些扭捏。「也不是什麼，只是讓人將那些明料雕刻出來拿去賣了。」

魏清莛一愣。「你說什麼？什麼明料？」

「妳忘了我們上次在孫家的鋪子裡買的原石了？我讓人解出來，然後找了一個雕刻師傅將玉雕刻好後賣出去。」

魏清莛就疑惑的問道：「你不是說要拿去送人的嗎？怎麼就拿去賣了？」

任武昀詫異道：「我什麼時候說要拿去送人了？」

「那還不如交給盛通銀樓呢，那樣就不用這麼麻煩了。」

任武昀冷下臉來，冷聲道：「幹麼要交給盛通銀樓，爺就不能親自動手？交給他們，也不過是一些明料的錢罷了，哼，幹麼讓王廷日來占爺的便宜？」

魏清莛很好奇地看著他。「不知是不是我的錯覺，我總覺得你在針對表哥，你和表哥有仇？」

任武昀冷哼一聲，傲嬌地拉起被子蓋住頭，不理魏清莛。

魏清莛就趴在他身上使勁地拉被子，一個勁兒地問道：「你倒是說呀，難道是之前你們吵架了？」

魏清莛仔細地回想了一下，覺得之前兩人的關係還可以的，但不知從什麼時候起竟然變壞了。

任武昀在黑暗中撇撇嘴，他才不會說呢，當他是傻子嗎？告訴清莛，王廷日喜歡她？

任武昀拉緊被子就是不言語。

魏清莛拉了許久，見他態度堅決，只好放棄，只是問道：「你把玉都賣給誰了？」

任武昀悶聲悶氣地道：「想要的人多了去，我還沒這麼多呢。」

魏清莛就不再多問，只是道：「你得趕緊拿一些錢回來，我們得給京城準備年節禮了，對了，你有沒有什麼東西要給大哥、大嫂帶的？」

任武昀「嗯」了一聲，思索了一下道：「回頭我讓日泉拿給妳。」是拿錢還是拿禮物卻沒說。

魏清莛打了一哈欠，拍拍鼓鼓囊囊的被子道：「行了快出來，要睡覺了。」

任武昀就放開被子，將魏清莛抱進懷裡，睜著眼睛思索了一下就沈沈睡過去。

第一百零三章　田莊

魏清莛打算好好地打理一下家裡的那些產業。

魏清莛讓任管事將冊子搬來，翻了翻，皺眉道：「這些莊子雖比不上王爺和二公子的，但也沒這麼差，怎麼會年年都虧損？」

任管事低頭道：「回夫人，小的曾經去看過，這些莊子的管事都是老王妃的人，有的還是老王妃從娘家帶來的人。」

魏清莛神情微冷，丟下帳冊，道：「去，讓人將附近幾個莊子的情況打探清楚，這幾個莊子裡頭管事的情況也打探清楚。」

任管事見魏清莛這樣的臉色，知道她是要拿那幾個管事開刀了，心裡對他們默哀了一會兒。

魏清莛又拿起一本冊子翻了翻，揚手問道：「這幾個鋪子的管事也是老王妃娘家的人？」

任管事就道：「夫人，這幾個鋪子卻實在是因為地方偏僻，這才一直沒什麼人氣的。」

魏清莛放下冊子，道：「這些東西留下我看看，你先下去吧。」

魏清莛敲敲桌子，她得想想怎麼做。

老王妃分給任武昀的一共有四個莊子，一個大部分是水田，據派出去查看得到的消息，那個田莊的田雖然比不上附近平南王的莊子，但土質也屬於中下，反正不是最差的就是了，再說了，就算是最差的也有賺的時候。

另一個是旱地，莊子的地大部分也是中下等的地，而另外兩個莊子則都是山頭占了大部分，只有山腳下的莊子附近有二十幾畝的地，其中虧得最多的還是這兩個莊子。

魏清莛看著上面的帳單就冒火。

魏清莛前世的時候也種過地，她深知種地的辛苦，農民，大多數時候其實是靠天吃飯的，但就算這年代技術比不上現代，一個莊子上千畝的地，沒道理總是虧損。

魏清莛看著帳冊冷笑，他們真當她不懂種地的事不成？就連帳冊都做得這樣漫不經心。

魏清莛知道任武昀不想動他們，他們都是跟著老王妃的老人，他不願意為此和老王妃產生更多的矛盾。原先她也可以假裝沒有這些東西，但現在他們家沒錢了，任武昀甚至還要出去做生意賺錢，那她有什麼理由放著這些資源不管？

魏清莛在任武昀回來後就將自己的思緒跟他說了，任武昀靜默了一下，看到坐在魏清莛懷裡的小老虎正一個勁兒地想用手抓桌子上的碟子，點頭道：「妳處理吧，母親那裡不用擔心，我給大哥去封信，讓他幫幫忙。大哥出面，那些奴才也不敢太過分。」

魏清莛暫時也不想和那些老僕對上，就點了點頭。

平南王收到信後心裡有些惱怒，忍不住將信拍在桌子上。

王妃見他眼神陰鬱，就關切地問道：「怎麼了？可是昀哥兒又惹麻煩了？」

平南王不滿地皺眉。「他能惹什麼麻煩？別人不惹他就算好的了。」平南王將信遞給她，道：「這些奴才的膽子也越來越大了，如今都不把主子放在眼裡了，我就說昀哥兒明明是最不把銀錢放在眼裡的人，怎麼會突然間就小氣起來了，竟然打賞人也只是丟下半形錢而已。」平南王咬牙，心中暗道，幸虧之前他給這小子送錢去了，不然還不知道過成什麼樣呢。

想到這裡，平南王就有些擔憂。「昀哥兒這孩子心高氣傲，要不是日子過得艱難了是不會開口管那些人的，只怕最近他過得不好。」平南王想要開口給昀哥兒一些銀錢，只是先前他私底下已經給了不少，王妃應該也能猜到一些，要是再給，時間相距太短，只怕王妃要有意見了。

王妃不在意地笑道：「你忘了莛姊兒？那孩子可是個有錢的，總不會委屈了昀哥兒就是了。」

平南王不贊同地皺眉。「那如何能一樣？畢竟是弟妹自己的嫁妝，更何況，以昀哥兒的性子，只怕是不會用的。」

王妃想想也是。「那王爺打算怎麼辦？那些人可都是跟著母親一塊從嶺南嫁過來的，母親一向看重他們，雖然只是莊子裡的管事，但每年進府，我也要讓半禮的。」

平南王冷哼一聲，不在意地道：「他們就是再被母親倚重，也不過是奴才，難道還比得上昀哥兒嗎？回頭我去看看，要真是冥頑不靈就換一個管事就是了。」

王妃張張嘴，見平南王堅決的樣子只好閉上了嘴巴。

臨近過年，平南王莊子上的管事也過來回事，平南王揮了揮手，冷眼看了他們幾眼，就敲打了一番，問道：「四公子莊子的那幾位管事呢？」

大總管一愣，上前一步回道：「王爺，那幾位管事是要去安徽給四公子回事的，所以就沒來王府給王爺請安。」

平南王淡淡地問道：「那他們現在啟程了？」

大管事頓時有些躊躇，他沒有關注四公子那邊的事，所以並不知道確切情況。

平南王微微皺眉，道：「四公子那幾個莊子的收成如何？」

「這個？」大管事有些猶豫道：「奴才聽說那邊年前遭了幾次災，收成好像比不上我們這兒。」

平南王冷哼一聲。「我記得王府有一個莊子就和四公子的一個莊子僅隔了一個山頭，什麼災禍竟然只挑了他們那處不成？」

大管事頓時低頭不語，他原先也覺得那幾個管事盤剝太過，也不知道是誰告到王爺跟前。

老王妃留給他們的嫁妝，裡面用的自然還是原先的人，而這些人中又互相做親，所以關係盤根糾結。

平南王正想下手整治一番，就被老王妃叫進了後院。

老王妃微閉著眼睛跪在蒲團上念經，平南王不敢打攪，只好侍立在她身後等著。

老王妃睜開眼睛，也不回頭，只是邊給菩薩上香邊問道：「我聽說你現在管起你弟弟那邊的事來了。」

平南王微微一愣，繼而心中有些惱怒，但還是點頭道：「是，兒子見那些奴才越發沒了規矩……」

「行了，我知道他們沒了規矩，」老王妃不在意地道。「只是為何你和老二底下的人不這樣，偏他的人是這樣？」

那還不是您偏心鬧的！平南王只敢在心裡嘀咕一聲。

老王妃道：「他要是連幾個莊子都管不好，那他能管好什麼？若是連底下的幾個管事都收服不妥，那他還當什麼將軍？這件事你別管了，該怎樣做讓他去就是了，總不能什麼都由哥哥解決。」

平南王苦笑，但他不能違逆母親，只好歇了替弟弟出頭的想法。

而在安徽的魏清莛可沒這麼好的心情，她有些哭笑不得地翻翻手中的帳冊，問堂下的四位管事。「你們說一斤稻種要多少錢？」

韋福恭謹的上前道：「回夫人，帳冊上記了，是一兩銀子。」

魏清莛點頭。「這是帳冊上記的，我知道，但我想聽你們說，你說，一斤稻種多少錢買的？」

韋福垂下眼眸，再次回答道：「一兩銀子。」

魏清莛氣笑了。「是什麼稻種？在哪兒買的？一斤的稻種能種多少地？收成多少？韋管事，你慢慢地想一下，想好了再告訴我。」魏清莛的目光在四人的臉上一掃而過，見他們堅韌地抿著嘴，堅定地認為一斤稻種就是一兩銀子。

魏清莛揮手道：「行了，你們慢慢想吧，嗯，我看你們都有些想睡覺了，不如就到院子裡去清醒清醒，說不定就能想起來了。」

韋福臉上微微一變，嗆聲道：「夫人，老奴八歲的時候就跟在老王妃跟前伺候，這五十年來從未懈怠過，老王妃將老奴等安置在莊子裡頤養天年，也是老奴不願辜負了老王妃，這才要求管著莊子的。」

魏清莛感動地點頭。「韋管事和老王妃的主僕情真是令我感動，只是這和我叫你回答的問題有什麼關係嗎？」

韋福一噎，冷臉道：「夫人要是對老奴生疑，只管將老奴辭去，老奴再回去找老王妃就是……」

「辭去？」魏清莛打斷他的話，歪著頭疑惑地看向他。「難道竟是我記錯了？韋管事的身契不是在我的手裡嗎？原來韋管事是雇傭來的？」

韋管事臉色巨變。

魏清莛嘴角含笑，眼裡卻閃過冷光，笑道：「韋管事不用著急，我也沒說疑心你呀，我只是覺得一兩銀子買一斤的稻種……」魏清莛嘖嘖兩聲，搖頭道：「我是怕韋管事年紀大了，難免會被外頭的人唬弄，這才問你是在哪裡買的，我想看看那稻種有何神奇之處，你也知道，我和四公子在安徽買了幾個莊子，開春就要下種，要是有這樣值錢的稻種我也想見識見識，可要是有人膽敢唬弄到四公子的頭上來，你們也是知道四公子的脾氣的，拆了那家店都是輕的。我不知道為什麼只是簡簡單單的幾個問題，韋管事也要弄得這樣複雜。」

韋福身後的三人對視一眼，都知道今天這關怕是難過了，只是心中也並不是多擔心，四公子回來一定不會認同夫人這樣做的。他們這幾個老人可是知道四公子一直不願意和老王妃唱反調的。

韋福顯然也想到了這點，他深深地看了魏清莛一眼，轉身和三個管事站到院子裡去了，把魏清莛氣了個倒仰。

魏清莛忍不住對阿梨道：「我都說到這個分上了，就勢認個錯不就過去了嗎？他們竟然比我還硬氣！」魏清莛本來沒想怎麼樣的，這下子也給氣出脾氣來了。「他們既然喜歡站那就讓他們站著。去，讓任管事將府裡那些閒置下來的人都到這裡來看看，總之這兒不能斷了人。」

魏清莛面色冷凝，這段時間任武昀既要去軍營，又要去衙門，閒暇的時候還要帶著雕好的玉出去賣。

任武昀不願意低價將那些玉賣出去，他說了要給魏清莛十萬兩銀子的，就爭取每一個都價值最大化，短短十幾天的時間，整個人就瘦了一圈。

魏清莛看著心疼得不得了，本來她就對這四個莊子的管事意見不小，這下子更是氣不打一處來。要不是顧及著京城的老王妃，她真想就這樣將人給賣了，乾淨又俐落。

魏清莛惱怒，殊不知在前面站著的韋福幾人臉都氣青了，他們沒想到魏清莛竟會叫人來圍觀，看到那些人眼中閃過的好奇和幸災樂禍，韋福等人大半輩子的臉都丟光了。

四人對視一眼，心中都有些陰鬱，韋福更是陰霾地看往後院的方向。

任管事無意中看到了，心中暗自搖頭。指望四公子？任管事可憐地看向那幾人，如今四公子是唯夫人馬首是瞻。

任武昀晚上喜孜孜地回來，將盒子遞給魏清莛，傲嬌道：「這是最後一批了，看，爺說的沒錯吧，爺說有十萬兩就有十萬兩。」

魏清莛卻看向他鼓鼓囊囊的胸口，問道：「你衣服裡藏了什麼東西？」

任武昀就寶貝的掏出油紙團包著的東西，吩咐阿梨。「快去把小老虎抱來，這是永記的包子，我特意包回來的，還熱著呢。」

小老虎咬人咬得厲害，魏清莛不願再餵他了，他又不願吃乳娘的奶，只一個勁兒地哭著，魏清莛心疼之下只好忍痛給他吃，任武昀看了心疼得不行，餵他吃了幾次肉羹，限制他只有晚上睡覺之前才能吃奶，魏清莛的情況這才好些，只是這小子吃膩了又不樂意了，又要鬧著吃奶。

任武昀為了哄他，讓廚房做了許多小孩子能吃的東西，只是都討不得他的歡心，任武昀將孩子抱出去無意中吃了一次永記的包子，這小子從此就喜歡上了。

魏清莛摸摸那包子還燙手，就嗔怪道：「叫下人去買就是了，幹麼要親自去，還將東西放在懷裡，要是燙傷了怎麼辦？」

「包子放在食盒裡冷得快，回來還得熱過一遍，那小子嘴刁得很，熱過一遍他都吃得出來。」任武昀抱怨道。

小老虎老遠就聽到了父母說話的聲音，揚著手就要任武昀抱。

任武昀洗了洗手，就抱過他親了親。

小老虎鼻子尖得很，才到父親懷裡就聞到香味，轉著圓溜溜的腦袋找來源，很快就盯緊了桌子上的東西，手快速地抓過去，好在任武昀早有防備，身子往後一縮，小老虎的手就勾不到了。

小老虎就使勁兒地往那個地方使力，「啊啊」地揮手叫著，父親卻牢牢地抱著他，委屈地一癟嘴就要哭出來。任武昀立馬拿過包子，小心地剝開，一點一點地餵他。

魏清莛坐在一旁含笑看著，此時她已經忘記還在外頭站著的韋福幾人了。

第一百零四章　懲罰

吃完晚飯，蘇嬤嬤擔憂地在外徘徊，任武昀見了不免皺眉。

「蘇嬤嬤有什麼事？」任武昀開口問道。

蘇嬤嬤就看了魏清莛一眼，躊躇著不肯開口。

任武昀的眉頭皺得更厲害了。

魏清莛就好奇道：「什麼事？」

蘇嬤嬤心內微嘆，認命道：「夫人，幾位管事還在院子裡站著呢。」

魏清莛這才想起來。

任武昀給小老虎擦一下手，有些不滿地道：「有人要找妳回事？這麼晚了不會找任管事嗎？」

「不是，是莊子的那四位管事，他們想糊弄我，所以我讓他們在院子裡罰站了。」

任武昀的手一頓。「罰站？」

魏清莛點頭，將帳冊的事和任武昀說了，末了憤憤然道：「要是他們將帳冊做得漂亮一點，起碼不要讓我一看就知道是在糊弄我，說不定我還會看在母親的分上讓他們榮養，頂多是給莊子換一個管事就是了，偏他們連糊弄我們都不精心，一兩銀子一斤的稻種，這是當我們是傻子看？所以我一氣之下就讓他們罰站了。」

要是在現代，一兩銀子也就相當於兩百四、五十塊錢，那時候的稻種也沒有一斤就這麼貴的，更何況在這個時代，大部分的糧種都還是自家留的，就算莊子裡要買糧種，什麼糧種要這麼貴？她又不是什麼都不懂的貴婦人，難道十里街的幾年都是白混的？

任武昀在魏清莛說話時眼裡就閃過戾氣，清莛心思簡單也容易心軟，竟然只是罰站，任武昀垂下眼眸，也許他本來就不該為了母親而處處忍讓。

孩子對大人的情緒感受是最為敏感，所以小老虎在任武昀眼中的戾氣一閃而過的時候就被嚇得一怔，而後就是大哭。

任武昀這才知道自己嚇著兒子了，趕忙收斂怒氣，手忙腳亂地哄著他，心中對那幾人更是惱怒。

小老虎卻向母親伸手，非要魏清莛抱。這是從來沒有過的現象，往常只要是任武昀出現，小老虎就一定會伸手讓任武昀抱。

魏清莛連忙接過兒子輕輕地拍他的背哄著，任武昀的臉色更加難看了。等小老虎的哭聲弱了一些，任武昀就氣惱地起身出去，吩咐道：「將那幾個欺上瞞下的東西拉出去打二十大板。」

追出來的魏清莛聽到這話趕忙攔住，笑話，那幾個人年紀都不輕了，二十大板打下去不死也殘了，對方雖然可惡，但魏清莛也不想就此弄出人命。「還是讓他們罰站吧，這麼冷的天也夠他們受了，他們什麼時候認錯再什麼時候讓人下來就是了。」

魏清莛見小老虎已經不哭了，只是委屈地看向兩人，魏清莛就試探地將他放進任武昀的懷裡。小老虎一把抱住父親的脖子，委屈地癟癟嘴，但到底還是沒哭。

魏清莛鬆了一口氣。「行了，快進來吧。」

眼見著天已經完全黑下來，而任武昀依然沒出現，四人對視一眼，心中有不好的預感。

他們都覺得等四公子回來就好了，那要是四公子不回來，或是夫人根本就不告訴四公子，再或者，四公子順水推舟呢？

四人臉色更加的難看。

十一月的安徽已經冷得幾乎結冰，一入夜，氣溫就急劇下降，為了達到哭窮的效果，四人的外面都是隨便套上一件棉外套的，雖然裡面的衣服不差，但在寒風中保暖性還是太差。這個年代，一場風寒就能要人命。

四人不敢托大，只能裝暈過去。

魏清莛聽說人暈過去了，就皺眉道：「他們年紀都大了，妳叫人將人抬進屋去，給他們請個大夫吧。」

阿梨一聽就知道夫人不願出人命，連忙下去吩咐。

任武昀皺眉道：「罰站算是什麼罰？不過站幾個時辰就這樣，不定怎麼糊弄妳，直接打板子下去不更好？」

「打他們，他們才不怕呢。」魏清莛不在意道。「打蛇要打七寸，就算我們打了板子，他們過一段時間該怎樣還是怎樣，而我們還落得刻薄的名聲，他們不在乎就不痛，我才不去做那吃力不討好的事呢。他們最在乎什麼，我就拿他們什麼，這樣打到了他們心裡，那才叫痛呢。」

「那妳說他們在乎什麼？」

「錢啊，他們貪污了這麼多東西不就是為了錢嗎？那我們就奪了他們的錢就是了，明天我讓帳房過來查帳，先前對王府他們一定不敢做得太過，那些帳就不用查了，我們只從兩年前的查起，簡單得很。」

的確很簡單，第二天，送任武昀出門後，魏清莛就將兒子抱上，將他放在後面的地毯上爬著玩，讓帳房當著還臉色蒼白的四人當面查帳。

魏清莛喝了一口茶，看著四人笑道：「聽說四位昨兒睡得也挺早的，怎麼卻沒什麼精神的樣子？」

韋管事扯扯嘴角，不知道該說些什麼。

魏清莛也不需要他們的回答，直接抬著下巴示意帳房，道：「帳本裡的單價記得亂七八糟的，我是不知道莊子那邊的物價幾何，但想來也差不了多少，所以我讓帳房就照著徽州城這邊的物價算了，要是相差得多的，就直接照京城那邊的物價算，咱們得先把帳算清楚了才能再往下說。正好，幾位也有許多年沒和四公子一塊兒過過年了吧？今兒你們就留下跟四公子一塊過過年吧，四公子還是挺想念小時候的事的。」

三個管事看向韋福，希望他能拿個主意。

韋福咬牙，半晌，突然跪到地上，「咚咚咚」地磕了三個響頭，道：「夫人，奴才該死，奴才貪下了莊子裡的銀子，不用再查帳了。」

魏清莛笑道：「我知道啊，只是帳還是要查的，不然我怎麼知道你貪了多少？」

韋福半張著嘴巴，好像不能理解魏清莛為什麼能這麼平靜地說出這樣的話來。

魏清莛看向另外三人，道：「你們將莊子管得還不錯，除了貪了我與四爺的銀子，對佃戶和下人們也都還不錯，所以，你們若還想做這個管事也容易，你們貪了多少錢，三倍還回來就是了，以後就照此例，若不想三倍返還也容易，我換個管事就好了。」

韋福咽了咽口水。「夫人，這，這傳出去豈不是有損王府的名聲？」

魏清莛好奇道：「既然你們知道這有損王府的名聲，怎麼你們還貪墨呢？」

韋福頓時脹紅了臉。

魏清莛突然收起了臉上的笑意，冰寒地看著他。「還是你們覺得四公子不算是王府裡頭的人，所以可以使勁地丟他的臉？」

幾人嚇了一跳，連忙跪下。「奴才不敢。」

「不敢？你們還有什麼不敢的？」魏清莛懶得和他們多說，直接道：「這是我定下的規矩，回頭你們就吩咐下去吧，希望你們有那個本事代代都做這個管事。」

韋福臉上更難看了。

魏清莛還有很多事情要做，自然不會將太多時間浪費在他們身上，叫帳房查帳後就抱著小老虎去後面準備過年的東西了。

等到帳目盤點好後，魏清莛瞇著眼睛看了看帳單，嘖嘖地讚嘆兩聲。「你們的膽子可真夠大的，這麼多銀子你們也敢一分不落地貪了。」魏清莛將帳單甩給他們看，道：「既如此，就三倍賠償吧。」

魏清莛笑咪咪地吩咐任管事。「回頭叫上幾個人跟幾位管事回去，照三倍的銀子收回來，要是沒有現銀，房子、衣服、首飾、田地什麼的，能抵的全都抵掉，不能抵的，往後他們的月例扣下一半，慢慢地扣除，什麼時候把錢還完了，什麼時候算完。」

幾人的臉色唰地白了。

任管事很不認同，主子抄奴才的家，這話傳出去很不好聽，只是魏清莛堅持這樣做。

莊子裡的人大多是老王妃留下來的人，這些人不怕打，不怕罵，甚至不怕被降職，因為他們是老王妃留下的人，就算魏清莛能打他們，能罰他們，但就是不能賣他們，對奴僕來說，最大的威脅可能就是死亡和重新被賣吧？

如今兩條都因為他們的身分而去掉了。

那魏清莛就只能想其他的辦法了，任管事勸了半晌，見不奏效，只好去找任武昀。

任武昀也覺得妻子很胡鬧，但他不能在下人跟前這樣說妻子，所以他裝作不在意地揮手道：「夫人既然如此說，那你就去照辦吧，」頓了頓道：「多帶上幾個人。」

韋福一路上都想方設法的聯繫老友和親家，希望他們能到平南王府給他說說情，但任武昀早就讓人控制起他們的通信，韋福想盡了辦法也沒能傳出隻言片語。

任武昀在夜深人靜的時候難免摸頭，他怎麼覺得這副出和收入不對等啊？

為了達到震懾的效果，魏清莛讓他們一家一家地去討債，所以四個管事頭一站去的是韋福的家。

四個人後頭跟著十個身強力壯的壯漢和一個帳房，為首的人看向韋管事，帳房就拿出清單，道：「韋管事，咱們抓緊吧，弄完了這邊，還有三位管事等著呢。」

韋福臉色難看，點點頭，率先進門。

韋福看向三個正當壯年的兒子，心中疼痛難當，他現在是真的後悔當時貪圖那些東西了。

韋福一下子好似老了十歲般，將在都督府發生的事都告訴三個兒子。

幾個兒子臉色頓時難看，老三不服道：「如今貪墨的又不止我們一個莊子，憑什麼就讓我們賠三倍？就是賠，我們還回去就是了。」

韋福垂下眼眸。

三個兒子鬧著要到王府討個說法，韋福敲了敲桌子，黯然道：「胡鬧，四爺再不得寵他也是主子，之前是我想差了，難道老太妃還能為了我與她兒子作對不成？」

三人聽了都低下頭，只是一下子失去所有，幾人的嘴幾乎咬出血，只能眼睜睜地看著家財被抄沒。

帳房一路將四位管事的家抄了，先不管他們是如何淒涼，這件事卻是在王府的莊子裡傳開了。

平南王府也聽到了風聲，平南王愣了一下就微微皺起眉頭，覺得魏清莛這樣做得不太好，但他也沒說什麼，事情已經發生，再計較只是給那些奴才壯膽了。

平南王轉身去找王妃，囑咐道：「以後莛姊兒要是回來妳教教她吧，他們是要自立門戶的，總是這樣魯莽行事也不是辦法。」

王妃也覺得魏清莛這件事做得太魯莽，點頭應下了，收拾了給任武昀準備的兩套衣裳道：「後天魏家的小舅爺就要過去和他們一塊兒過年，我給昀哥兒也做了兩套衣裳，不如讓他一塊兒帶去，王爺有什麼要帶去的也一併收拾出來吧。」

平南王對王妃如此關心任武昀很欣慰，拉著王妃的手道：「那小子現在有莛姊兒照顧著，哪還要我給他什麼東西？妳看著送一些東西去就是了，不過安徽那裡怕是沒有京城這邊的東西，妳選一些能留的、昀哥兒愛吃的給他送去吧。」頓了頓又道：「如今下雪了，路上怕是有些難走，回頭我讓幾個護衛護送他去。」

王妃笑道：「哪裡還用你去護送？昀哥兒早就派了幾個護衛上京，說要親自護送小舅爺下去。」

平南王一噎，有些吃味起來，昀哥兒對他的小舅子也太好了些。

王妃見了不免好笑。

老王妃的院子裡可沒有這麼好的氣氛，她睜開眼睛，淡漠地看著手裡的紙條，扔開道：「各人看各人的造化吧。」只是心中到底不悅。

韋嬤嬤見了就鬆了一口氣，四夫人的膽子也太大了，就是王妃和二夫人嫁進王府多年，也不得不照顧老王妃的面子，但四夫人卻明晃晃地打了老王妃一巴掌。

好在現在四夫人不在京城，不然還不知會鬧出什麼事來呢。

韋嬤嬤一愣，這才想起，就算是四夫人在京城的時候好像也很少來老王妃的院子，每個月只固定初一、十五過來請安而已。

韋嬤嬤眼睛微瞇，四夫人應該不會是因為老王妃對四公子的態度，而對老王妃這樣淡漠吧？

宮裡的皇上聽說後只頭疼地扶了一下額頭，揮揮手，苦笑一聲，繼續拿起奏摺來看。

竇容聽說的時候正在喝水，嗆了一下，繼而搖頭道：「他們倒是相配。」心中卻有些欣慰，任武昀肯認同魏清莛這樣做，那就意味著老王妃對他的影響已經很小了。

任武昀可沒他們想的這麼多，他這幾天跟著黃師爺拜訪了當地的幾個有識之士，請他們出山做了謀士。黃師爺說要想做出成績，只想著在這裡待三年是遠遠不夠的，所以任武昀要是想在這兒有個突破，就要做好長期在這裡的打算。

任武昀對軍隊有自己的一番見解，如今皇上又肯支持他，他也心動不已，就跑回去找魏清莛商量。

魏清莛支持道：「我自然是聽你的，要是留在這兒你能有所作為，自然是更好的。」關鍵是能遠離京城的那些紛爭。

任武昀抱了魏清莛道：「我以為妳會擔心桐哥兒，跑回去找他。」

魏清莛好奇道：「誰說桐哥兒要留在京城了？」

任武昀抬頭看她。

魏清莛解釋道：「桐哥兒打算和他先生去雲遊，就算我們待在京城，他也不可能待在京城的，安徽還比較好呢，位在中間一些，以後他南遊北往的直接來這兒就好了。」

任武昀一嘴咬在魏清莛的脖子上，含糊道：「我們給小老虎生個弟弟吧。」

魏清莛推推他。「小老虎還小呢……」聲音漸漸被掩沒。

第二天，任武昀神清氣爽地去軍營。

第一百零五章　擔憂

承德四年，任武昀在徽州城一待就是三年，而小老虎也從滿地亂爬的孩子長到了滿地跑的小孩。

「任誠勇，你給我出來！」魏清莛大喊道。

四歲大的小老虎趴在地上，聽到喊聲縮了縮脖子，繼續趴在地上，暗中祈禱道：「這兒都蓋嚴實了，娘親一定不會發現的。」

魏清莛等了一會兒，沒見那小子爬出來，氣得夠嗆，她仔細聽了聽，眼睛就緊緊地盯著前面的灌木叢，彎腰要撿石頭打他，阿梨嚇了一跳，連忙扶住她。

阿梨看著魏清莛大大的肚子，擔憂地囑咐道：「夫人，還是奴婢來吧，您可要小心些。」

「撿兩塊大的，」頓了頓，道：「算了，撿小一點的。」

阿梨鬆了一口氣，邊將石頭給魏清莛，邊勸道：「夫人，不如讓日泉去找大少爺吧，您現在可不能用力，要是……」

「行了，又不是第一次懷孕怕什麼？」魏清莛兩眼緊緊地看著前面道：「我看這小子還敢不敢了。」說著，手一揚，石頭就精準的落在一處。

「哎呦！」小老虎摸了摸屁股，委屈地嘟起嘴，兩眼淚汪汪的扒開樹叢，不服地看著母親。

魏清莛冷哼一聲。「以後還敢不敢亂跑了？」

小老虎渾身髒兮兮地爬出來，不服道：「我是要給弟弟抓兔子玩呢！」

「你弟弟現在還沒出生呢，你抓來有什麼用？而且你才多大，就能抓兔子了？」

「怎麼不能？」小老虎握拳仰頭倔強地喊道：「我的手快著呢，爹爹也說我一定能抓著的，就是娘親不讓我進山，不然我一定抓給您看！」

魏清莛頭疼地看著他，一把揪住他的耳朵，道：「你以為山裡只有兔子嗎？裡面還有麅子，還有狼，狼最喜歡的就是你們這些細皮嫩肉的孩子，到時牠把你叼去了，看你爹爹不哭死！」

小老虎不屑地撇撇嘴。「我是老虎，我怕什麼？」

魏清莛不再說話，拉著小老虎上馬車，因為動氣加運動，肚子裡的孩子也不大老實，魏清莛難受地靠在厚厚的迎枕上。

小老虎卻雙眼發亮的盯著魏清莛的肚子，小心翼翼地摸了摸，高興的叫道：「娘，弟弟又動了！爹爹說得沒錯，這麼頑皮一定是弟弟。」繼而又有些沮喪道：「我答應了弟弟們要給他們抓兔子的，結果卻失信了，以後弟弟們會不會就不信我了？」

魏清莛看著精力旺盛的兒子，實在是提不起興致來安慰他，直接閉上眼睛裝睡。

阿梨見了就小聲地勸道：「不會的，大少爺。二少爺和小少爺現在還小，還不能玩兔子，只要您在他們周歲之前把兔子抓回來，就不算是失信了。」

小老虎有些小心翼翼地看了母親一眼，小聲道：「可是娘不要我進山啊。」

魏清莛睜眼看他。「我不是不讓你進山，只是不讓你一個人進山，你一個四、五歲的孩子獨自跑進山裡，你是嫌狼的口糧不好，專門給牠送吃的去？你要進山也可以，回頭你讓你爹帶你進去。」

小老虎就開心地叫起來。

魏清莛轉過頭去，小老虎周歲之後動作更加敏捷，等到會走路的時候，不僅手快，腳也快起來，有時候在飯桌上，一個不注意，就連任武昀都抓不住他。任武昀高興得不得了，覺得兒子是個練武奇才，小老虎才三歲，就教他蹲馬步練武，魏清莛怎麼說都沒用。

既然已經開始就不能半途而廢，她只好心疼地看著兒子疼得哼哼叫。

沒想到隨著時間的流逝，小老虎越發調皮，也不知道他從哪兒聽說，魏清莛曾經打過老虎，他就成天想著也打一隻老虎，任武昀怎麼攔也攔不住，任武昀和魏清莛不帶他進山，他就偷偷地自己溜進去。

還是被任武昀打了一頓才好轉些，偏這時候魏清莛又懷孕了，大夫說是雙胞胎，任武昀就整天念叨著是兒子，小老虎也跟著念著弟弟，不過是上街看到別的哥哥給弟弟買了一隻兔子，就鬧著給弟弟們親手抓兩隻兔子玩，今天他們不過是因為她不太舒服停下馬車休息一下，小老虎都能直接溜下馬車鑽到林子裡去，要是萬一她看不見，魏清莛打了一個寒顫……

這個毛病必須給他扳過來。

任武昀看到魏清莛下馬車就趕緊過來扶住她，嗔怪道：「妳就不該去上香，爺的兒子自然是平平安安的。」

魏清莛已經無力去糾正孩子性別的問題了，而是低聲解釋道：「我心裡總有點不安，還是去一趟比較好。」

任武昀不信鬼神，不在乎地道：「那現在安心了吧？」

魏清莛點頭。「現在好多了。」

任武昀拎過藏在魏清莛身後的小老虎，凶巴巴地問道：「你是不是又闖禍了？」

小老虎委屈地搔頭。「爹爹，我想給弟弟們親手抓兩隻兔子，到時給弟弟們玩。爹爹不是說要疼愛弟弟們嗎？」

任武昀頓時收起臉上的凶相，改拎為抱，讚揚道：「好兒子，不錯，小小年紀就知道兄友弟恭了。」

小老虎自得地一笑，挺足了胸膛道：「所以爹爹，我們什麼時候去山裡？我要給弟弟們抓兔子。」

任武昀大手一揮。「明天爹爹就帶你去，帶上你的小弩，爹爹教你打獵。」

小老虎的一雙眼睛更亮了。

魏清莛擔憂道：「他才多大，你就叫他用弩？」

任武昀扶住她，解釋道：「妳放心好了，我有分寸。」

魏清莛知道任武昀比自己還疼小老虎，也就不再說什麼。

吳太醫聽說魏清莛回府了，就自覺地先到院子裡等著，看見任武昀扶著魏清莛進來，連忙起身行禮。「四公子，四夫人。」

吳太醫自從當年留在平南王府為魏清莛看診後就一直跟著他們，任武昀他們來徽州城時，因為擔心小老虎年紀小，就和皇帝要了吳太醫隨侍，這些年吳太醫一直留在他們身邊。

魏清莛客氣地笑道：「吳太醫來了，快請坐，我這兒正好有新春的碧螺春，阿梨，去沏茶來。」

吳太醫聞言眼睛一亮，任武昀就不在意地揮手道：「你要是喜歡，等一下讓阿梨給你包一包回去。」

幾年的相處，吳太醫知道任武昀的脾氣，聞言起身謝道：「那老夫就多謝四公子和四夫人了。」

等魏清莛坐定，這才上前為她把脈，良久，又換了一隻手，眉頭微皺。

「怎麼了？」任武昀有些忐忑。

吳太醫沈吟道：「一個脈象倒還正常，只是另一個脈象卻有些怪異，似強又頓時極弱，怕是……」吳太醫搖頭。「夫人這幾天就在府裡好好休息吧，最好還是不要出門。」

魏清莛臉上有些擔憂，一直給吳太醫使眼色的任武昀狠狠地瞪了他一眼，決定等一下叫阿梨給他包一包樹葉。

任武昀扶魏清莛回屋，道：「妳不要聽吳太醫亂說，他年紀大了耳朵不好，腦子也不好使了，回頭我給妳請一個更有名的太醫過來，要知道妳福澤深厚，天下能懷上雙胞胎的可是極少有的。」

魏清莛笑道：「你以為我的承受力這麼差啊？雖然有些擔憂，但我會堅持的，都已經生過一個了，還怕什麼？」

任武昀扯了扯嘴角，應道：「就是啊，當初那小子這麼胖妳都沒問題，難道現在還怕這兩小子嗎？」

但心中還是擔憂不已，在古代，生產本來就是一腳踏進鬼門關，這半年，有意無意地他也聽到不少難產而死的婦人。

任武昀暗暗自責，清莛本來是不想再要孩子的，都是他想要，清莛才懷上的……

其實任武昀卻是誤會了，以前生小老虎的時候，魏清莛的確是不想再有孩子的，可隨著小老虎越來越大，魏清莛的心思也早就變了，至少她現在打算順其自然了。

魏清莛覺得第一胎都能這麼順利，沒道理第二胎的時候會更難。想通後，魏清莛就安心下來待產了。

但任武昀卻急得嘴角都冒泡了，他去找吳太醫。

收到樹葉的吳太醫正哭笑不得，見任武昀過來，他也就趕緊收起來。任武昀和魏清莛的感情，這幾年他可是看得很清楚，為了讓他心甘情願地留在這裡，任武昀還給他兩個兒子謀了兩份不錯的差事，吳太醫自然不敢怠慢他。

回到書房的任武昀抓了抓筆，攤開一張白紙給皇上寫信，他決定還是請宮裡的穩婆來更穩妥些，最好還要一個醫女，嗯，兒科大夫也不能落下……

任武昀寫了寫，最後想了想，又在後面加了一句——甚急，要快！

皇上收到任武昀十萬加急的信件，以為是出了什麼大事，這幾年任武昀在安徽的成就不小，不僅將徽軍練出來，將安徽境內的土匪剿了大半，安徽改良的鹽鹼地也大有成效，又有他的凶名鎮壓，這幾年安徽的風氣一肅，加上一年前抄了孫家，更是震懾了朝中別有用心的人。

這幾年在王廷日的幫助下，皇上贖買了不少土地，將土地分給那些貧民，其中又以安徽做得最好。有時候皇上和竇容想，要是多幾個任武昀就好了。但這也算是一種奢望，其實要真多起來，兩人就該叫苦了。

皇上打開信件，頓時蹙起眉，心中微嘆，對魏公公道：「去準備兩個有經驗的穩婆，醫女和太醫都給帶上，讓他們明天就啟程，路上不得耽擱，儘快送到安徽去。」

魏公公心中詫異，但面上不顯地應下。

這是皇宮，別人無時無刻不在盯著的皇宮，那些太醫和醫女才安排好，外頭就有了風聲，得知去的是安徽，頓時不少人都皺起了眉頭。「可是任都督又出事了？」

不怪眾人會這麼想，不過四、五年的時間，幾乎每年任武昀都要弄出一、兩件事來，其中有好事也有壞事，但就算是好事也讓人恨得牙癢癢。

兩位太醫、兩名醫女並四個穩婆到徽州後直奔都督府，任武昀看見他們心中微鬆，讓幾人休息過後就將吳太醫叫出來，將魏清莛的情況告訴眾人。

兩位太醫又輪流把脈，穩婆也對魏清莛的情況心中有數了，幾人眼神交流間難免流露出詫異，魏清莛的情況也沒有到需要千里迢迢跑回京城找太醫、穩婆的情況吧？

等任武昀一離開，幾人就看向吳太醫，吳太醫無奈道：「四公子和四夫人伉儷情深。」眾人的臉色頓時就有些怪異了。

魏清莛得知任武昀讓皇上從京城派了人過來，臉上火辣辣的，心中既是甜蜜又有些不好意思。

總算得償所願的小老虎，興高采烈地抱兩隻兔子跑進來，衝魏清莛炫耀道：「娘親，您看我抓的兔子，這都是我抓的，養起來給弟弟們。」見母親的臉上微紅，就跑上前去學母親的樣子摸了摸她的額頭，疑惑地問：「娘，您是不是玩水了？不然怎麼生病了？」

任武昀大步走進來，聞言緊張地上前。「妳生病了？」

魏清莛嗔怪道：「別聽孩子瞎說，倒是你，怎麼嚷嚷得誰都知道了，在徽州也就罷了，竟然還寫信回京，以後我回去怎麼見人啊。」

「有什麼不好見人的，爺看誰敢笑話妳。」

「你不讓人家笑話，人家越要笑話，面上不顯，心裡還不知要怎麼編排你呢。」魏清莛纏著他。「以後不許再把咱們的事傳得到處都是了，你再這樣，以後我就讓你一個月進不了院子。」

任武昀只好道：「我這不是擔心太上皇和皇上擔心妳和孩子嗎？有他們派來的太醫和穩婆，他們才更安心啊。」

魏清莛疑惑道：「太上皇和皇上幹麼要擔心我？」

任武昀閉嘴不語，魏清莛掐住他腰上的肉轉了半圈，眼睛緊緊地盯著他問：「說還是不說？」

任武昀倒吸了一口涼氣，但還是硬氣地不言語。

魏清莛的手下又多用了一點勁兒，任武昀還是梗著脖子不說話，他總不能說是他擔心她和孩子有問題，這才叫皇上派太醫下來的吧？清莛本來就已經很擔心孩子，再知道那些太醫不是擅長婦科，而是擅長兒科，那就更得擔心了。

小老虎抱著兔子在一旁看著，看看母親，又看看父親，最後目光停留在母親擰父親腰的手上。小老虎沈思了一下，丟掉兔子，上前一把揪住父親腰上的肉學著母親一轉……

「嗷——」淒厲的叫聲嚇得魏清莛和小老虎同時撒手。

小老虎無辜地看著父親，魏清莛則心虛地看著他，她以前經常這樣扭他的，怎麼這次就叫起來了，難道她不知不覺太用力了？

任武昀低下頭，看到站在腳邊的兒子，頓時氣不打一處來，將人一把抱起來梜在懷裡，小老虎頓時「哇哇」大叫起來。

「我不要在這裡，我要坐在脖子上！」這小子還以為父親要跟他玩呢！

任武昀頓時氣得倒仰，揚起的手卻怎麼也落不下去，小老虎長這麼大，自己還沒打過他呢！

小老虎覺得這樣有些難受，踢著腳叫道：「爹爹，爹爹，我不要在這裡，我要在肩膀上。」

魏清莛和任武昀對視一眼，心裡同時都有些擔憂起來，兒子對危機的感覺也太遲鈍了吧，以後可怎麼辦啊？

任武昀將小老虎放下來，板著臉教訓道：「以後還敢不敢擰你老子了？」

任武昀不僅給皇上寫了信，給魏青桐也寫了信，這幾年他跟著孔言措走南闖北，可以說幾乎將十分之一的江山給走遍了。

但魏青桐並不是單純的遊玩而已，不知是有意無意，孔言措引導著桐哥兒將走過地方的地理給畫出來，甚至還將當地的風俗言語等都寫成文章記錄下來，所以這四年多來也才走了幾個省州罷了。

照孔言措的意思，是順著北向南一路走下去的，偏桐哥兒每年中秋春節都要回來和魏清莛過年，每一次都待上十天半個月的，孔言措離家幾十年，他雖然有時也想家，但並不能理解那種羈絆。

這次桐哥兒去的是湖南，任武昀主動叫他回來，也是心中有些擔心，他總是覺得身邊越多清莛在乎的人越好。

魏青桐收到信，立馬連夜收拾東西，對臉色有些暗沈的孔言措作揖道：「先生，姊夫說姊姊這胎危險，學生必須回去，我要陪著姊姊。」

「那我們回去吧，正好我也休息半年。」

桐哥兒聞言心中高興，知道這次可以多待些日子了。

第一百零六章　三胞胎

等桐哥兒從馬車上下來的時候腳都軟了，一下地幾乎都站不住。

任武昀帶著衙門裡的官員下鄉去走訪民情了，日泉一早聽說舅老爺要回來就在門前候著，見魏青桐下來連忙上前扶住，關心地道：「舅老爺，熱水吃食都給您備好了，您是先去見夫人，還是先去梳洗？對了，您回來的事公子還沒跟夫人說呢！」

桐哥兒雖然還是八歲的智商，卻懂一些人情世故了，聞言笑道：「我告訴姊姊我想她就回來了。」

日泉鬆了口氣，他原還擔心自己說的不夠直白呢！

「那小的送您進去？」

桐哥兒搖頭，回身撩開簾子迎孔言措下來，日泉這才恍然，這次舅老爺的先生也跟著回來了，連忙上前請安，微微扶著兩人進門。

日泉給人使了眼色，就立馬有人飛奔著去收拾孔言措住的院子。幸虧原先給舅老爺收拾院子的時候，將院子裡的房間都打掃了一遍。

桐哥兒洗澡出來吃了一碗飯，這才覺得緩過勁來，但還是覺得地有些晃，只是他擔心姊姊，就招來日泉問姊姊的情況。

日泉一一答了，桐哥兒皺眉道：「這麼多太醫都查不出原因嗎？」

日泉流著汗道：「倒沒這麼嚴重，太醫說了，這種事本難診斷，也是公子擔心，這才給您寫信讓您回來的。」

但桐哥兒還是跟任武昀一樣覺得太醫好沒用。

桐哥兒翻了翻行李，將自己買給小老虎的東西拿出來，又將給姊姊和姊夫的禮物也拿出來，這才隨日泉去看姊姊。

小老虎看到魏青桐高興得不得了，一下子衝進魏青桐的懷裡，叫道：「舅舅，舅舅回來了！」

魏青桐抱過他，笑道：「小老虎想不想舅舅？」

魏清莛見桐哥兒回來自然高興得不得了，拉著他問出外遊歷的情況，小老虎在一旁翻看著舅舅送給他的禮物，不一會兒就扔到了一邊，拉著魏青桐的手道：「舅舅，舅舅，你給我畫一幅騎在馬上的畫吧，爹爹請來的先生都畫的不像。」

魏青桐滿口應承。

魏青桐本來就是孩子心性，和小老虎在一起不過兩個時辰，因為小半年沒見面的生疏就去掉了。

任武昀這幾年和桐哥兒相處得也不錯，見小老虎一個勁兒的纏著桐哥兒，任武昀大方地揮手道：「晚上你就去和舅舅睡，不過不許胡鬧，要讓我知道你胡鬧，我明天打你屁股。」

小老虎並不怕父親的威脅，爹爹時常這樣說，但其實都沒怎麼打他，就是打，轉過頭去就不疼了。

任武昀將魏青桐和小老虎趕出去，猶豫道：「桐哥兒也有十七歲了，妳也要準備給他說親了吧？」

桐哥兒的親事的確很難找，他的情況幾乎所有人都心中有數，好人家的好女孩都不樂意嫁給他，只是那些主動貼上來的都不怎麼好，她不願意委屈了桐哥兒，道：「我現在開始慢慢相看，他年紀還小呢，等到二十二歲上下再成親也不遲。」

任武昀有些詫異地問：「會不會太晚？」

「不晚。」

孔言措對魏青桐也有自己的打算，他過來找魏清莛，道：「桐哥兒不能出仕，但他一身的本事，若只是做些山水墨畫，最多不過是一個大師的名號，於百姓卻是無益，我的意思，他要是能用這身本事留下些什麼東西，不說名垂千古，至少能書寫青史。遊歷雖然苦些，但他有妳相助，不知比別人方便多少，這幾年我們雖總是在外奔走，但吃穿用度無一不精，在這一點上妳最是知道，還有什麼不放心的？」

孔言措希望桐哥兒能遊遍大江南北，書寫地志輿圖，給後人留下一些有價值的東西。

魏青桐得天獨厚，有資產，有本事，又有健康的身體，現在還沒有家室連累，孔言措希望魏清莛對他能將手放得更鬆些，讓他飛得更高。

魏清莛沈默著，良久才道：「我得問過桐哥兒的意思。」

桐哥兒還不是聽妳的?!孔言措嘴角抽抽，不過還是點頭應下了。

魏清莛還沒來得及問，在第二天早上就發動了。

當時大家正在吃早飯，魏清莛剛吃下一個花卷，察覺到後見任武昀還在吃，她也抓了一個花卷繼續吃，等大家都吃完，魏清莛才說自己要生了。

任武昀當時呆了一下，之後就跳起來，小心翼翼地抱了她去產房，其實魏清莛想說她可以走著去的。

只是任武昀即使已經當了爹了，還是緊張不已，他在內室搓手走來走去，一個勁兒地問道——

「是不是很疼？」

「妳餓不餓？要不要再吃一點？」

「孩子聽不聽話，他們有沒有踢妳？」

魏清莛煩了，正好穩婆也覺得他聒噪得不得了，委婉道：「四公子，這是產房呢，您還是先出去吧，您放心，剛才我看過了，胎位很正呢！」

任武昀就彎腰給魏清莛蓋了一下被子，拍拍她的手臂道：「那我先出去了，妳要是疼得厲害了就叫我。」

穩婆和醫女哭笑不得，穩婆問魏清莛。「夫人，您要不要還吃些東西？」

魏清莛搖頭。「我剛才已經吃飽了。」

穩婆就點頭道：「那等一下您照著我的話做，您放心，我們剛才都看過了，胎位很正呢！」

門外的任武昀也在吩咐阿梨。「妳進去裡面看著，要是難產就保夫人，一旦出事立馬出來稟報。」

阿梨滿臉嚴肅地點頭。

任武昀在外面急得團團轉，不遠處一溜兒的候著三個太醫，小老虎好像也意識到了什麼，乖乖地抱著一隻小兔子，在一旁陪著父親。

屋裡一點聲音也沒有，任武昀心急，跑到窗底下趴在窗上聽。

三個太醫同時低下頭，裝作什麼都沒看見。

小老虎有樣學樣，也跑過去聽，只是他個頭太矮，勾不到，聰明的他不敢這時候找父親，只好可憐巴巴地看著小舅舅。

桐哥兒抱起小老虎，父子倆的腦袋就靠在一起……

三個太醫的頭更低了……

魏清莛知道生產的時候最好不要大喊大叫，不然怕是力氣會流失得更快，所以她咬住嘴唇用力，只是疼痛之中難免也有低低的呻吟聲。

外面的任武昀聽了額頭冒汗，桐哥兒也著急不已，小老虎還小，只知道娘親要生小弟弟了，卻不知道娘親為什麼會這麼難受，這時候難免一愣，愣過後這小子就犯渾了。

小老虎滑下魏青桐的懷抱，一下子就要衝進去，還是門邊的丫頭眼疾手快，但也只是勉強攔了一下，任武昀反應過來一把抓住兒子，啪啪兩聲，毫不客氣地打在他屁股上，怒道：「你鬧什麼？不知道你娘在生小弟弟嗎？」又叫來日泉，道：「把他抱下去，不許他過來搗亂。」

「我不，我不，我要留在這兒陪娘親，爹爹，爹爹，你不是說娘親要把弟弟生下來嗎？怎麼還不生？」

魏青桐見姊夫在暴躁邊緣，連忙上前抱住桐哥兒，低聲安撫道：「很快就生了，以前生你的時候也是這樣的，你要聽話，要是吵到你弟弟，他就不出來了。」

「胡說！」小老虎理直氣壯地反駁。「我爹說我是從馬場裡頭撿的，怎麼會是娘生的？」

在場的所有人都低下了頭，桐哥兒微微張著嘴巴，眼裡閃過迷惑，不確定地道：「孩子應該都是母親生的吧？我記得當時你就是從房間裡抱出來的啊，紅紅的，皺皺的，長得可難看了。」

這下子連任武昀的頭也低下了。

任武昀衝日泉使眼色，日泉擦了一下額頭上的冷汗，上前一步道：「舅老爺，大少爺，我們不如到外頭等去？」

桐哥兒和小老虎齊齊搖頭，桐哥兒保證道：「我再不說話了。」說完看向小老虎。

小老虎也趕緊點頭道：「我也不說了。」

任武昀這才勉強同意他們留下。

屋裡，魏清莛已經到了關鍵時候，穩婆穩穩地笑道：「夫人，已經看到頭了，我沒說錯吧？胎位正著呢！」

「來夫人，跟著我呼吸，再使兩把力氣，孩子就出來了。」

魏清莛滿頭大汗的微微點頭，閉了閉眼，照著穩婆的話使力，沒多久，就感覺到什麼東西從自己體內滑落。

「生了，生了，夫人大喜，是位少爺呢。夫人先歇歇，我們等一下再來接另一位少爺。」說著看向阿梨，阿梨趕緊讓人送準備好的湯水上來給魏清莛喝下。

前去查看的穩婆卻突然變了臉色，向另一個穩婆使眼色，那個穩婆會意，也上前摸了摸，又看了看，看向醫女。

醫女就笑著上前道：「夫人，我給您把把脈，看什麼時候發動。」

生孩子嘛，也是危險活，魏清莛表示理解地伸出手……

阿梨一直仔細地看著，穩婆臉色一變她就知道不好，見醫女神色也微變，就知道事情有變。

醫女把完脈安撫了一下魏清莛，就讓穩婆們看著，打算出去和御醫們商量一下。

只是沒想到她才走兩步，魏清莛就喊肚子疼，醫女連忙讓穩婆先接生，自己出來找太醫。

阿梨心中著急，既想出去看看是怎麼回事，又放心不下這裡。

任武昀見醫女出來就皺眉。「妳怎麼出來了？」

醫女行禮道：「四公子，剛才夫人生下了一位少爺，只是，只是夫人肚子裡還有兩個。」

吳太醫臉色微變。

任武昀呆了一下，繼而大喜，哈哈笑道：「不愧是爺的種，小老虎，你一下子多三個弟弟了。」

小老虎聞言眼睛一亮，繼而有些懊惱道：「可是我只抓了兩隻兔子怎麼辦？」

吳太醫見狀，趕忙上前將話題扯回來。「可是胎兒有什麼不妥？」

這句話一出，任武昀也想到了，眉毛高高挑起，問道：「是啊，不是說是雙胞胎嗎？怎麼變成三個了？」

醫女低聲道：「下官把過脈，一個孩子的脈象很弱，而且……」醫女看了任武昀一眼，道：「兩個孩子的位置是顛倒著來的，也就是說有一個孩子的腳是朝下的，剛才穩婆看過了，兩個孩子幾乎是抱在一起的。」

三位太醫聞言俱都變了臉色，這樣是要怎麼生？而且其中還有一個孩子的脈象弱，要是一個處理不好，那個孩子說不定就……

吳太醫見任武昀寒著臉，其他兩位太醫俱拿不定主意，只好上前一步道：「四公子，得早點拿主意，孩子可等不了。」孩子要是在裡面待久了，說不定兩個都保不住。

任武昀幾乎想要狠狠地瞪吳太醫一眼，但也知道現在不是算帳的時候，不然只怕會影響到魏清莛。

「那你們說要怎麼辦？爺把話放在這兒，要是夫人和孩子出了什麼事，爺就讓你們跟著他們陪葬。」

三位太醫就苦笑一聲，他們就知道是苦差事。

「不如讓穩婆將孩子分開，只要將一位少爺生出來，再將另一位少爺的胎正了……」

另一位太醫就有些猶豫地看向任武昀。「如有需要，我可針灸。」他的針法傳自家族，在孕婦生產時行針可以止血，甚至是調節人體五臟六腑，保住孕婦的一口氣。

「我去開藥。」

任武昀沈著臉點頭。「我陪你進去。」

太醫就鬆了一口氣，其實京中很多人家是都知道他有這門技藝，但大多數人都是視而不見的，全因男女有別，為了那所謂的名聲貞操，寧願產婦和孩子冒著更大的危險，甚至是死亡，也不願他針灸。

他這幾日一直聽吳太醫說四公子夫婦情深，這才試探地一說，如今四公子既願意陪他進去，那就是認同了，他也不怕四公子秋後算帳，但還是先聲明道：「醫女功力不夠，下官這才要親自施為。」

任武昀點頭。

裡面的穩婆得了吩咐，就斟酌地對魏清莛道：「夫人，如今您肚子裡還有兩個孩子呢，只是兩個孩子都抱在了一起，現在要將他們分開，我們要按您的肚子，有些疼，您可得忍住啊。」

魏清莛一呆，連忙問道：「還有兩個孩子？」

穩婆點頭。

魏清莛臉色微變，腦海中第一閃過的卻是連體嬰。「孩子不會是連在一起的吧？」

穩婆愣了一會兒才反應過來魏清莛說的是什麼，連忙搖手道：「不是，不是，只是抱在一起而已，夫人不要多想，醫女已經看過了，問題不大，只是分開孩子的時候會有些痛，這才告訴夫人一聲的。」

魏清莛就鬆了一口氣。

兩個穩婆立即下手在魏清莛的肚子上這裡按按、那裡按按，魏清莛臉色頓時煞白，這種痛，即使是第一次生孩子都沒這麼痛。

「孩子……」魏清莛張張嘴，只發出低低的聲音。

一個穩婆滿頭大汗地安慰道：「夫人放心，我們下手有輕重，不會傷到孩子的。」話雖這樣說，手上的力氣一點也沒減，等到穩婆說可以了的時候，魏清莛已經痛得沒有知覺了。

穩婆只讓她緩了一下，就開始催促她使力。

第二個孩子比第一個還要快出來，只是聲音很小，只低低地哼了幾聲，魏清莛有些擔心，穩婆們對視一眼，將孩子交給一個穩婆清洗帶出去給太醫看，另外兩個則開始給魏清莛正胎……

最後一個孩子是腳朝下，估計是裡面憋悶，孩子的腿已經露出來了，穩婆知道不能再拖下去，和魏清莛告罪一聲，也不等她緩一下，直接將孩子推進去然後打橫，再調轉過來，魏清莛疼得死去活來，但她也意料到了什麼，咬緊了嘴唇不說話。

她知道，孩子在裡面待久了會缺氧的，她不敢喊停，手緊緊地抓著身下的被子……

穩婆看著哼也不哼一聲的魏清莛一眼，眼裡閃過敬佩，手下的動作更快了，也許是真的等不及了，孩子才調轉過去，就自己滑了下來，先是頭，然後是肩膀，魏清莛雖然沒有了知覺，但阿梨卻一直在旁邊看著給她回話，聽到孩子的肩膀出來了，魏清莛下意識地一用力，孩子就生出來了。

魏清莛強撐著抬頭去看孩子，問道：「孩子怎麼樣了？」

阿梨強笑道：「夫人放心，我這就去看看。」說著跑過去看孩子。

待看到穩婆手裡渾身臉色泛青的小少爺時，臉色微微一變，穩婆連忙低聲道：「孩子背過氣去了，快將醫女叫進來……」一語未了，任武昀帶著個太醫闖進來了。

第二個孩子出生的時候他聽到了聲音，但這第三個孩子，他在外頭卻怎麼也聽不到動靜，這才耐不住帶著太醫闖進來的。

阿梨看到任武昀，心中大定，急忙上前低聲道：「四公子，小少爺背過氣去了。」

任武昀臉色鐵青，太醫連忙上前接過孩子，兩、三針下去，又將孩子向下，沒幾下，孩子就吐出一些穢物，這才低低地哼了兩聲，所有人都鬆了一口氣，任武昀眼裡甚至還有些濕潤。

呼出一口氣，任武昀低聲道：「快將孩子洗好包起來，將幾位太醫都請進廳裡，給三位少爺都看一下。」回頭對那太醫點頭。「你隨我來。」

三個穩婆驚駭地看著太醫隨任武昀進去。

魏清莛生完孩子，卻一直在流血，穩婆在為她止血，醫女見她面上不安，就安撫她道：

「夫人放心，並不是大出血，我這就叫人去煎藥止血。」只是靠喝藥效果到底慢些，若有太醫針灸就不一樣了。

本朝再開放，男女大防還是看得挺重的，讓太醫給魏清莛扎針……幾人看向魏清莛的目光中就含了羨慕，四公子的確很疼愛夫人呢！

第一百零七章 心疼

魏清莛醒過來後已經是第二天的中午了，她此時已度過危險期，但嗓子生疼，根本說不出話來，看到阿梨，魏清莛張張嘴，低低地問道：「孩子呢？」

阿梨知道她想問的是什麼，連忙道：「夫人放心，三位少爺都好著呢，四公子和大少爺、桐少爺正在外面認孩子呢，三位少爺長得幾乎一模一樣，四公子和大少爺總是認不出來，桐少爺正在教他們呢。」

小老虎正趴在一邊看著弟弟，皺皺鼻子，嫌棄道：「弟弟長得真醜。」

任武昀聞言道：「你剛出生那會也是這麼醜的。」

小老虎不相信，扭頭去看小舅舅。

魏青桐很認真地點頭道：「那時你皺巴巴的，比你弟弟們還醜呢，不過第三天你就變漂亮了。」

小老虎就鬆了一口氣，自得道：「我會越來越漂亮的，以後就像小舅舅一樣漂亮。」小老虎雖然小，但審美觀很正常，這麼小就喜歡窩在美人旁邊了。

任武昀鄙視地看了他一眼，道：「你和爺長得一樣，要怎麼長才能長成你舅舅這樣？」說完又驕傲地看著還在襁褓中的三個孩子。「你三個弟弟也長得像爺，更何況，長得像爺有什麼不好？英俊瀟灑，風流倜儻。」

魏青桐很肯定地道：「姊夫，你還算不上風流倜儻，姊姊說了，你要是風流倜儻，她就不要你了。」

任武昀暗罵一聲，但心裡卻莫名地開心起來，看得魏青桐和小老虎很是不解。

任武昀輕柔地摸摸三個兒子的臉蛋，心中有些愧疚，當初小老虎出生的時候清莛是親自餵養的，但這次清莛身體損耗嚴重，任武昀不願讓她餵養，而且她也沒法一下子餵三個兒子。

老二和老三哼了哼，他們的奶娘立馬就上前抱起兩位去另一間屋裡餵奶，老四卻只是努了努嘴。

任武昀看著臉色還有些泛青的小兒子，眉頭微皺，問在一旁伺候的阿杏。「太醫呢？」

「四公子要請太醫過來？奴婢這就去。」

任武昀點頭。

老四的奶娘這才上前將四少爺抱下去。

魏清莛醒過來要見孩子，卻只見任武昀一人進來，她心一突，急忙問道：「是不是孩子有什麼問題？」

「胡說什麼呢？」任武昀一眼就看得出她在想什麼，解釋道：「是我想看看妳。」任武昀拉著魏清莛的手道：「以後我們就不生了。」

魏清莛鬆了一口氣，心中微甜，她是知道任武昀的，這人就是典型的孩子越多越好的主。「順其自然吧……」說著又擔心起孩子來。「老四真的沒事嗎？我見他的哭聲比老二和老三的弱很多。」

任武昀肯定的點頭道：「太醫說就是在肚子裡待久了才這樣的，過幾天就好了，妳好好的坐月子吧，小老虎越大越無法無天了，昨天晚上趁我不注意偷偷的溜進三個孩子的房間，非鬧著要睡在他們身邊。」

魏清莛卻很滿意地道：「兄友弟恭哪裡不好了。」

任武昀翻著白眼道：「那要是他不小心壓到孩子怎麼辦？」

任武昀養小老虎養出了經驗，打算暫時不給孩子們取大名，只取個小名來叫著。任武昀將自己關在書房一個晚上，出來後道：「老二就叫康康，老三叫安安，老四就叫壯壯。」

魏清莛：「……你待在書房一個晚上就想出這樣的名字？」

任武昀怒道：「這樣的名字怎麼不好了？孩子健健康康，平安喜樂，我就覺得很好！」

魏清莛心中好笑，不再逗他，道：「那以後就這麼叫吧。」

任武昀鬆了一口氣，其實他和魏清莛一樣，很擔心三個孩子的情況，老二和老三也就算了，老四的身體卻有些弱，雖然太醫說沒有大礙，但每次三個孩子一起哭，老二和老三哭得震天響，老四卻只是細細地哭幾聲，沒幾下，脖子都紅了，他看了就心疼不已。

名字就這麼傳下去了，為了好養活，全家都叫三個孩子的名字，鬧得小老虎也要大家叫他的名字。

魏清莛擔心孩子身體弱洗三不好，就決定取消洗三，為了補償穩婆的損失，魏清莛打賞了穩婆一人五十兩銀子，又承諾孩子滿月的時候讓她們再給孩子洗，到時候打賞給她們。

對這種明顯不將規矩放在眼裡的夫人，三個穩婆愣了一下就滿口答應了，天大地大在徽州任武昀最大，而比任武昀更大的是魏清莛。

魏清莛為了一視同仁，又給了醫女一百兩銀子和太醫一人一百五十兩銀子。

任武昀見她為這些事操勞，就道：「行了，等他們回去的時候我再賞他們一些東西就是了，他們未必看得上這些銀子。」他們最想要的還是他的一句話吧！

他在皇上跟前的一句話就抵得過他們奮鬥好幾年，任武昀並不吝嗇，但也不是隨便就替人說話的。

不少人準備了禮物打算洗三的時候上門，誰知魏清莛竟然不洗三，這樣一來，外頭的人不免猜測，三胞胎是不是身體不好，已經嚴重到了不能洗三的地步？

而後大家又等來了滿月，大家興沖沖地帶著禮物來了，只是可惜，魏清莛的精力還沒有恢復過來，任武昀不讓她下床，所以只在床上見了大家一面就被請出去說話了。

前面任武昀也正招待客人，文官、武官涇渭分明。雖然任武昀一下子掌管地方和軍隊，但兩方陣營還是不喜歡同在一起。

文官看不上武人的粗魯，武官也不喜歡文人的裝腔作勢，大家各據一邊喝酒。

文官這邊是用小杯小口小口的抿著，武官那邊是大碗大口大口的喝著，兩邊人見了難免有人各自冷哼一聲，扭過頭去。

任武昀早已經習慣，自顧拿著酒杯去找幾個人敬酒，高興得不得了。全天下，除了他，還有誰可以一下子得了三個嫡子的？

任管事就疾步從外頭進來道：「四公子，皇上有聖旨來了。」

前院頓時一靜，任武昀也是一愣，不過還是很快地出去接旨，原來是皇上派公公來給三胞胎送禮物。隨行來的還有蘇嬤嬤，蘇嬤嬤的兒子前不久受了重傷，魏清莛就讓她回京城去照顧他，這時候就隨著皇上的隊伍過來了。

前院的人一驚，沒想到皇上竟如此看重都督大人。

事情很快傳到了後院，大家都羨慕不已，低聲議論道：「早聽說都督和皇上感情好，今日一見果然如此。」

「你知道什麼？任都督是皇上的小舅舅，自然更加親厚些。」

「更何況任都督還是在宮裡長大的……」

魏清莛也知道了，她摸了摸三個兒子的小臉蛋，笑道：「你們才出生就有這麼多人羨慕嫉妒恨了。」

一旁的小老虎不在意地挑揀著弟弟們的禮物，道：「這有什麼，皇帝表哥就經常給我送東西。」

「你回了京城，可不能再叫皇上做皇帝表哥了，要叫皇上。」

小老虎不在意地撇撇嘴。

魏清莛很無奈，任武昀為了占皇上的便宜，在小老虎剛學會叫人的時候就教他叫皇上做皇帝表哥，小老虎也堅持，不管她怎麼讓他改過來都沒有辦法。

前來慶賀的夫人們看到在後院陪著小老虎的桐哥兒，難免多看了兩眼，打聽到是魏清莛的弟弟，都動了要做親的心思。

只是魏清莛接觸了一下，對她們推薦的人選全都不滿意，一直等到桐哥兒要離開，魏清莛也沒想出什麼好人選來，魏清莛就囑咐他道：「你路上要是看到喜歡的女孩就和你先生說，要真打算一起過一輩子了，你捎信給我，姊姊給你提親去。」

桐哥兒聽了就有些迷糊的上了馬車。

魏清莛回頭便委婉地拒絕了那幾家。

承德六年，皇上省吃儉用了六年，總算讓國庫有所收入了，也是在這一年，皇上以安徽為例，下了不少政令，反對的不少，但支持的也挺多。皇上為此殺了不少人，京城腥風血雨起來，就連遠在安徽的任武昀額頭上都不免沾染了煞氣。

京城風起雲湧，皇帝為了保護任武昀，壓著不讓他回京，直到承德七年，改革的主要政令都公布出來，並且實施，後續還有很多事情，但顯然，殺人的熱潮已經過了，皇上這才允許任武昀帶著家眷回京，此時，三胞胎才滿三歲沒多久。

經過六年的休養生息，安徽不說裡外一新，氣息也變了不少，如今留在官場上的人雖然說不上多乾淨，但還算為民著想，任武昀一點也沒有留戀地讓魏清莛收拾東西回京。

只是安徽的百姓卻有些捨不得，雖然這幾年都督大人和都督府的公子們鬧了不少的笑話，但都督大人不仗勢欺人，也不欺壓百姓，還為百姓們做了這麼多的好事，最重要的是都督能壓住底下的官員，所以民眾都很捨不得任武昀。

在任武昀離開的那天，大家就圍在街道兩邊相送，有的人甚至還感性地抹起眼淚來，弄得任武昀都有些心情激蕩。

徽州城的官員心思卻有些複雜，他們既歡喜送走任武昀這尊大佛，但也有些糾結。任武昀留在這裡給了他們很多方便，而且不可否認，徽州城因為任武昀改變了很多。

魏清莛可想不了這麼多，如今她正滿頭大汗的攔住三個小的。「你們老實坐著，不然回頭我讓你爹打你們屁股。」

康康撇撇嘴，不屑道：「爹爹打的一點也不疼，我才不怕呢。」

安安矜持地點頭。「我也不怕。」

壯壯則是直接哼了一聲，悶頭就往車窗那邊擠，就算魏清莛眼疾手快，在兩個臭小子的干擾下，壯壯還是成功地「唰」地一下掀開了窗簾，雙手抓著窗上的豎條，只能把個小腦袋伸出去，看到騎馬走在前邊的父親，小傢伙眼睛一亮，喊道：「爹爹，爹爹，騎馬，要騎馬！」

康康和安安聞言都擠了過去，魏清莛扶額，乾脆就讓他們圍在車窗那裡，只抓著他們的衣服，免得等一下他們都把頭伸出窗去。

不要覺得驚訝，馬車的窗上的確釘了兩根木頭，最多只能伸出一個孩子的頭，這是為了預防孩子翻下馬車的，因為壯壯就這麼幹過。

當時車裡只有魏清莛和一個小丫頭，小老虎跑去買東西，阿梨只能跟著，康康吃東西吃得滿嘴油，魏清莛就給他擦嘴，當時誰也沒注意坐在一邊的壯壯，這小子就突然撩開窗簾從馬車上翻下去了……

當時魏清莛嚇得臉色蒼白，將康康和安安交給小丫頭就趕緊跑下馬車，這小子突然從馬車裡翻出去也把路人嚇了一跳，魏清莛該慶幸的，慶幸這不是現代車水馬龍的世界，慶幸剛才車夫停車的時候靠邊停了，慶幸壯壯翻出去的那邊是靠邊的那邊，更加慶幸的是，這孩子翻出去後車夫將繩子抓得很穩，馬車幾乎沒動過，所以壯壯滾到車輪底下只是磕破點皮而已。

那是魏清莛第一次打孩子，她不顧在大街上，拉過壯壯就狠狠地打了一頓，又哭又罵了一頓。

只有她自己知道，她跳下馬車時心臟都快要停止了。

理智告訴她，這時候她應該冷靜下來和孩子說是不能從窗子那裡翻下來的，要告訴他這樣做的危害性，但魏清莛只要一想到她好不容易生下的孩子若是因為這樣沒了，她的心就忍不住顫抖。

最後還是護衛跑回去將任武昀請來了，任武昀冷著臉聽完了全部過程，看一向最疼愛的幼子哭得滿臉淚水鼻涕流在一起，只說了一個字：「該！」

但他還是把妻子和兒子分開帶了回去，教兒子也要在家裡教的。

任武昀抱著還在發抖的妻子，看向站在身前的三個小豆丁，小老虎站在一邊欲言又止，他想為弟弟們求個情。任武昀就突然朝他看過來，小老虎嚇了一跳。

任武昀轉身想找戒尺，都督府是有戒尺的，但一直沒用，只是孩子們的玩具罷了，所以這時候都不知丟到哪裡去了，沒辦法，任武昀就抓過小老虎按在腿上「啪啪」的打巴掌。

魏清莛愣住了，三胞胎也愣住了。

魏清莛趕忙抓住他的手，道：「闖禍的是壯壯，你打他幹麼？」

任武昀恨聲道：「三個小的都是跟他們哥哥混的，他沒教好弟弟們，不打他打誰？」

魏清莛就有些猶豫了。

任武昀甩開她的手，又「啪啪」地打起來。

小老虎本來還扯著嗓子喊的，一聽這個理由也不喊了，咬牙挺著。

魏清莛就破罐子破摔，甩手道：「那就打吧，今兒一個也別落下，全都打一頓。」

三胞胎就縮了縮脖子。

話雖如此，任武昀在對三胞胎下手的時候還是輕了不少，幾乎是給人拍塵土了，特別是壯壯，任武昀因為壯壯身體比別的孩子弱，從小就多疼了他三分，這下見他眼角還紅著，哪裡捨得下力氣打他，意思意思兩下就完了。

魏清莛和任武昀以為經過這件事這幾個小子應該收斂一些，魏清莛還一度害怕壯壯會因此心理留下陰影，膽子變小什麼的，結果過沒三天，這幾個小子該是什麼樣還是什麼樣，就是小老虎也活潑亂跳地重新跑出來帶著弟弟們搗亂。

魏清莛才知道自己的擔憂是多麼的可笑。

為了預防此類事件再次發生，魏清莛就讓人在他們的馬車上安裝了窗櫺，她就不信這樣他們還能翻出去嗎？

眾目睽睽之下，任武昀總不能回頭去瞪三個臭小子吧？他只能假裝沒看見地往前走。

但看見三胞胎的民眾卻興奮起來，議論道：「看，這就是都督府的三位公子，長得可真像啊。」

旁邊就有一人笑道：「聽說就連都督大人也分不出來呢。」

「長得好漂亮啊……」

小老虎聽到這些議論，驕傲地挺了挺胸膛，又想不能叫弟弟這樣被人看去，連忙騎著小馬過去擋在窗前。

三胞胎看見哥哥過來，眼睛一亮。「大哥，大哥，你帶我們騎馬吧。」

小老虎心虛地看了一眼馬車裡，雖然看不到母親，但他還是氣短道：「我做不了主，等出了城你們問娘和爹爹吧。」

壯壯就嘟起嘴，委屈地看向前面父親的身影。

任武昀嫌麻煩，沒要那些官員相送，一出城門，任武昀就翻身下馬將小馬上的小老虎抱下來塞到馬車裡去，這才撩開袍跳上馬車。

這輛馬車是經過改裝的，裡面很寬敞，就算是裝了一家人空間依然很充裕，至少還有地方給三胞胎打鬧一下。

壯壯撲進父親的懷裡，扭著身子道：「爹，我要騎馬，我要騎馬！」

任武昀舒服地靠在背後的靠枕上，道：「行啊，等爹出去騎馬的時候就抱著你。」

第一百零八章 相聚

馬車在進入城門的時候，任武昀又警告了四個小的一番，摸著小老虎的頭道：「你現在是哥哥了，要有哥哥的架子，一定要照顧好娘親和弟弟們，知道嗎？」

小老虎如臨大敵地點頭，直保證道：「爹爹，您放心，我絕對不讓人欺負娘親和弟弟們。」

魏清莛毫不懷疑，他不欺負別人就算好的了。

只是任武昀不這麼想，孩子是自家的好，在他看來，小老虎和三胞胎不過是活潑一些罷了，他們沒在京城待過，要是有不長眼的欺負他們怎麼辦？所以要提前教好他們。

魏清莛推他道：「行了，趕緊下去吧，早點進宮，晚上早點回來，我們還要去給母親請安呢。」

任武昀皺了皺鼻子，道：「今晚只怕不能早出來了，我還有好多話要和皇上說呢，總之妳回去後先帶孩子們去見母親吧，晚上也別等門了。」

魏清莛點頭，任武昀這才下馬車，翻身上馬，護送幾人的馬車到了岔路口，這才分開。

任武昀回來的消息皇上早就知道了，一個上午都有些無聊地翻著摺子，竇容在底下見了，微微一笑，皇上見也沒什麼要緊的事了，就揮手道：「行了，你們都退下吧，竇容留下。」

幾位老臣知道竇容是皇上的心腹，也不拖拉，直接應了一聲就退下了。

皇上揉了揉額頭，苦笑道：「不知為何，朕總覺得額頭跳得厲害，這小子這幾年也不知變了多少。」

竇容笑道：「皇上不是時時和他通信嗎？」

「那如何能一樣？到底不見面，也不知那小子變了沒有……」

任武昀想到多年不見皇上和竇容，也很激動，才看到御書房就情不自禁地喊道：「皇上，我回來了！」

奉命出來哨探的魏公公有些無奈，拱手行禮，得這一下不用稟報，皇上也知道四公子到了。

任武昀到了跟前才看到魏公公，笑道：「呦，魏公公在啊，皇上在裡頭嗎？」

魏公公點頭。「皇上在裡頭等著四公子呢，還有竇大人也在。」

任武昀更加開心了。

進門就看見皇上板著臉坐在上面，任武昀心中疑惑，還是照著禮節給皇上跪了一下。

皇上淡淡地道：「起吧。」

任武昀立馬起來，皺眉道：「是不是又有人不長眼欺負你了？」

皇上臉上抽抽，臉也板不住了，道：「你怎麼還是不改改脾氣啊，還沒進屋就大喊大叫起來，傳出去明天又有大臣要彈劾了。」

「誰這麼無聊，連這種事也彈劾？爺以前還在御花園裡撒過尿呢，他們都不說，不過是在御書房外頭喊一嗓子就要彈劾？」

這下連竇容的表情也維持不住了。

任武昀心虛道：「好了，好了，下次我不這樣就是了，再者說了，我不是高興的嗎？」說到這裡，任武昀又興致勃勃地道：「我給你們淘換了不少好東西，都還在檢查呢，等回頭叫他們抬來。」說著扭頭對竇容道：「你的我就不帶進宮了，免得還得檢查一遍，我直接讓人給你送府上去了。」

「那就多謝你了。」竇容笑著道謝，也不問是什麼東西。

任武昀這才自得地挑眉道：「其中就有給你兒子的，阿容，我聽說你前不久生了個女兒？」

竇容抽抽嘴角決定無視掉嘴角含笑的皇上，點頭道：「對啊，有三個多月了。」

任武昀挺挺胸膛，道：「你只有一個兒子，而我現在有四個兒子了，你放心，以後我會讓小老虎多照顧照顧他家竇弟弟的。」說著又轉向皇上。

皇上連忙搖手道：「現在朕也有四個兒子了，而且朕還有三個女兒，就不用你兒子照顧了，而且，」皇上惡趣味地道：「好像朕的兒子比你的兒子還要大。」

任武昀不屑地撇撇嘴，道：「誰說我是讓小老虎照顧他幾個表侄的？我是說雖然你只是小老虎他們的表哥，但表禮還是要給的，回頭我帶他們進宮給太皇太后、太上皇和太后請安，你記得也要準備禮物，我可是跟他們說了好久，你很大方的。」

竇容就低下頭，肩膀不停地聳動。

任武昀還要大吹特吹自己在安徽的功績，外頭魏公公就道：「皇上，平南王求見。」

任武昀突然縮了縮脖子，皇上瞥了他一眼，笑道：「請進來。」

平南王進來的時候瞥了任武昀一眼，任武昀和幾年前並沒有多少變化，只是周身的氣息更加凌厲了些，板著臉的時候顯得更加沈穩，這時候任武昀見平南王進來就板著臉等平南王給皇上行禮過後趕緊給他行禮。

平南王點頭。「你也長大了……」

皇上就笑問：「大舅舅進宮是有事稟報嗎？」

平南王恭敬道：「是，是南地土地贖買的事。」他總不能說是怕弟弟口無遮攔在宮裡闖禍才急巴巴地進宮來的吧？

皇上笑道：「那是平南王府封地的事，大舅舅自行作主就好。」朝廷的贖買政策並不涉及四王的封地，不然贖買政策哪裡是這麼容易就實行的？

平南王就默了兩下，就應道：「是。」人卻只退到一邊，不說告辭。

皇上想了想才道：「大舅舅，小舅舅才回京，朕正好有許多事情要和他說，今晚他就不出宮了。」

平南王皺眉。「皇上，外臣留宿宮中，只怕不妥吧。」

皇上不在意地揮手道：「有何不妥的，小舅舅不就從小住在宮裡嗎？更何況，今晚竇愛卿也留宿宮中，不會有人說什麼的，大舅舅只管安心回去。」

平南王看了一眼沈穩的竇容，點頭道：「如此臣就先回去了。」平南王又說了任武昀兩句，無非是讓他守規矩之類的。

等平南王離開後，任武昀就吐吐舌頭。

竇容搖頭笑道：「你怎麼還是這樣？」

皇上就起身道：「行了，你也累了，先去沐浴吧，我讓人準備了御膳，等一下我們邊吃邊聊。」

皇上變了稱呼，任武昀只習以為常，竇容卻知道皇上這樣做是釋放出今天只講朋友不論君臣，所以也稍稍放鬆了些。他不願掃皇上的興，但行止間還是恪守禮法，卻又自然無比，不會讓人生出一絲疏遠的意思。

皇上看看他，又看看大大咧咧跑去他的寢宮洗澡的某人，覺得這就是一種本事，是任武昀一輩子也學不到的本事。

皇上以前的衣服還有不少，適合任武昀穿的也不少，任武昀隨便換了一件，就披著半乾的頭髮坐在皇上的身邊開吃。

三人窩在御書房裡說話，大部分還是皇上和竇容問，任武昀說。

任武昀對他在安徽的事情並不隱瞞，連他那時為了搞垮孫家，特意讓人抓了幾個官員的把柄，將人抓起來威脅的事都說了，任武昀喝了一口茶潤喉，撇撇嘴不屑道：「要不是你說要以理服人，我才懶得和他們廢話這麼多呢，都知道是怎麼回事了，還非要拿出切實證據出來。」

皇上和竇容氣樂了。「你這還是遵照程序？」

任武昀認真地點頭。「照我的說法，就該像當年平叛安徽那樣，知道是他們幹的，直接抄家就是了。」

皇上沈著臉道：「當時是形勢所迫才那樣，以後斷不可再如此了，詬病太多，而且，魏、小舅母也同意你這樣做？」

任武昀頓時頭疼起來。「她？她讓我找齊了人證物證再動手，所以我就找齊了。」

晚上三人就在一張床上睡覺說話，竇容考慮到明天還要上早朝，就勸誡著早些睡，興奮的任武昀這才安靜下來。

而魏清莛的馬車才進巷口，平南王府中門大開，王妃親自帶著府裡的下人在府裡接她，魏清莛知道王妃是給她做臉，心中感激，才下馬車，就笑盈盈地朝王妃走去。

車上的四個小子蹦蹦跳跳地跳下馬車，跟在母親身後。

「大嫂。」魏清莛行禮，王妃連忙拉住她，笑道：「回來就好，回來就好，妳大哥時常念叨著，說妳二哥好歹還能隔一年回來一次，你們離得比他還近些，卻一連好幾年都不回來，還抱怨說當時就不該讓昀哥兒外放，這一下放出去就不回來了。」

魏清莛抿嘴一笑，拉過身後的孩子，道：「快給大伯母行禮。」

小老虎和三胞胎在來之前就學過，只是他們從沒有跪過人，這時微微有些不適應，小老虎乾脆些，雙膝「砰」地一聲跪在地上，倒嚇了王妃和魏清莛一跳。

王妃連忙將他扶起來，也讓人將三胞胎拉住，嗔怪道：「又不是外人，哪裡用行這些大禮？」

魏清莛聽著那聲音也很心疼，瞄了一眼小老虎的小膝蓋，心不在焉地應了一句。「這是他們長大了頭一次見大伯母呢，自然是要磕頭的。」

王妃微微一笑，驚奇地看著三胞胎，看了看，道：「這三個孩子長得真像，我倒分不出哪個是哪個了。」

魏清莛趕緊教她辨認三個孩子，小老虎也在一旁大聲嚷嚷著，這小子也是前不久才徹底將三個弟弟分清楚的。

小的時候壯壯最好認，因為他比兩個哥哥看上去小一些，這些是用肉眼能看出來的，但這小子能吃，很快就趕上兩個哥哥了，而任武昀和小老虎也從分不清老二、老三變成分不出老二、老三、老四了。

王妃認了一下，還是後面的嬤嬤提醒了一句，王妃才想起來，笑道：「可混忘了，我們先進屋吧，我帶你們去給老王妃請安。」

魏清莛就問起老王妃的身體狀況，王妃道：「倒還硬朗，只是老王妃總待在院子裡不願出來。」又說起就算是兩個曾孫過去請安也是淡淡的。

韋嬤嬤早候著他們了，見他們進來就稟報了一聲，魏清莛低眉斂目地拉著幾個孩子進去，本來還嘰嘰喳喳的孩子進了院子也不由靜下來，實在是這裡的氣氛太過肅穆，幾個孩子被震住了。

老王妃睜開眼睛看了魏清莛和孩子們一眼，點頭道：「回來就好。」示意韋嬤嬤將給幾個孩子的見面禮拿出來，淡淡地道：「有什麼不懂的就去問妳大嫂，讓昀哥兒安靜些，別老是給他兩個哥哥惹禍，妳是他的妻子，平時要多勸誡他。」

魏清莛恭敬地應了一聲。

老王妃就揮手道：「我這兒也沒什麼事，和以往的規矩一樣，初一、十五再上來給我請安，下去吧。」

魏清莛準備一肚子問安的話，一句都沒說出來就被趕出來了，心情有些鬱悶，王妃見了就笑道：「母親一向是這樣的，妳又不是不知道。」

王妃拉著小老虎的手道：「走，我帶你們去見你們的兩個大侄子，以後你們就和他們玩好不好？」

小老虎大腦袋裡就閃過兩個問號，侄子？那不是比弟弟還小的生物嗎？小老虎頓時沒了興趣，他有三個弟弟玩就夠了，不用再帶小孩子了。

而三胞胎還聽不懂，只是傻傻地跟著哥哥走。

涵哥兒和泓哥兒都比小老虎還要大上一、兩歲，他們被教養得很好，看到比他們小的小老虎還是畢恭畢敬地叫了一聲「三叔」，但是輪到三個長得一模一樣，穿的一模一樣三歲多的小奶娃站在他們面前時，兩個孩子還是張大了嘴巴，一時不知道該叫什麼，只好扭頭去看祖母。

王妃頓時笑起來，剛要為他們介紹，卻發現自己也認不出哪個是哪個了，連忙看向魏清莛。

魏清莛於是將三個孩子按大小排成一排，兩個孩子就脹紅著臉行禮喊道：「四叔、五叔、六叔。」

壯壯伸出手道：「見面禮呢？」

康康一把拍下弟弟的手。「笨，見面禮是長輩給晚輩的，我們是叔叔，應該是我們給他們才對。」

安安已經從剛才王妃和老王妃給的東西裡面挑出兩樣來，塞給涵哥兒和泓哥兒。

涵哥兒和泓哥兒脹紅了臉，接也不是，不接也不是。

壯壯一聽自己是長輩，眼睛一亮，也不心疼東西了，只學著安安的樣子挑了兩樣東西來給兩人。

康康早拿出來了。

見兩個孩子看過來，王妃笑道：「既是你們叔叔給的，你們就接著。」

兩個八、九歲的孩子很是不好意思地接過三個三歲叔叔的見面禮。

小老虎仗著自己知道的多一點，跑去跟魏清莛拿東西。「這些都是大伯母和祖母給我的，可不能轉送給別人。」

魏清莛就拿了兩樣東西出來給小老虎，小老虎這才滿意地將這當作見面禮給兩個侄兒。

鬧了一陣，直到天暗下來用過飯後，魏清莛才帶著孩子們回梧桐院。

梧桐院早就打掃好了，四個孩子到了陌生地方都不是很願意入睡。

月泉回來傳話道：「四公子在宮裡歇下了，讓夫人和公子們也早點歇了，明兒一早還要進宮給太皇太后、太上皇和太后請安呢。」

魏清莛就對四個鬧著彆扭的孩子道：「要不你們今晚就跟娘睡吧。」

四個孩子歡呼一聲，齊齊爬到床上乖乖躺好。

魏清莛搖頭笑笑。

為了進宮方便，魏清莛老早就給三胞胎準備同樣款式卻不同顏色的衣服。

三胞胎一見立馬打滾。「我們不要穿這套，我們要穿那套紅色的。」

魏清莛的臉立馬黑了，那套紅色的衣服一穿上就是現在的任武昀和小老虎都有可能分不出來哪個是哪個。

魏清莛堅定地搖頭。「不行，你們答應過我，進了京城得聽我的。」

三胞胎堅定地打滾不同意，屋裡的丫頭乳娘忙得滿頭大汗也沒辦法讓三個孩子穿上，一穿上這三個熊孩子就扯衣服，她總不能帶著三個衣冠不整的孩子進宮吧。

偏小老虎還在一邊做幫凶。

魏清莛氣得揚眉，甩手道：「我不管了，愛穿就穿吧，不過等進了宮，看你們爹收不收拾你們。」

相較於魏清莛，四個毛孩子更不怕任武昀。

歡歡喜喜地換了衣服，就連小老虎也是一身紅，不知道的人看了，還以為今天是新年呢。

魏清莛扶額。

因為這件事耽擱到，也沒時間用早飯了，直接將孩子塞進馬車裡，讓人帶了幾個包子車上吃了。

第一百零九章 進宮

三胞胎還小，可以帶著乳娘進宮，才下馬車，魏清莛就牽著小老虎的手走在前面，乳娘抱著三胞胎走在後面。

來接人的是慈甯宮的李公公，看見魏清莛，笑盈盈的行禮道：「咱家給夫人請安了，太后娘娘讓咱家過來接夫人和四位公子呢。」

魏清莛給了他一個紅包，笑道：「麻煩公公了，四個孩子鬧騰，讓您久等了。」

李公公接過紅包，連忙笑道：「咱家也是剛到，夫人還來得早了些呢，四公子隨皇上去早朝了，等早朝散了才去慈甯宮給太后娘娘請安呢。」

李公公在前邊小心翼翼地引路，低聲解釋道：「皇后娘娘和幾位娘娘都在太后娘娘那兒呢，昨晚上太后她老人家知道四公子和夫人進京歡喜得不得了，只皇上說有話和四公子說，竟是連夜宿在外頭的御書房裡，太后娘娘也不願打擾，今兒一早就盼著夫人進宮呢。」

因為任武昀受寵，李公公自然也對魏清莛客氣無比。

太后見他們進來就露出一個笑容，見三胞胎歪歪扭扭地跪在地上，連忙笑著招手。「快讓他們起來，才多大點就知道行禮了。」

宮裡的孩子兩歲就會跪拜的不在少數，三胞胎都三歲多了。留在慈甯宮的皇妃們知道太后的態度，紛紛露出如春風般和煦的笑容。

「來，到姑姑這兒來。」太后衝四個孩子招手。

孩子們看向魏清莛，魏清莛推了推小老虎。「去吧，帶弟弟們過去。」

小老虎就護著三個弟弟站到太后的跟前。

太后摸摸小老虎，就抱起安安，問道：「你叫什麼名字？排行第幾啊？」

安安挺了挺胸膛。「我叫安安，是老三。」

「原來是老三啊，那哪個是老二和老四？」

安安指給她看，太后認了一下，孩子們見太后神情溫和，也不如原先害怕，紛紛倚在太后身前，太后喜歡得不得了，讓人將準備好的見面禮拿來。

四塊一模一樣的玉珮，太后親自給他們戴在身上，看到下面的時候，這才看到魏清莛還站著，忙道：「快給四夫人賜坐。」

魏清莛謝過，這才小心翼翼地半坐在椅子上。

太后笑問道：「聽說是昨天到的，我還說你們剛回來，指不定累成什麼樣呢，今兒就進宮了。」

皇后笑道：「小舅母念著母后，這才急著進宮見母后呢。」

太后點頭。「昀哥兒是在本宮跟前長大的，只是這小子如今眼裡只有睿兒一個，昨天進宮來竟是都不來看我，只和睿兒敘舊。」

屋裡的皇妃頓時像找到了話題，紛紛稱讚任武昀和皇上的深厚感情。

皇后也拿出見面禮給四個孩子，有皇后開頭，皇妃們也拿出早早就準備好的東西，當然，她們不能讓人知道是早早就準備好的，所以送出的東西都是身上的，或是突然從腰間解下一塊玉珮來，或是從荷包裡倒出一些小東西來。

幾個妃嬪不免感嘆，要是四個孩子是四個小姑娘就好了，那她們能送的東西就更多了。只是可惜，都是男孩子。

想到這裡，又不免羨慕魏清莛的好運氣，竟然兩胎就生了四個兒子，真是好福氣啊。

四個孩子禮物收得喜笑顏開，特別是壯壯，那小子不錯眼地看著幾個哥哥手中的東西。幾個哥哥都將東西交給乳娘收著，只有壯壯不捨地抱著。

魏清莛趁著眾人不注意的時候警告地看了他一眼，也不知道這孩子遺傳了誰，他就喜歡亮晶晶的東西和溫潤的玉，而且性子霸道，凡是自己看中的都劃拉到自己的小金庫裡去，任武昀疼他，凡是他看中的都給他弄來，魏清莛說過幾次也不聽。

現在見他捨不得放手，就知道老毛病又犯了。

壯壯不情願地將東西交給乳娘，懨懨地窩在太后的懷裡。

太后抱著軟軟香香的孩子，笑道：「這是怎麼了？是不是有人欺負你了？告訴姑姑，姑姑給你作主。」

壯壯偷偷地瞄了一眼母親，搖頭道：「沒有。」

太后正要逗他，外頭進來一個宮女稟報道：「娘娘，太上皇派了人來說太皇太后想見見四夫人和四位小公子。」

皇后和諸位皇妃一震，看向魏清莛的眼光又變了。

皇妃們都沒見過太皇太后，就是皇后也只在太上皇禪位那天見過，自從太上皇禪位搬進佛堂後，太皇太后就沒再出來過，就連每年除夕、元宵也不肯出來。

沒想到太皇太后會想見魏清莛。

皇后垂下眼眸，有些後悔當初在皇上面前對任武昀流露出來的不滿。

太后親自帶著魏清莛過去，皇后想去看個究竟，也跟在身後，其他的皇妃卻沒這個資格，紛紛回去不提。

太皇太后難得的從佛堂裡出來，太后看到太上皇並沒有多餘的神色，只是恭敬地給太皇太后行禮。

太皇太后淡淡地點了個頭，就看向四個孩子，最後目光落在三胞胎上，微微一笑，招手道：「上來，上來讓哀家看看。」

三胞胎好像很喜歡太皇太后，跌跌撞撞地跑進她的懷裡，太皇太后送給三個孩子的禮物很簡單，小老虎的是一把小弓箭，三胞胎的卻是三個足有他們小巴掌一樣大的金元寶。

三胞胎看到金元寶時眼睛一亮，紛紛抱進懷裡，壯壯更是直接塞進胸前的衣襟裡。

皇后詫異地看著。

太后一愣，過後眼睛微紅的扭過頭去。

就是太上皇也微微一愣。

只有魏清莛覺得很丟臉，狠狠地瞪了三胞胎一眼。又不是沒見過金子，要不要這麼丟人啊。

太皇太后卻欣喜無比，看見魏清莛的眼神就不悅道：「妳可不能怪他們，孩子們是喜歡我送的禮物呢。」

就連小老虎也眼熱起來，這小子現在已經知道了錢的妙處，不像三胞胎純粹是因為喜歡亮晶晶的東西。

太皇太后見了更加高興，對下頭伺候的嬤嬤道：「哀家記得盒子裡還有一些金元寶，都拿出來，小老虎也有。」

盒子一拿出來打開，壯壯就「嗷嗚」一聲撲上去。

小老虎不好和弟弟們搶，一開始就眼疾手快地拿了兩個，剩下的讓三胞胎去搶了。

太皇太后看了高興不已，將東西放在榻上，讓三個孩子都爬上來。看到太后和皇后在底下礙眼，就揮手道：「你們先下去吧，要是昀哥兒來，就直接讓他過來這邊接人就好了。」

皇后看了太后一眼，此時的太后卻沈浸在自己的心思裡，聞言沈靜地行了一禮，轉身就走。皇后不知道太后是怎麼了，但大概能猜到和那些金元寶有關。難不成那些金元寶還有什麼秘密？

太上皇這才招來魏清莛問在安徽的情況，他問的多是外面的事，魏清莛一一地答了，眼角卻一直注意著孩子那邊。

壯壯最後搶到了三塊，康康和安安要多一些，有四塊。

壯壯也不沮喪，將東西劃拉到自己身前，抱著金元寶笑得眼睛都眯起來了。

太皇太后見了笑道：「怎麼你們不讓著弟弟啊？」

壯壯搶先答道：「我才不要他們讓呢，我要自己搶，爹爹說了，看中什麼東西就自己去搶，不能老指望著哥哥們讓。」

康康則道：「回家再讓，在外面讓來讓去的，讓娘看見了，娘會不好意思的。」

安安點頭。「在外面讓弟弟又沒有東西換，我們要回去再讓。」

「還要弟弟拿東西換啊，那就不叫讓了。」

康康和安安疑惑道：「不換怎麼行？不換弟弟就要給我們幹活，他太懶了，我們不要他幹活。」

魏清莛讓三個孩子自己收拾自己的玩具，他們經常用幫對方收拾東西來換一些小東西，但壯壯很懶，每次都是草草地把玩具扔在一個角落就算完成任務了，所以康康和安安都不要他幹活。

壯壯嘟著嘴道：「你們才懶呢，你今天早上沒有洗臉，只用毛巾擦了一下，都還沒濕呢，你比我懶多了。你再說我，我就告訴娘親去。」

康康一點也不臉紅道：「你還好意思說呢，我的衣服是自己穿的，你都這麼大了還不會自己穿衣服。」

安安攔在兩人中間，揮手道：「不要吵了，不要吵了，回頭爹爹知道了，又要把你們倒立在院子裡了。」

太皇太后和正在說話的太上皇聽得一團混亂。

魏清莛低下頭，深深地為這三個兒子覺得丟臉。

小老虎也覺得很丟臉，他很是豪氣地抓起桌子上的蘋果，一人嘴裡塞了一個，板著臉道：「你們要是再說話，我下次就不帶你們去打獵了。」

魏清莛眉頭跳跳。

太上皇招來小老虎問道：「你會打獵了？」

小老虎挺了挺胸膛，大聲道：「我四歲就會打獵了。」

太上皇抽抽嘴角。「那你現在能打著什麼？」

「麅子啊，不過打最多的還是兔子。」

任武昀一下早朝就拉著皇上往後宮去找魏清莛，太后拉著人說了幾句話，見他的眼睛總是往後面瞟，就嘆道：「你和你媳婦不過是一個晚上不見，我們姊弟都好幾年不見了，難道就不能好好的和姊姊說幾句話？」

任武昀立馬道：「我不是擔心清莛，我是擔心那四個小子，他們可調皮了，我怕清莛一個人帶不好。」

皇上聽了冷哼一聲。任武昀當沒聽見。

太后道：「算了，我們姊弟改天再說吧，那幾個孩子的確比較調皮，不過跟你小時候一比可好多了。孩子如今在太皇太后那兒呢。」

任武昀猶豫了一下，還是起身去太皇太后那裡。皇上也想去見見幾個孩子，卻見太后神色有些不對，立馬決定那幾個孩子下次再見也行。

等任武昀一離開，皇上就扶著太后的手問道：「母后，可是身子不舒服？要不要叫太醫過來看看？」

太后擺手。「剛才太皇太后送了三胞胎三塊金元寶，三個孩子都歡喜得跟什麼似的，特別是壯壯，當時就收起來了……先前一直不知道你們這毛病像誰，如今看來確實遺傳自母后這邊了。」

皇上頓時不說話了。除了幾個皇家人和親近的人，沒有誰知道太子和皇上都非常喜歡金子，特別是金元寶。

皇上還好，他對金元寶是喜歡，但對其他的玩具也喜歡，但太子不一樣，他對金元寶特別的熱情。

太子是太上皇的第一個兒子，太皇太后自然喜愛，她給這個孫子送過不少東西，其中最得意的莫過於一塊金元寶。

那時是過年，太子不過是兩歲的小奶娃，連路還走不穩，太皇太后原只是拿著金元寶出來打趣他，誰知太子一看到就撲了上去，一直抱著就不撒手，吃奶的時候抱著，睡覺的時候抱著，就連鬧著出去逛園子的時候還抱著。

這個喜好直到太子四歲知道些道理後才稍稍改過來。

但也不過是將東西放在盒子裡，時不時地還要拿出來玩一玩。

任武昀進去的時候，壯壯正費力地抱過一個和田玉雕觀音，努力地扒拉進自己的金元寶堆裡。

任武昀就被那金閃閃的金元寶閃了一下眼睛。

下一刻，他就猜到發生了什麼事，他不可置信地看向魏清莛。

魏清莛低著頭站在一邊，好像不認識四個孩子和他似的，小老虎沒有加入三胞胎的「尋寶」隊伍，他只是時不時地給三個弟弟打眼色，告訴他們哪個比較貴重。

只是難道他以為他六、七歲的小孩子能瞞過屋子裡的誰？

康康和安安還會參考一下小老虎的意見，壯壯卻全都是照著自己的意思來，看上哪個搬哪個，偏還都是貴重的。

太皇太后喜歡得不得了，道：「太子也是這樣，就喜歡閃閃亮亮的東西，眼光又準，我屋裡的東西他都能知道哪個是好的。」

太上皇笑著應和，看見任武昀，招手道：「你來的正好，來，隨我去書房說話。」

等任武昀從書房裡出來，四個孩子已抱了一堆東西，最後還是太皇太后讓宮女幫他們帶著，四個孩子這才願意上路。

魏清莛訕訕地笑了兩聲，決定回去就教教孩子們什麼叫「客氣」。

才一回到梧桐院，四個孩子就趕緊拿出在宮裡的收穫交換起來，任武昀沒等她教訓他們就拉了她出去。

「怎麼了？」魏清莛抱怨道：「都是你縱的他們，今天在宮裡一點也不敬畏，才一刻鐘不到就敢爬到太皇太后身上去了，太皇太后不過說了一句，喜歡什麼就拿什麼，你那三個兒子就在屋裡亂轉起來了，我以後再也沒臉進宮了。」

任武昀不在意地道：「這有什麼，我小的時候在宮裡也是這樣的……」只不過物件換成現在的太后娘娘罷了。

任武昀心不在焉地道：「明天妳給王廷日下個帖子吧。」

「咦？你找他有事？」任武昀和王廷日一直不和，怎麼一回來就要見他？

任武昀點頭。「是皇上想見他，只是現在朝中徐家的人盯得緊，所以就在我們這兒見了。」

魏清莛就沒心思管三個孩子的事了，問道：「朝中出什麼事了？現在皇上不是已經逐漸掌握大權了嗎？」

「那也只是相對於太上皇在位來說的。」

魏清莛頓時不語。

翌日——

王廷日將帖子丟到桌上，對謝氏道：「娘，我們派人去給爹和小叔收殮好不好？」王概之兄弟倆當年是要被流放到遼東的，卻在開平時就遇害身亡，當時他們沒有能力，就算知道也不能前去收殮。

謝氏身子一僵，王廷日繼續道：「當年我們是沒能力，如今我們有了本事，皇上也對我們放鬆多了，我們去把爹和小叔接回來吧。」

謝氏靜靜地看著兒子的背影，良久才點頭。

第一百一十章 出手

魏清莛不知道他們商量的是什麼，但想也知道不是小事，可她沒想到他們的動作這麼大。

沒過兩天，王妃就告訴魏清莛。「昀哥兒帶兵圍了徐家。」

魏清莛有些不確定地道：「是不是看錯了？難道是徐家的人又得罪了他，他讓人圍的？」

王妃看了她一眼，淡淡地道：「兵士和小廝還是很容易分得出來的。」

魏清莛的臉色也有些凝重了。「這，動作也太快了些吧，皇上才登基六年呢。」

王妃垂下眼眸，道：「皇上可比太上皇有耐心多了。」

徐太妃跪在佛堂前，看著在她面前緊閉的大門，她心中忍不住要怨恨躲在裡面的人。

太上皇看著外面嘆息一聲，太皇太后見了，大怒。「怎麼？你還覺得她委屈了，心疼她了不成？」

「兒臣不敢。」太上皇低頭。

「你有什麼不敢的？你連自個親生兒子的性命都能罔顧，你還有什麼不敢的？」

太上皇臉色變得煞白，太皇太后一點也不退讓，冷笑道：「我就是要看著他們死，睿兒做得好，我的好孫子豈是誰都能算計的？」

太皇太后說完這番話就劇烈的咳嗽起來，太上皇連忙扶住她。「太醫，快去叫太醫。」

太皇太后揮開他的手，胸中雖然有些難受，心裡卻快意。她向來是喜怒形於色的，當初太子被害身亡，她恨死了徐家，連帶著太上皇和太后她也討厭。

但為了兒子的江山，她只能將自己關在佛堂中對外面的事不聞不問。她知道，她不是會偽裝的人，她做不到在徐家害死太子之後還能像太后一樣跟徐太妃相談甚歡，甚至見到進宮來請安的徐家人也能笑臉相迎。

她將自己關在佛堂十四年，如今算是得願以償了！

和太皇太后一樣心中有快意的就是皇上了，當年太子哥哥身死，就是他，也被逼得遠離京城。明明前一刻他的理想還是在大哥的照看下和小舅舅稱霸京城，下一刻卻要背負起大哥的仇恨。

所以再沒有比這更快意的一天了。

徐家一定想不到，當年他們處理那些死士的時候逃了一個，那人雖也被毒酒弄啞了嗓子，命卻還在，要不是看他的毒快要控制不住，皇帝也不會這麼快動手，這幾年皇帝已經喜歡上了慢慢逼著徐家的過程，鈍刀子割肉，還有比這更恐懼的生活嗎？

「人帶來了？」

「是，王都司已將人帶來，除此之外還有一些文件。」

皇上滿意地點頭。「讓王都司他們直接去天牢，嗯，朕也要親自去看看才好啊。」

任武昀正好查抄回來，聞言立馬道：「我也去。」

皇上也沒攔著，兩人一併走，路上任武昀好奇地問道：「那些東西你是什麼時候弄到手的？東西也就罷了，那人你竟然押了這麼多年。」

「人不是我抓的。」說到這裡皇上也有些鬱悶，當時他收到這些東西的時候也嚇了一跳，他原先不明白為什麼北地右軍的嚴參將會主動去查這些，等知道他的身分後才有所猜測。

嚴參將是王老夫人的本家侄兒，關鍵是以前王公還教養過他一段時間，因為王家的事而去調查倒也情有可原。

等審完徐家人，皇上拍拍任武昀的肩膀道：「走，今晚你隨朕去喝喝酒。」

任武昀點頭，卻在走到王都司跟前的時候腳步微頓。

「怎麼了？」皇上回過頭來問。

任武昀突然揚手打掉王都司的帽子，一腳站在皇上跟前，冷著眼道：「抬起頭來。」

這人總是不敢看他們，定是有問題。

屋裡的人頓時緊張起來，侍衛嘩啦一聲圍在皇上身邊，緊緊地盯著王都司。

王都司的手心冒汗，低著頭半晌，還是抬起頭來看了一眼任武昀和皇上。

皇帝和任武昀對視一眼，然後都微微瞪大了眼睛看王都司。

任武昀咽了一口口水，道：「是我搞錯了。」

皇上咳了咳，道：「行了，都退下吧，王都司隨朕來。」

王都司低沈著聲音應了一聲，快步跟上，後面的任武昀就深一腳淺一腳地跟上去，心裡有不好的預感。

任武昀不好的預感來得總是那麼的準確。

王都司恭謹的跪在地上，皇上沈吟道：「朕記得你叫王之木，你和王公是什麼關係？」

「是。」王都司頓了頓又道：「那是臣的化名，臣原先名概之。」

皇上和任武昀同時想到……王概之，王公的幼子，被流放時只十八歲。

皇帝問：「你是如何從流放隊伍裡出來的？」

王概之紅著眼眶抬頭看了皇上一眼，回稟道：「罪臣與罪臣的兄長流放到大寧時被人圍困在荒廟中，罪臣兄長為了救臣就拖延住匪徒，」王概之頓了一下，道：「臣的兄長葬身於火海，臣脫困後就前往北地找嚴參將，他是臣的表兄，多年來對臣多有照顧……」

王概之隱瞞下父親給他留下的人脈，只大略地說了一下他這些年的生活。

皇帝嘆了一口氣，道：「王家與太子哥哥的冤屈，朕會平反的，你先隨小舅舅回去吧，說起來，現在你們還是親戚呢。」

任武昀回來的時候身後跟了一人，本來想找他打聽徐家被圍消息的魏清莛見了就要回避，任武昀就尷尬地叫了一聲，猶豫了一下，道：「清莛，快來見見小舅。」

「小舅？你舅舅從嶺南來了？」

魏清莛走近了幾步，正巧那人也抬頭看她，魏清莛正要行禮的動作就這麼一頓。

任武昀心中狂點頭，是吧，是吧，太像了，見過清莛男裝的人再看這個人，要不是年紀不對，任武昀幾乎以為這人是清莛假扮的呢，簡直就是一個模子刻出來的有沒有，只不過王概之更加陽剛一些罷了。

王概之看到魏清莛時也吃了一驚，他沒想到姊姊的女兒竟然和自己長得這樣像，不過想想也是，外甥女像舅嘛，王概之很滿意地點頭。

王概之當年被流放的時候也不過才十八歲，大哥一路護著他，又一路將自己知道的都傳授給他，父親給他們留下的人、父親留下的資訊，大哥幾乎日日夜夜都灌輸給自己。當時他就猜到了。

而還沒到流放的地方，大哥就死了。

他在暗中護衛的幫助下一把火燒了自己住的地方，這才逃了出來。

他不敢回京城，就到邊關投奔了任千戶的表哥。

他從到邊關就開始著手調查當年的事，徐家到底沒有經驗，計劃也不周詳，倒像是臨時起意，所以尾巴掃得不乾淨，他很快就拿到了一些消息。

皇上一掌權，王概之就將當年徐家沒掃乾淨的尾巴透露給皇帝，終於就等來了這一天。

王概之的回歸並沒有公布，在外人面前他還是王之木王都司，可他卻不再住在驛站，直接住進了王家。

謝氏看到王概之時一時反應不過來，直到王概之跪在地上磕了三個頭，王廷日低低地叫了一聲「母親」，謝氏才失魂落魄地點點頭，道：「回來就好，回來就好。我王家之幸！」

王概之低頭沈痛道：「嫂子，大哥他……他是為我而死。」

謝氏搖頭。「他是大哥呀。」

謝氏得知王概之都三十三歲了還沒娶親，頓時著急起來，也不總是盯著王廷日了，改而給王概之相看。

只是王家沒有平反，王概之的身分又還沒有明朗化，最要緊的是王概之年紀大了，十多歲的小閨女很難找，上二十的她又怕人家有什麼缺陷，奔走了幾天後她反而冷靜下來，心中思量一番，決定等王家平反再說。

皇上如今已經著手，相信用不了多長時間。

謝氏猜得沒錯，皇上的手段向來凌厲，這次也一樣，沒幾天，徐家的證據一一被呈上，樹倒眾人推，在徐家收監後第二天就有人上了彈劾摺子，底下還在觀望的人看到太上皇並不理會徐太妃的求情時紛紛上摺。

徐家以謀反罪直接被滿門抄斬。

相對的，太子和王家被平反，太子直接被封為顯德皇帝，葬入皇陵，王家重回朝堂，王廷日被封為忠勇侯，世襲。

王廷日身有殘疾，就算是被封為忠勇侯，也不能入朝堂，好在這個爵位是世襲的，總算是可以庇蔭子嗣。

而王概之的身分也曝光，如果是太上皇時期，那麼王概之就是逃犯，甚至還要連累到這十幾年來與他相處的同僚及表兄，但是當今，他就是忍辱負重，頗有膽識，當即被封為正二品的大將軍，前往北地。

這個旨意一下，心眼皆通的人都知道皇上下一個要對四王下手了。

魏清莛不是心眼皆通的人，但是她的丈夫是皇上的發小，皇上不瞞他，被派出去的又是她舅舅，她自然也就知道了。

皇上將原先王家的宅子發還王家，因為是侯府，朝廷又買下附近人家的兩個院子，改造成侯府。

謝氏為王概之定了國子監監丞之女，其祖父是通政使司副使，征和二十二年的探花郎，這位張姑娘因為連著守兩次孝，竟留到了二十二歲。

對別人來說有些大的年紀，配王概之剛剛好。

王概之已經三十多歲了，足足大了張姑娘十一歲，因為兩人年紀都大了，所以婚事進行得很快。

畢竟不管是張家還是王家，都很心急。

桐哥兒正巧這個時候回來，三胞胎看到從門口進來的魏青桐都瞪大了眼睛，定定地看著站在花樹下的男子。

「小舅舅長得好漂亮！」三胞胎瞠圓了眼地看著魏青桐。

王概之也這樣認為，他上下打量了一下桐哥兒，再回頭去看魏清莛，深深地覺得他們姊弟倆長反了。

魏青桐這次回來是因為孔言措的身體不大好，而回到京城之後，孔言措更是直接病倒。

作為孔言措嫡傳弟子的魏青桐自然要親自伺候，預計未來一年他都會留在京城。

得知魏青桐短期內不會再出發，最高興的莫過於三胞胎。現在要問他們最喜歡的是誰，他們不會再回答「爹爹」，而是大聲地說「小舅舅」。

任武昀為此氣惱了一陣，就打算給三胞胎請先生，減少他們纏著魏青桐的時間。

魏清莛涼涼地道：「你都多大的人了，還和桐哥兒吃醋。三個兒子才三歲多，讓他們跟著先生學什麼？學玩泥巴嗎？」

任武昀惱羞成怒。「爺的兒子自然聰明絕頂……」

「那也不見你三歲識字的。」魏清莛打斷他道：「行了，你就是請了也沒用，這段時間太皇太后幾乎每天都派人來接三個孩子進宮，你就是請了先生來也是浪費。」

任武昀頓時不說話了。

太皇太后也許是年紀大了，越發喜歡小孩子。讓魏清莛詫異的是，宮裡有那麼多的孩子，太皇太后卻誰都不喜歡，只喜歡看著三胞胎玩，這幾日臉上的笑容多了不少。

特別是對著壯壯的時候，太皇太后幾乎算得上是縱容了。

魏清莛剛要打發人去將三胞胎接回來，宮裡的一個小公公就急匆匆地過來，低聲道：「四公子、四夫人，還請趕緊隨著咱家入宮，太皇太后要見你們。」

魏清莛就緊張地問道：「可是三個孩子惹太皇太后生氣了？」剛開始都是她帶著孩子們進宮的，後來太皇太后幾乎天天都派人來接，又覺得魏清莛有些礙眼，就揮揮手不讓她跟著了。

以前只要離開娘親十米遠就會哭得震天響的三胞胎，居然很識時務地沒有哭，甚至還格格笑的，太皇太后就更有理由不讓她陪同了。

第一次見有小太監找上門來，魏清莛的第一想法是，三胞胎惹禍了。

小太監聞言立馬安撫道：「四夫人不用著急，不關小公子們的事，只是太皇太后想見見兩位罷了。」

對他的說辭，魏清莛和任武昀都不相信。見妻子的臉色有些蒼白，任武昀悄悄地借著寬大的袖子遮住手一把抓住魏清莛的，細細地摩挲一下，等魏清莛的手暖一點了才停下。

魏清莛心虛地瞄了一眼那公公，見他沒注意這邊，這才放下心來。

直到進了皇宮，公公才隱約透露出太皇太后身體不好的意思。

魏清莛和任武昀對視一眼，眼中都有些擔憂。

太皇太后已經七十三歲了，七十古來稀。

兩人到達太皇太后住的佛堂時，三胞胎正嚇得哇哇地大哭，乳娘和宮女見一直不怎麼哭的三胞胎哭成這樣都急得團團轉，加上這時候佛堂氣氛凝重，她們生怕惹了貴人的晦氣，所以都想盡了辦法哄三個孩子。

三胞胎見父母過來，哭得直打嗝的康康、安安就朝魏清莛伸出手，壯壯則是向父親伸出手。

任武昀三步併作兩步，上前一把抱過壯壯，魏清莛則摟著兩個兒子在榻上哄了哄，見他們止了哭聲，就小聲地問在一旁伺候的女官。「不知太皇太后如何了？」

女官臉上也有些悲戚，搖搖頭，解釋道：「太皇太后如今正在交代皇上一些事情，等一下應該會叫到四公子和四夫人的。」

魏清莛和任武昀在偏殿焦急地等著，倒是三胞胎哭了好長一段時間，現在有些犯睏了，躺在父母懷裡睡著了。

等兩人將三胞胎安置好，魏公公就親自過來請任武昀和魏清莛過去，頓了頓，又道：「四夫人，不如將四少爺帶上吧，太皇太后很喜歡四少爺。」

魏清莛看了任武昀一眼，就返身回去將壯壯抱在懷裡。

第一百一十一章　太后

太上皇和皇上正跪在太皇太后床前，屋裡只有太后和皇后在服侍。看到任武昀一家三口進來，皇后抬眼看了他們一眼，太后衝他們點頭示意，上前附在太皇太后耳邊低聲道：「母后，昀哥兒和他媳婦帶壯壯來了。」

太皇太后慢慢地睜開眼睛，笑道：「你們來了，快把圓圓抱過來。」

魏清莛的腳步一頓，扭頭去看任武昀，圓圓是誰？

任武昀接過還在睡覺的壯壯，輕輕地將孩子抱給太皇太后看。

太皇太后眼裡迸射出光芒，抬起手來輕輕地碰了碰壯壯紅撲撲的小胖臉，笑道：「圓圓小的時候也是這樣，好像總有睡不完的覺似的，也不知道怎麼長的，稍大一點就懂事得不得了，他祖父只拿著書在他面前讀一遍，那孩子連字還不認得，就搖頭晃腦地複述了一遍，等到認字的時候就更加聰明了……」

太上皇一直跪在地上，此時聽到太皇太后一直喊的名字，眼中微黯，頭更低了。

太皇太后留戀地看了一眼壯壯，這才看向任武昀夫婦，低聲笑道：「你們兩個都是好的，比你姊夫、侄子還要好。」

見夫妻兩個眼裡閃過迷茫，太皇太后心中一嘆，誰說笨沒有笨的好處？

先帝說得對，傻人會有傻福的。就像她，不及眾人聰明伶俐，一生卻有先帝相護，臨走前還給她安排好一切，她只要在宮中做自己的太后就好。

這對夫妻都不是聰明伶俐的，日子在別人看來是過得糊裡糊塗，可於他們卻是幸福。

再看這些自詡聰明伶俐的人，他們哪一個的日子比得上這一對的逍遙自在？

「我如今也沒什麼東西留下，」太皇太后看向自己貼身的嬤嬤，道：「我私庫裡的那些東西就都留給壯壯吧，他和圓圓一樣，最喜歡那些寶貝了，以後每年你們都帶他們進宮，讓他們兄弟三個進庫房裡去選，能拿多少是多少……」

太皇太后這一番話說得模糊，魏清莛和任武昀俱都看向皇上和太后。

皇上暗罵一聲笨蛋，上前應和道：「皇祖母放心，私庫裡留給太子哥哥的東西我回頭就給壯壯送去，以後三個孩子的生辰禮都可入您的私庫挑選東西，直到挑完為止，這樣皇祖母每年都能跟他們過生辰了。」

太皇太后聞言滿意地一笑，慈愛地看著皇上道：「你比你父皇懂事聰明多了。」

她最後看著太上皇嘆了一口氣，告訴他，她已經原諒他了，相信太子也原諒他了，讓他想做什麼就去做什麼。

說完這句話，太皇太后就笑著閉上眼，太后臉上的表情晦澀，太上皇卻是痛哭失聲。

任武昀見壯壯醒過來，就托著他到太皇太后的床前，將他放到地上，道：「跪下，磕頭。」

壯壯愣了一下，看著面露微笑的太皇太后，就突然上前一把抓住太皇太后的手「哇」地一聲哭出來，那眼淚跟不要錢似的一串一串往下掉。

任武昀嚇了一跳，最後就看著兒子的眼淚發起呆來。

太上皇見了道：「不枉太皇太后對他這麼好。」

皇上心中雖然也悲傷，但太皇太后的喪禮還是要主持，他爬起來正要去安排，抬頭看到任武昀這副呆樣，心裡一氣，劈手就把他拖出去，板著臉道：「如今皇祖母薨逝，前面也正是要緊的時候，你可得給我盯緊了，不能出岔子。」

任武昀連連點頭。

因為太皇太后薨逝的時候魏清莛就在宮裡，所以她也暫時脫不開身，只是她也不放心將三個孩子留在這裡，就打算讓乳娘們將孩子帶回去。

太上皇道：「太皇太后臨終前特意給三個孩子恩典，不如就讓他們戴孝吧，也充一充太皇太后的孫子。」

魏清莛吃驚，抬頭去看太后。

太后嘆道：「就這麼辦吧。讓人去將小老虎也接進宮來，這幾天妳和孩子們就歇在我那裡。」立時就叫人回去將慈甯宮的側殿收拾出來給他們母子五人住。

皇后默默地看了魏清莛一眼，這才轉身離開。

皇后不知道，在她走後，太后就轉頭看了她一眼，太后身邊的女官上前道：「娘娘不用擔心，皇后娘娘還是很聰明的。」

「我自然不怕她在這時候做出什麼事來，只是擔心以後睿兒會傷心。人總是會變的，但人都希望身邊的人能儘量不要改變。」

魏清莛給王妃傳信，讓她幫忙照顧一下西園。

這對王妃來說並不困難，反正之前也一直是她管著的，不過是將院子中有色彩的東西換下，然後換上白布，約束下人。

等魏清莛再出現在眾人面前時，是命婦們進宮哭靈的時候。

幾位王妃和超一品的夫人們見魏清莛從後宮裡出來，站在平南王妃的身邊，幾人臉色微變，聽說太皇太后薨逝那天宣這對夫妻進宮。爾後魏清莛和幾個孩子就留在了皇宮，甚至連留在外面的長子都被宮裡的公公們接進去了。現在外面說什麼的都有。

平南王妃的目光在眾人的臉上一掃而過，低聲問道：「孩子們呢？那天來家裡的公公說的不清不楚的，我也不知你們怎樣了。」

魏清莛並沒有發現旁邊的人都豎起了耳朵，這三天來她要照顧四個孩子，又要在太皇太后跟前守靈，疲憊得不得了。「我們住在太后的慈甯宮裡，孩子們在太皇太后的靈前呢……」頓了頓，道：「他們要和皇上及幾位親王一樣哭靈。」

命婦只在大殿哭靈，百官在朝前哀悼，太上皇和皇上及各位親王則是要在太皇太后靈前，按理說，四個孩子還小，是不用進宮的。

平南王妃愕然，旁聽的人卻是大駭，看向魏清莛的目光都變了。

平南王妃連忙問道：「這是怎麼說？是皇上要求的？」以皇上和昀哥兒的交情的確有可能會做這種事。

「不是，」魏清莛有些無奈。「是太上皇要求的。」

太上皇為什麼突然做這種要求？聽到的人不免猜測。

接下來的哭靈就有些心不在焉，但臉上還是悲傷萬分，能走到大殿前面來的人都很會做戲。

魏清莛才跪下沒多久，太后身邊的李公公就找來。「……娘娘的意思，夫人還是在前頭照顧幾位小公子吧。」說這話的時候李公公的臉色有些怪異。

魏清莛於是悄悄地離開，急匆匆地趕過去，卻看到壯壯一身孝衣，被一身孝衣的皇上抱在懷裡，旁邊滿臉疲憊的任武昀抱著康康和安安，而小老虎也幾乎睜不開眼睛。

見魏清莛過來，皇上的臉色才好看些，衝任武昀微微點頭。

任武昀上前低聲道：「孩子們每日早晨傍晚過來就行了，讓小老虎陪著妳。」

三胞胎實在是太小了，一般的命婦只每天清早趕來哭靈就已經受不了，更何況清莛還要照顧四個孩子，任武昀看著心疼不已。

魏清莛鬆了一口氣。

將三胞胎送回慈甯宮，拜託宮女多多照顧，就趕緊拉著小老虎回去。

宮女們自然不敢怠慢，不說太皇太后與太上皇和皇上對三胞胎的寵愛，單就太后這邊的關係就沒人敢怠慢三胞胎。

後宮中的妃嬪，甚至太妃都在靈堂哭靈，賢妃因為有孕，身子向來又弱，連著兩天下來，漸漸有些吃不消，臉色越發蒼白。

她擔憂腹中的胎兒，加上宮女相勸，就想與皇后告假回去休息。

皇后皺眉看向賢妃，道：「妹妹不如再忍忍，好歹過了七天再說，太上皇如今心情正不好，要是被抓到，只怕皇上會受到牽累的。」最要緊的是，如今有孕的不止賢妃一人，今天要是放賢妃回去，明天就有人學著告假，到時候她是給假還是不給？

不給難免不公，給了後宮妃嬪缺了好幾個，與太妃那邊一比也太不像話。

賢妃一向是沒什麼主意的人，聞言便點頭道：「娘娘說的是，那我便回去了。」

賢妃身後的宮女臉色就有些難看，賢妃拉了拉她的衣袖，阻止了她到嘴的話。皇后冷冷地看了她一眼，宮女的臉突地變白。

等人走了，宮女恨得跺腳。「二姑娘，您如今有孕在身，可不比別人。」

賢妃就嘆道：「如今宮裡有孕的又不止我一個，皇后說的也沒錯，這時候還是別去惹皇上和太上皇生氣了，畢竟皇上並不缺孩子。」

宮女無奈，只好陪著賢妃重新回去。

魏清莛和各親王妃跪在一起，對面就是賢妃，她抬頭看見賢妃臉色有些蒼白，冷汗淋漓。

魏清莛微微皺眉，太后身邊的一個女官就過來接魏清莛，等出了大殿，女官才道：「如今到用午飯的時候，四夫人先用飯，然後再過去吧，大少爺我們也讓人去接過來了。」

魏清莛感激，猶豫了一下道：「剛才我看見幾位有喜的娘娘身體都不好的樣子，太后仁慈，她們也正好趁著這個時候休息。」

女官一愣，這是太后特意給四夫人和大少爺的恩典，並沒有普及眾位妃嬪。想到這裡，女官若有所思，四夫人的對面好像跪著賢妃，她的身孕才兩個多月。

說來賢妃進宮已經有六年了，只是一直沒有孩子，這還是第一胎呢！

女官送魏清莛到偏殿之後就離開了。

這件事還是和太后娘娘說一聲比較好。

太后聽了笑道：「她還是沒怎麼變，心太軟，不過也正是這樣昀哥兒才如此緊張她吧？」

女官低下頭，只做沒聽見。

太后沈吟片刻，道：「既如此，就傳令下去，有孕的妃嬪都只過去半天就行了，賢妃那裡，妳親自帶太醫過去。」

女官應了一聲，退下去了。

皇后聽說後氣得差點摔了手中的杯子。「我若是那心思歹毒的，這幾年皇上的皇子會一個一個的往外蹦？太后也太小瞧了我些。」

皇后身邊的嬤嬤嘆了一口氣，道：「娘娘怕是誤會太后娘娘的意思了，估計是太后娘娘見您疏漏了這才補上的，未必是防您的意思，不然宮裡這麼多有孕的妃嬪，怎麼以往不見太后娘娘說什麼？」

前面的賢妃卻鬆了一口氣，虛弱地扶著宮女的手往回走，迎頭卻撞上了皇上，賢妃臉色更加蒼白，連忙低下頭，膽怯地站到一邊。

皇上皺皺眉。「妳怎麼在這兒？」

「我，我……」賢妃張張嘴，說不出話來，後面的宮女暗暗著急。

見賢妃羞愧地低下頭，皇上強壓住心底的煩躁，不在意地點頭。「那妳快回去吧，皇后那兒正忙著，妳們就不要再給她添麻煩了。」

這怎麼行？娘娘的身體本就是強弩之末，要是再回去跪著，肚子裡的小皇子一定會保不住的，秀梅也顧不得什麼尊卑，上前一步跪下低聲回稟：「皇上，是太后娘娘下令讓賢妃娘娘和另兩位有孕的妃嬪回去休息的，奴婢這就扶娘娘回承乾宮。」特意說了皇上說的「回去」是回承乾宮。

皇上這才正眼看向賢妃，見她面色蒼白，整個人搖搖欲墜，想起賢妃的性格，心中一嘆，語氣好了些。「既如此，妳們就回去吧。」頓了頓，又道：「妳的身子不好，就坐我的轎輦回去吧。」

賢妃立馬搖手說不用，秀梅卻喜在心中。

皇上可沒有這麼多的時間跟她推辭，直接叫人將轎輦抬過來，自己抬腳就走了。

秀梅喜形於色。「娘娘，皇上心中還是有妳的。」

賢妃皺眉，不悅地道：「這種話以後不要再說了，皇上心裡只有皇后一個人。」

秀梅撇撇嘴，緊跟在賢妃身後離開。

等太皇太后的喪禮過去，魏清莛滿臉疲憊地帶四個孩子回去，一到王府就睡過去。

任武昀回來的時候院子裡靜悄悄地，阿梨從一邊安靜地出來，低聲道：「夫人和少爺們都睡下了。」

任武昀點頭，讓人打了水來梳洗，就搭著鞋子進屋。

大床上並排睡著五人，魏清莛睡在外面，三胞胎緊挨著她，小老虎一個人撅著屁股睡在裡面，任武昀冷硬的臉就有些放鬆。

輕呼出一口氣，任武昀掀開被子也擠了進去，魏清莛嘟囔了兩聲，翻過身來繼續睡。

任武昀將她往懷裡帶了帶，這才滿足地閉上眼睛睡過去。

魏清莛是被壓醒的，她以為又是任武昀在作怪，就惱怒地伸手一推，然後就聽到「咕咚」一聲，沒多久，那種重壓感又來了，魏清莛惱怒的再一推，閉著眼睛道：「任武昀，你再鬧就到書房裡去睡。」

剛睜開眼睛的任武昀面色怪異地看著妻子，和另一邊被推開的壯壯和康康。

魏清莛也察覺到了不對勁，因為那種重壓感又來了。

她剛睜開眼睛就看到任武昀將安安提起來放到床裡面，魏清莛愣了片刻，這才知道原來壓在她身上的是三胞胎，而不是任武昀。

小老虎突然起身將被子蓋在弟弟們的腦袋上，然後又繼續躺在一邊自己睡覺，臨了還喊了一句：「不准吵了！」

三胞胎就有些委屈的癟嘴，集體向任武昀告狀。「爹爹，大哥凶我們。」

「爹爹，上次在宮裡也是這樣，大哥吼我們。」

「大哥什麼的最討厭了。」

任武昀臉色有些難看，正要教訓他們，就聽到被子裡的小老虎涼涼地道：「誰說我壞話，下次我去騎馬就不帶他。」

三胞胎愣了一下，安安首先撲到小老虎的身上，喊道：「大哥最好了，大哥是天下最好的大哥。」

康康僅僅慢了一步，只有壯壯在猶豫。

任武昀見了對魏清莛欣慰道：「康康和安安都像妳，只有壯壯最像我，威武不能屈。」

魏清莛瞥了他一眼，抱過壯壯問道：「壯壯怎麼不過去？」

壯壯為難道：「娘，二哥和三哥把好話都說光了，那我應該說什麼？」

魏清莛就得意地看向任武昀。「你說的沒錯，壯壯的確是像你，所以我才會這麼擔心。」

任武昀就瞪了引起戰爭的小老虎一眼。小老虎偷笑。

一家人鬧騰了一下，這才心滿意足地起身。

一家人溫馨的吃完早餐，因為這段時間實在是累壞了，任武昀打算給小老虎請幾天假，一家人好好的相處。

只是任武昀能不去上朝，魏清莛卻不能不管家事，所以用完早餐她就去了議事廳。

太皇太后留下了一道懿旨，要求徐太妃殉葬，卻又指明要將徐太妃葬到碧雲山，那裡埋葬的都是一些犯錯的妃嬪或是不入流的妃嬪，可見太皇太后對徐家還是沒有消氣。

太上皇拿著懿旨走了，沒過多久，宮裡就傳出徐太妃暴斃的消息。

第一百十二章　外出

魏青桐一邊照顧孔先生，一邊將以前的日記整理出來，在第二年夏天的時候終於將自己走過的地方完稿下來。

孔言措翻了翻，笑道：「不錯，可以擇日呈上了。」

魏青桐八年的成果，雖然只是這山河的一小部分，但也足夠震撼人，這一次，孔言措沒有再幫他上呈，他只好去找任武昀。

不過是順手的事，任武昀自然滿口應下，當天下午就拿了東西去見皇上。

皇上打開一看神色就變了，任武昀湊過去看才發現上面是桐哥兒繪製的地圖，竟然比軍用地圖還要詳細。

兩人面色一變，任武昀直接跑出來將魏青桐給拉到宮裡去了。

皇帝本來就有心補償王家，見到魏青桐畫出來的東西當即做下承諾，只要他能多繪製一些地圖，就給他爵位榮耀。

魏清莛卻沒有眼熱這個爵位，只是對魏青桐道：「你若是還想出去，那就去，若不想，我們也可以留在京城，爵位有沒有沒什麼要緊的。」

其實魏清莛最焦心的還是魏青桐的婚事，這些年她找了不少女孩，不是不合適，就是魏青桐不喜歡。

任武昀見她這樣，就道：「孩子們以後會孝順他們小舅舅的，妳別擔心。」

魏清莛苦笑。「他們自然會孝順他們的小舅舅，但他們不能陪著桐哥兒走到最後。他們雖然是我們的兒子，但以後他們會有自己的妻子兒女，有自己的小家庭，到最後還不是你我一塊兒過，我希望有一個人能陪著桐哥兒過一輩子。」

任武昀頓時眉開眼笑，關注點只放在最後第二句，信誓旦旦地保證道：「妳放心，以後我讓小老虎給我們修個雙人的棺材和雙人的墓，以後爺死了妳就殉葬。」

先前還有些悲傷的氣氛頓時一凝，任武昀還沒反應過來就被魏清莛一腳踢下床。「你說什麼？讓我殉葬？任武昀，你把話給我說清楚，早八百年前殉葬的制度就廢除了，你竟然敢讓我給你殉葬？不對，關鍵不是這個，」魏清莛怒目而視。「關鍵是，你這個混球竟然讓我殉葬！」

任武昀坐在地上呆呆地道：「不是妳說我們要一塊兒走到最後的嗎？」

魏清莛一噎，順手拿起枕頭就砸過去。「那是個比喻，沒說咱倆就要一塊兒生一塊兒死。」

任武昀豎眉。「爺都死了，妳活著還有什麼意思？」任武昀懷疑地看向她，吼道：「妳是不是還想著王廷日？爺告訴妳，就算是爺死了，那也是死在王廷日之後，他休想占妳的便宜。」

魏清莛瞪大了眼睛。

任武昀頓時恨不得打一下自己的嘴巴，清莛根本不知道王廷日的心思，他這樣挑明不是為王廷日做嫁了？

想著，連忙爬起來一把抱住魏清莛，亡羊補牢道：「我這不是不放心妳嗎？」

魏清莛跳起來。「不放心我？不放心我就讓我一塊兒跟著你死？那要是我先死了，你是不是也要給我殉葬？」

任武昀就呆呆地問道：「妳怎麼會比爺先死呢？」

「你又不是閻王，你怎麼知道我不會比你先死？」

任武昀頓時冷下臉來，眼裡透著冷漠，冷聲道：「管他是誰，誰要是敢要妳比爺先死，爺滅了他。」

魏清莛頓時說不出話來。

任武昀見妻子安靜了，剛才的酷霸跩頓時秒變忠犬。「我的意思不是那個意思，是原先妳的意思的意思，妳不要誤會我的意思嘛。」

魏清莛橫了他一眼，表示沒聽懂，直接拉起被子背朝著他睡了，不管任武昀怎麼哄都不轉頭。

任武昀輕輕地拍了一下頭，真是夠笨的，本是最浪漫的事，卻給他弄成這樣了。

魏清莛沒怎麼把這件事放在心上，第二天該怎樣就怎樣了。

任武昀見了就鬆了一口氣，片刻又自豪起來，幸虧他的夫人不是那些小氣巴拉的人，氣來得快，消得更快。

魏清莛找來魏青桐，兩人認認真真地談了一會兒。

魏青桐並沒有什麼明確的目標，他只知道他最喜歡的人是姊姊，然後是幾個小侄子，最後是姊夫和先生、表哥，最喜歡的工作就是畫畫。

魏清莛就知道桐哥兒短期內還沒有結婚的意向，她心裡雖然著急，但可能是前世養成的習慣，在她看來三十歲才結婚的一大堆，所以她也放任桐哥兒繼續自由。

而說起各地遊歷，桐哥兒的眼睛頓時亮起來，將他沿途看到的風景繪聲繪色的描述給姊姊聽。

魏清莛心中就有了計較。

她回去找了任武昀，道：「桐哥兒似乎更願意出去遊歷，只是你得先跟皇上說明，我們不要那些爵位，桐哥兒以後想去哪裡就去哪裡，自然，他去了那處，要是能幫你們畫圖自然會幫你們畫，要是不能，你們也不能勉強他。還有，以後桐哥兒不想出去遊歷了，你們也不許逼他，一切看他自願。」

任武昀滿嘴應下。

魏清莛想了想，道：「你還是再給桐哥兒配兩個護衛吧，阿力和阿元繼續跟著他，這樣我也多放心些。」

任武昀連連點頭。

皇上即使早有預料，聽到這樣的話還是忍不住吃驚，思索片刻，道：「我再給他配兩個侍衛，有他們在，在地方上行走的時候也方便些。」

知道那兩個侍衛身上帶著特旨，就算桐哥兒在地方上闖了什麼禍也有人擺平，自然高興，只是想到妻子要求的那些，任武昀強調道：「那兩個侍衛一定不能干涉桐哥兒的任何決定，不然他要是受了委屈，清莛怕是就不願意讓他給我們作畫了。」

皇上點頭應下。

魏青桐並不急著走，他還要照顧孔先生。

只是孔言措的病早好了，之前是為了不見人才裝病的，此時見他為此耽誤行程，也就調整著慢慢「好」起來。

又將阿力和阿元叫來囑咐一些事情，末了道：「先生年紀大了，以後怕是不能再陪著你東遊西走。先生到底是不如你，年輕的時候浪費了許多的時間，等回過神來鼓起勇氣踏出第一步時年紀卻又大了，所以你一定要好好的珍惜。在旅途中要是遇到了合適的人就要趕緊出手，不要像先生一樣縮手縮腳的，到最後不僅害了自己，也害了對方。」

情竇未開的魏青桐聽不懂，侍立在一旁的阿元和阿力卻牢牢記住了。

魏清莛讓人重新給魏青桐打造了一輛大馬車，裡頭一分為二，最內側用木頭沿著馬車壁打了一張榻，上面鋪著被子，桐哥兒可以伸直了腿腳睡覺，雖然小些，但好歹還能翻身，在旅途中有這樣一輛車，簡直就是享受了。

榻的中間連著馬車安放一張小桌子，兩邊是兩張凳子。

中間用簾子隔起，外頭有一個和內側差不多大的空間，可以給隨侍的小廝休息，最妙的還是車肚子。

魏清莛讓人將車肚子掏空，在下面可以放一些吃食和棉被之類的，這樣不睡覺了，能將一部分生活用品收起來，不讓馬車內顯得擁擠。

而且車輪也是經過改良的。

魏清莛不瞭解怎樣的車輪才算好，但這不妨礙她叫人研究。

多年下來，幾乎每年都有進步，現在的成果已經達到在官道上行走，車上鋪著棉被的情況下不會顛簸了。

魏青桐選定了日子要出發，只是人還沒走，魏清莛的奶兄汪全就找上門來了。

王麗娘清醒了。

這幾年王麗娘一直在吃藥調養，卻總是時好時壞，有些事情總是想不起來。

魏清莛想要知道當年王氏死亡的真相，更想知道「魏清莛」被毒死的事實，不得不等王麗娘清醒過來。

王麗娘有些恍惚地看著魏清莛姊弟，道：「姑娘和少爺都長大了，夫人也該放心了。」

「乳娘，妳還記得母親是怎麼去世的嗎？」

王麗娘眼裡盈著淚水。「是魏家害死的，若不是他們磋磨，夫人怎麼會病得這麼重？夫人一向堅強，就算病重，當時姑娘和少爺還小，夫人一定會挺下來的，那天傍晚夫人明明還吃了一碗小米粥，抱著少爺說了好長的話，氣色也好多了，怎麼會轉過眼去就……一定是魏家做了什麼，一定是。」

魏清莛與任武昀對視一眼，皆面色沈凝。

「如果魏家有人希望我和桐哥兒死，那會是誰？」魏清莛問道。

王麗娘眼裡閃過迷惑。「他們怎麼會要姑娘和少爺死？除非王家一點翻身的機會也沒有，不然他們不敢這樣的。魏老太爺就是這樣，夫人說，只要王家不敗，他們就不敢對你們出手。」

魏清莛表情有些譏誚，夫人說、夫人說，王氏是哪來的這些自信？就因為她的這些自信，小清莛才會被毒死，甚至都沒人知道。

魏清莛幾乎不敢想像，當桐哥兒醒過來發現唯一依靠的姊姊也死了之後的場景。

魏清莛深吸一口氣。「奶娘以後想起什麼，再讓奶兄來找我吧……」

王麗娘一把抓住魏清莛的衣袖，有些激動地道：「姑娘，如今您已經長大了，少爺也有出息了，魏家是您的娘家，我不求您為夫人報仇，但您一定要查清楚當初是誰衝夫人下手的，以後也好防備一二。就因為奴婢心有懷疑，不過是多問了夫人身邊貼身伺候的幾句，大老爺就將我們一家遠遠的發賣出去……一定是有問題。」

魏清莛點頭。「妳放心，我會一直留意的。」

王麗娘鬆了一口氣。

回去的路上車裡有些安靜。

任武昀猶豫了一下，還是道：「當年母親曾想為二哥求娶過妳母親。」

魏清莛早有懷疑，此時不過是證實心中所想罷了，所以並沒有多意外。

任武昀道：「我還是小時候躲起來聽大哥和二哥說話才知道的，二哥很討厭魏……妳父親，罵他是偽君子，連小人都算不上。我雖不知道出了什麼事，但也和二哥一樣不喜歡妳父親……」

魏清莛扶額，這關係可真夠亂的。

任武昀沈吟片刻道：「既然王麗娘已經醒了，那麼一些蛛絲馬跡也就露出來了，此事妳別管，我讓人去查。」

對查案這樣的事魏清莛的確不擅長，她點頭應下了。

王麗娘提出來的線索少，任武昀乾脆讓人將她帶到魏家跟前晃了一圈，就鎖定了魏志揚的乳母趙嬤嬤。

任武昀直接讓人去拿人，趙嬤嬤被帶到魏清莛的跟前時什麼也不說，只是冷笑地看著魏清莛。「三姑奶奶，奴婢不知犯了何事，竟然讓您如此大費周章地抓來。」

魏清莛冷哼一聲。「犯了何事妳會不知道？妳昨天不是已經見過我乳娘了嗎？都說大老爺是妳護著才能在後院活下來的，可現在看來，那些人誇大其實了，這樣認不清事實的人竟能在吳氏手底下討生活？」魏志揚從小喪母，吳氏是繼母，對魏志揚並沒多好，他能在後院長大並讀書出頭，很大一部分是因為他的乳母趙嬤嬤照顧。

趙嬤嬤垂下眼眸。

魏清莛笑道：「難道是這些年來養尊處優把脾氣養大了？」

任武昀冷哼一聲。「把人交給日泉，再大的脾氣又有什麼用？總能把她的嘴撬開。」

魏清莛想也知道他的手段，並沒有阻止，讓人把趙嬤嬤帶下去了，只囑咐道：「我還有話問她，別把人給我弄死了。」

日泉趕緊應了一聲。

等魏清莛一走，任武昀就招手叫來月泉。「聽說她還有一個兒子，去查查，人在哪兒。爺倒要看看，是她兒子重要，還是她主子重要。」

還是一個放棄她的主子，要知道，他的人從魏家帶走趙嬤嬤時，魏志揚也只象徵性地攔一攔罷了。

月泉趕緊去查。

趙嬤嬤的兒子趙平並不難找，畢竟他是這些年來魏家難得的體面人。要整治一個人，任武昀有的是法子，不出兩、三日，趙平就染上賭博，欠了一屁股債，

也直到這時候他才知道趙嬤嬤被平南王府的人帶走了，魏家的人說到這個的時候臉上的神情有些怪異。

這時候他才想起自己的母親。

趙平一來到王府就被直接帶到趙嬤嬤面前，趙嬤嬤渾身看不出傷，她被人收拾好扶著坐在凳子上，看到兒子進來，趙嬤嬤瞳孔一縮。

趙平彎腰將屋裡的丫頭全都送走，這才疾步走到母親身邊跪下。「娘，您要救救兒子啊。」

趙嬤嬤已經平靜下來，臉上晦澀不明地問道：「你做了什麼？」

趙平抬起頭來。「是有人算計兒子。」趙平並不傻，賭錢的時候是沒想起來，但才兩、

三天就輸掉這麼多錢，他就是再笨也知道自己被算計了。

他是有賭錢的習慣，但一直是小打小鬧的，大半不會超過十兩銀子，母親和妻子也正是因為知道這個，才沒叫他一定改過來。反正他每次去賭錢，超過十兩就停手，不管輸贏。

但這次，趙平臉色難看，搖了搖頭，他就好像被蠱惑，一直覺得自己只要再堅持一下就能贏，只沒想到卻一路輸。

趙嬤嬤搖頭。「你是被平南王府的人算計了，他們要用你來威脅我。」趙嬤嬤冷笑道。「他們以為這樣我就會就範了嗎？作夢！」

趙平一愣，問道：「娘，平南王府的人要問妳什麼？」

趙嬤嬤豎眉。「這不是你該知道的，你走吧，我幫不了你，你將鋪子賣了還債吧，要是還不夠就去求大老爺的恩典，他會幫你的。」

趙平卻面色鐵青地道：「他不會幫我的，我總算知道是為什麼了，母親以為我為何要到這裡找您？還不是因為大老爺不願意見我。娘，您為大老爺盡忠，可人家壓根兒就不稀罕……」

「閉嘴！」趙嬤嬤呵斥道：「不管大老爺如何，我們都是大老爺的奴才，哪有你反駁的道理？」

趙嬤嬤將兒子罵走，趙平恨聲道：「從小就是這樣，就算是奴才，也沒見哪個嬤嬤對別人的兒子比對自己的兒子還好的。」

趙嬤嬤張張嘴，到底還是沒說什麼。

趙平只好甩袖離開。

趙嬤嬤就坐在凳子上等魏清莛來問她，只是她沒想到的是，直到她被帶回到自己的屋子，都沒見著魏清莛。

任武昀和魏清莛好像已經忘記她了。

趙嬤嬤此人其實很好理解，她寧願留在魏志揚身邊做下人，也不願意和兒子一塊兒離開榮養，就是因為她捨不得那份榮耀。在魏志揚身邊，除了魏志揚，就是小吳氏也要尊敬她三分，更何況底下的那些僕婦？

而離開了魏志揚，她就只是趙平的娘，守著一個鋪子過日子的老太太。

可如今，她有可能連那最基本的生活都沒有，她到底還是慌了。她心裡不願承認，但魏志揚還是放棄她了。

但魏志揚是她帶大的呀，從他還在襁褓中開始就是她帶著的，第一次走路，第一次說話，第一次認字寫字……都是她陪著，為了他，她連她的丈夫和兒子都顧不上，丈夫去世時她都只是匆匆地下葬就把孩子交給婆婆，急急忙忙地趕回來照顧魏志揚……

趙嬤嬤在昏暗中坐了一夜，第二天就要求見魏清莛。

第一百一十三章 凶手

看守趙嬤嬤的婆子將她帶到議事廳，任武昀上朝去了，屋裡只有魏清莛和阿梨。

魏清莛揮手道：「妳們都下去吧，讓我和她單獨說說。」

趙嬤嬤跪在地上，門被關上，光線就被擋了一下。

魏清莛淡淡地道：「有什麼話妳就說吧。」

趙嬤嬤沈默了一下，道：「不知夫人想知道什麼？」

「那就先來說說我娘的死因吧。」

趙嬤嬤抬起頭。「這件事和大老爺沒關係，大老爺雖然不喜歡夫人，但從沒想過要害夫人。」

「但是妳和魏志揚應該都知道是怎麼回事吧？」魏清莛看著她，又道：「我也知道是誰下的手，不過我想聽妳再說一遍。」

趙嬤嬤心中一跳，斟酌了一下，道：「當時太上皇動作太大，來勢洶洶的，老太爺被嚇著了，一時糊塗就……」

魏清莛嗤笑道：「妳知道的倒是清楚。」

趙嬤嬤低下頭，魏清莛緊盯著她，問道：「那麼，當年我在秋冷院時給我和桐哥兒下毒的人又是誰？」

趙嬤嬤的心跳漏了一拍，「謔」地抬頭看她，卻又反應過來連忙低頭。

魏清莛見了哪裡還不明白。「不是魏志揚指使的，不然他見到我們的時候不會一點異色都不漏，那麼就是妳自己的主意了？只是我不知道我和桐哥兒礙著妳什麼，竟讓妳對兩個孩子下手。」

趙嬤嬤臉色青了白，白了青，垂下的眼睛亂轉，心中慌亂，越發找不到理由反駁了。

魏清莛耐心地看著她，趙嬤嬤張張嘴，到嘴的話又咽了回去，此時就是再推卸又有什麼用？

趙嬤嬤也算是個有決斷的人，知道無法逃避後就坦然地道：「不錯，是我給您和桐少爺下毒的。我只是聽老太爺說你們已經無用，可以放棄了，這時候你們死了，不管是老太爺還是大老爺都不會追究的。至於仇恨，我恨的不是你們姊弟，只是夫人太能幹了些，自從她做了主母，我幾乎都算不上大老爺的乳娘，只是一個連普通的僕婦都比不上的下人。大老爺要依仗妳外祖，對她是百般的忍耐，見我受苦也只能背地裡安慰兩聲，連為我說一句話都不敢。」

「就因為這個，妳就要殺我和桐哥兒？」

趙嬤嬤失笑。「如果您和桐少爺當時還是主子，我自然不會有這樣的念頭，可當時你們不是，你們連一個奴才都算不上。」

魏清莛默然。

她想過很多人，小吳氏、吳氏、魏老太爺和魏志揚，他們都有可能給她和桐哥兒下毒，可她又總是能找到一些蛛絲馬跡推翻掉先前的假設，但她沒想到下毒的人會是趙嬷嬷。

魏清莛冷下臉來，叫人將她帶下去。

任武昀回來就抱過她，問道：「要不爺殺了她？」

魏清莛搖頭。「還是交給衙門吧，看衙門怎麼處理。」

任武昀撇嘴。「妳和桐哥兒又沒事，而且事情都過去這麼久了，嚴判的可能性很低。」

不過只要他一句話，嚴判應該也不是問題。

只是真正的小清莛已經死了。魏清莛心中暗道。

「那你說怎麼辦？」

「那要看妳的意思了，謀害主子，怎麼也要斬立決吧？」

魏清莛搖頭。「這個太輕了，不如流放吧，活著受罪才更殘忍，她要是受不了，自己會死的。」

任武昀立馬同意。

第二天下朝，任武昀特意截住九門提督，再轉彎去御書房的時候，皇上就好奇地問道：「剛才你找九門提督做什麼？」

任武昀就將魏家的事和皇上說了，抱怨道：「本來桐哥兒是這兩天就要啟程的，偏清莛覺得和魏家既然已經撕破臉，不如趁著桐哥兒還沒走的時候把家給分了。只是桐哥兒上面不僅有父親、叔叔，還有祖父、祖母，要分家談何容易？這不，桐哥兒的行程就耽誤下來了。清莛這幾天都是圍著桐哥兒轉，好像下一刻桐哥兒就會飛了不見似的。」

皇上沈吟片刻道：「既如此，上次答應給魏青桐的爵位不如就提前給他吧。」

任武昀呆了一下立馬眼睛發亮，拍手道：「這個法子真是太好了，也虧得你想得出來。」

任武昀出宮不久，魏府就急匆匆地派人找上門來，道：「四少爺，您快回去吧，宮裡有聖旨下來。」

魏清莛一驚，轉頭去看任武昀。

任武昀無辜地摸摸鼻子，他怎麼知道皇上動作會這麼快，他都還沒來得及和妻子說呢。

任武昀只好伏在魏清莛的耳邊低聲地解釋一番。

魏清莛這才放下心來，讓桐哥兒回去。

魏青桐被封為錦鄉侯，世襲，在隔平南王府的一條街上修建府邸。那本是一名大學士的家，不過後來被朝廷抄沒，如今一直還空放著，內務府就在那棟院子的範圍內擴建一下，就有了侯府的規制了。

來宣旨的公公得了暗示，提點了魏老太爺幾句：您老人家兒孫滿堂，盡孝的人鐵定不少，按說錦鄉侯也該伺候老太爺才是，只是他身上有皇上的任務，不如趁著錦鄉侯還在京城的時候將家給分了吧，魏老太爺要是拿不定主意怎麼分，皇上不介意代勞。

當然，話說的要比這好聽得多，但大致意思是這樣。

才因為家裡出了一個侯爺而高興的眾人，頓時被潑了一盆冷水。

而魏青桐還毫無所覺，接了聖旨後就揮揮衣袖走了。

魏老太爺就是再不情願，聖諭在前，他也不得不遵守，所以沒兩天，魏家就分家了。就算桐哥兒傻又怎麼樣？他名義與事實上還是魏志揚的嫡長子，而魏志揚又是魏老太爺的嫡長子，所以魏青桐分到的財產是最多的，當然，魏老太爺有沒有暗地裡做手腳就暫時不知了。

不過魏清莛本來就不是為這些錢財，只是想和魏家劃開一條線罷了。如今就是一個好機會，桐哥兒雖然還沒有和那邊完全劃分開來，但距離遠了不是一星半點，所以魏清莛很高興。

王廷日知道後，打算大家聚一聚，也算是為桐哥兒踐行。魏青桐就道：「我們去大岷湖吧，我答應了小老虎他們要讓他們在大岷湖上作畫的。」

「行啊，」王廷日點頭道。「我讓人準備好船隻。」

任武昀聽說後衙門也不上了，特意請假回來。

自打魏清莛從任武昀嘴裡聽了那些話以後，就有意無意地避著王廷日，現在見任武昀這樣的做派，氣得一腳踹在他身上，道：「你不相信我？」

任武昀趕緊搖頭。「我是不相信王廷日。清莛，那人是個奸商，我怕妳被他給矇騙了，我還是跟著比較放心。」

「放屁，表哥什麼時候騙過我了？我看就是你大驚小怪的。」雖然這樣說，魏清莛還是不再攔著他，只是道：「你見到了他可別再眼睛不對眼睛，鼻子不對鼻子的了，當著孩子的面呢。」

一行人一起到大岷湖邊集會。

王廷日也下了輪椅，自己走上去。

任武昀愕然地看到王廷日走路，王廷日就笑道：「走路是無礙，只是我習慣坐輪椅了，這幾年除了在家裡和幾個親近的人面前，我幾乎沒怎麼下地走路。」

這是告訴自己他在這方面並不是不如自己嗎？

任武昀沈下臉來。

魏清莛沒注意，看到三胞胎一直掙脫乳娘的手要去玩水，連忙拉任武昀道：「趕緊上去看孩子，別讓他們翻進水裡。」

任武昀心情頓時好起來了，臨走前瞥了王廷日一眼。

王廷日失笑。他對莛姊兒的感情早就放下，可好像所有的人都沒有放下，不過這樣的結果未必就是壞的，至少他現在看到的都是好的一方面。

三胞胎在船上跑來跑去，就是有任武昀壓著也起不了多大作用，壯壯正伸長手要去撈水裡的魚，任武昀抓住他的衣領將他提起來。「和你哥哥們到前面去玩去。」

壯壯掙扎了一下，沒掙開，身子卻晃了幾下，頓時好像找到了什麼新鮮的玩法，兩隻手攀住父親的胳膊，兩腿盤起來晃來晃去。

正在一邊追著跑的康康和安安見了，也連忙跑過來拉著任武昀的褲子，喊道：「爹爹，爹爹，我們也要，我們也要晃晃。」

任武昀就左邊胳膊挾壯壯，右邊胳膊挾住康康和安安，故意板著臉道：「這是可以玩的嗎？」

那邊魏青桐正擺好東西，喊道：「快過來吧，我要畫畫了。」

三胞胎一聽，立馬掙開來，滑下父親的胳膊，蹬蹬地跑過去，你擠我，我擠你的排隊。

魏青桐笑道：「你們不用排隊，只在這裡玩就好。」

三胞胎和小老虎一聽說自己要上畫，哪裡還玩得開，只意思意思地你捅我一下，我撞你一下就算是了。

只是魏青桐也不畫，只是笑著看他們，漸漸地，三個小孩子都沒了耐心，自己先在船上跑起來了。

小老虎堅持的要久一些，但在小舅舅一再保證不會有問題的時候也跟著三個弟弟玩起來了。

魏青桐看了一會，才拿起筆來。

任武昀這才有時間和魏清莛欣賞起大岷湖來。

說來魏清莛雖然來過大岷湖幾次，還真沒仔細地看過大岷湖呢。

王廷日笑道：「大岷湖的桃林和梅林最有名，你們來得卻是不巧了，不然花中散步一番也是一種享受。」

任武昀看著快要熟透的桃子，道：「誰說進桃林就要看花的？不是還可以吃果嗎？」

王廷日愕然，只是魏清莛還鄭重地點了點頭，道：「那等一下我們帶孩子們去摘桃子吧，那三個小子皮實得很，上次在西園的時候差點就爬上了一棵樹，他們才三歲多呢。」

三胞胎和小老虎一樣長手長腳的，看著就比一般的孩子壯實和大得多。三胞胎剛出生的時候看著比足月的孩子小得多，但就是長得快，才出三個月就追上那些足月的孩子了，之後更是蹭蹭地往上長。

任武昀自得道：「誰讓他們是爺的兒子呢？」

魏清莛不理解為什麼任武昀的兒子長得就比別的孩子快。

王廷日看著這兩口子，搖頭失笑，道：「那你們先去吧，我倒有幾個老友也住在大岷湖這裡，我去找找他們，中午的時候我讓狀元樓送來午餐，到時我再過來找你們。」

任武昀求之不得。

王廷日才走，船頭就傳來幾聲驚呼。

夫妻兩個連忙過去看，就見三胞胎你擠著我，我推著你的圍著一張桌子，而小老虎憑著身高和體積優勢，穩穩地佔據主要位置，一下指著一處驚呼，一下又指著一個地方興奮地在說著什麼。

任武昀和魏清莛上前去，就聽小老虎指著一處道：「這兩個是二弟和四弟，只是哪個是二弟，哪個是四弟？」

安安翻著白眼道：「那是我，不是二哥。大哥你真笨，到現在都沒分清我和二哥。」

小老虎囧了一下，卻又馬上理直氣壯地道：「誰說我分不清的？我先前就從沒有叫錯過。」

安安揭穿他道：「你是聽聲音聽出來的，別以為我不知道，我們不說話的時候你就只叫弟弟，我們說話了你才叫我們是幾弟的，你就是還不會分我們。」

康康點頭。「以前大哥還能分得出四弟，現在連四弟都分不清了。」

壯壯就挺了挺胸膛。

安安衝他做了鬼臉，道：「得意什麼？他以前分得清你，不過是因為你長得比我和二哥小，現在你吃的飯都用來長身子，和我們一樣大了，自然就分不清楚了。」

小老虎張開的嘴頓時閉上，看著安安道：「安安，你不能諷刺四弟，四弟也是你弟弟，你要照顧他。」

任武昀也上前一巴掌拍了安安一下，道：「誰教你說這些話的？不知道的人還以為你是竇容和王廷日的兒子呢——一肚子壞水。」這麼小年紀就知道諷刺弟弟不長腦子了。

很顯然，小時候的壯壯和小時候的任武昀實在是太相像了，他現在就沒聽出三哥的話外音，只覺得三哥在誇自己長得快，所以見大哥和父親都為此欺負三哥，就上前攔在安安面前道：「不許你們欺負三哥，三哥哪裡欺負我了？」

小老虎。「……」

任武昀。「……」

魏清莛和康康。「……」

安安看著擋在前面的壯壯，頓時決定以後再也不欺負弟弟了，即使現在他只能欺負弟弟。

桐哥兒噗哧一聲笑出來，見大家都看著他，桐哥兒就笑道：「我們去摘桃子吧，我教你們爬樹。」

三胞胎頓時驚奇道：「小舅舅，你竟然爬樹？」

小老虎見怪不怪道：「這有什麼好奇怪的？小舅舅爬樹可厲害了，可我比小舅舅更厲害。」

三胞胎就佩服地「哇」了一聲，小老虎頓時驕傲地挺起胸膛。

三胞胎以前在園子裡的爬樹只能算是小打小鬧，而且都還沒成功的那種，所以看到那麼多的桃樹都任由自己爬，頓時高興得不得了。

三人歡呼一聲，就揹著小布包飛進了桃林。

第一百一十四章 天倫

即使小老虎對這些事早駕輕就熟，任武昀還是給他安排一個護衛在身旁照看著，自己親自帶上壯壯，魏清莛帶了康康，魏青桐帶著安安，一起進林子裡摘桃子。

對孩子們來說，春天的時候出來看花的確比不上這時候來摘桃子。

康康抓了一個桃子，在衣服上擦了擦就一個勁兒地往母親的嘴裡塞，魏清莛咬了一口就撇開頭，道：「行了，娘吃一口就好了，剩下的你吃吧。」

康康心滿意足了，也大大地咬了一口，見那邊的壯壯已經三下五下吃了一個，魏清莛連忙道：「這桃子可不能多吃，有熱毒的。」

任武昀趕緊攔住還要往嘴裡塞的壯壯，又回過頭去看長子，見小老虎偷偷地往懷裡藏了一個，就瞪了他一眼。

小老虎只好拿出來，臨時找了個藉口。「我是拿回去給祖母和大伯母吃的。」

康康聽了也有樣學樣，也摘了一個抱在懷裡，道：「我們也給祖母和大伯母帶，還有涵哥兒他們。」

魏清莛就幫著他放進胸前的布袋裡，誇獎道：「我們家的康康真懂事，小小年紀就知道孝順祖母、大伯母和友愛侄兒們了，以後也要這樣做，知道嗎？」

康康頓時咧開大嘴笑，狠狠地點了點頭。

安安和壯壯見了也爭先恐後的表白一番，魏清莛又誇了他們一遍，四個孩子這才消停。

魏清莛就感嘆道：「孩子多了就是好教養，要是只有一個，沒有人跟他爭，只怕就是千叮嚀萬囑咐，他也不記得要孝順家裡的長輩和給家裡的同伴帶一些。」

任武昀抬起頭看了她一會兒，魏清莛摸了摸臉，疑惑地問道：「怎麼了？幹麼這樣看著我？」

任武昀道：「我就沒記得給父親和母親帶一份，大哥、大嫂那兒倒是記得了……」要不是小老虎說起，他別說父親，就是母親那兒也記不起來。

他可以想起給大哥、大嫂帶，給涵哥兒他們帶，給竇容帶，給皇上，甚至是太后和太上皇帶，就是想不起還要給父親和母親帶。

魏清莛愣了一下，抱住任武昀道：「沒關係，以後我們一塊兒記住就是了。」

任武昀點頭，有了孩子之後，以前的心結也變得不那麼重要。他雖然沒有理解他們，但已經原諒他們了。以後他有自己的生活，有自己的孩子，將他從前沒有的都給他們。

任武昀看著在桃林裡你追我趕的四個兒子，覺得從前的一切真的不是很重要了。

桐哥兒卻看著四個外甥羨慕起來，要是他也有自己的孩子那會是什麼樣呢？桐哥兒嚇了一跳，臉色微紅。

魏清莛回頭看見了，連忙關心的伸手摸了摸他的額頭。「是不是剛才跑得太狠了，有沒有發燒？」

桐哥兒連連搖頭，有些慌張地道：「沒有。」

錦鄉侯府還沒建好，魏青桐就出發了。

趙嬤嬤被流放嶺南，嶺南苦，那邊是任武昀的外家，魏志揚想幫她幾乎是不可能。

皇上在經過幾年的沈澱，也開始動作起來，除此之外，動作最大的要數王家了。

今年春闈是新帝登基以來的第三次，而王家經過上一次挫折，在觀望六年，從王廷日那裡得到確切消息之後，終於重新踏入仕途。

這一次王家走得很穩，有兩個子弟考進二甲，三甲裡面也有三個。

皇帝也開始著手削藩及打壓世家。

平南王府選擇了中立，安北王府還在猶豫，皇上就趁此機會快手快腳地收回了平西王府和東順王府的封地，王府依舊世襲罔替。

平西王和東順王自然心中不服，四王雖然一直有矛盾，但也一直是唇亡齒寒的關係，所以四王在削藩這件事上向來是一致的。

兩個王爺第一時間就召集了軍隊，只是皇上的動作也很快，任武昀親自帶兵堵在東順王的前路上，而平西王府因為流民叛亂的事傷了根本，皇上只派了五千軍馬堵在西地。

平南王稱病，兩耳不聞窗外事起來。

安北王雖然心痛，但看著這幾年不斷有百姓造反，他也知道擋不住這個趨勢，只能默然。

西地沒費皇上的什麼勁兒就被皇帝收回來了，皇上也懶得處置平西王，樂得賣他們一個面子，只沒收了大部分值錢的產業，其他王府的優惠政策平西王府依然享受。至於曾經起兵抵抗，皇上選擇性地失憶了。

東順王孤掌難鳴，很快就被任武昀給破了。

平南王府就順利得多，東順王的事一了，不用皇上提，平南王主動將封地和帳冊上交金鑾殿。平南王府沒犯錯，皇上沒理由抄人家，且平南王府態度太好，他也怪不好意思的，大家又還是親戚，所以皇上只收了封地和兵符，其他該是平南王府的還是平南王府的。

安北王府也有樣學樣。

相對於西地和東地的轟轟烈烈，北地和南地要安靜許多，才一個上午就全部解決了。至此，這個國家在某種意義上來說才真正的全部屬於皇上。

任武昀跳下馬，甩著馬鞭往府裡跑，平南王妃正要去找王爺，見了連忙斥道：「還不好好走路，都三十好幾的人了……」

「知道了，大嫂。」人卻一溜煙地不見了。

平南王妃不免好奇地問道：「這老四是怎麼了？火急火燎的，不過是兩個月不見，也不至於想成這樣吧？」

身邊的嬤嬤笑道：「估計是聽說了四夫人有孕的事，這幾年四夫人一直沒再懷孕，先前四公子為此又是找太醫，又是拜佛的，可見是心急了。」

平南王妃失笑道：「又不是沒有孩子，兩胎四個兒子他還有什麼不滿足的？」

「聽說四公子和四夫人想要位姑娘呢。」

任武昀跑回梧桐院，阿梨等人見他回來連忙上前請安。任武昀揮揮手，探頭看了一下，小聲地問道：「妳們夫人呢？」

阿梨同樣小聲地回道：「夫人睡著了。」

「小小姐有沒有淘氣？」

阿梨疑惑地眨眨眼，沒聽懂。小小姐是哪位？她怎麼不知道？

任武昀咳了一聲，問道：「夫人肚子裡的孩子鬧她嗎？」

阿梨連忙將心中的疑問拋掉，回道：「小少爺很好，只是這胎卻有些鬧，夫人一直孕吐。」

任武昀不悅道：「什麼小少爺？是小小姐，吩咐下去，以後都叫小小姐。」

阿梨張張嘴，立馬回過神來，機靈道：「是，以後都叫小小姐。」

任武昀細細地問阿梨這幾天魏清莛的反應，知道她這胎反應大，一時又是擔心又是歡喜。「姑娘就是嬌貴些，回頭我找太醫給妳家夫人多要幾張藥膳單子來，妳讓人給她做。」

阿梨連忙應下，轉身就吩咐下去，四公子希望這胎是個姑娘，所以以後都要叫小小姐，可不能叫錯了。

任武昀躡手躡腳地進去。

魏清莛正側著身子睡覺，任武昀小心地坐在她身邊，小心地看了一眼她的臉色，見她臉色有些蒼白，有些心疼。摸著她的肚子齜牙，低聲道：「你要不是個姑娘，出來爺非打壞你的屁股不成。」

魏清莛睜開眼睛的時候天已經黑下來了，見阿梨進來，就問道：「妳怎麼不叫我？」白天睡得太多，晚上就難入睡，所以她的睡眠時間都是規定的。

「公子不讓奴婢們叫您。」

魏清莛驚詫道：「四公子回來了？」

她話音才落，任武昀就從外面進來，後面跟著端東西的丫頭，見魏清莛醒來，連忙上前按住她，不讓她起身。「躺著別動，就在床上吃吧。」說著就讓阿梨在床上支一張桌子。

魏清莛趕忙攔住，她可沒有在床上吃東西的習慣。

任武昀只好將她抱到榻上，魏清莛這才妥協。「你什麼時候回來的？怎麼也不叫我？」

任武昀擔心地看著她的肚子。「早知這胎這麼折騰妳，我……我就該早些回來。」

魏清莛笑道：「你回來有什麼用？而且也沒你想的這麼糟糕，大嫂說人家懷孕的時候都是這樣的，也就是我的前兩胎比較省事，他們都沒有折騰我。」

話雖如此，任武昀見她這樣辛苦，還是心疼得不得了。

魏清莛見他這樣，就轉開話題道：「東地的事解決了？」

任武昀點頭。「現在就是皇上和竇容他們的事了，我又可以在家裡陪你們幾個了。對了，康康他們這兩個月有沒有認真上學？」

「你放心吧，如今四個孩子在書院裡如魚得水，要不是書院每旬放一次假，我看他們連家也不願意回來了。」

任武昀暗自決定明天先上學院將四個兒子打一頓再說，他們的母親懷孕就已經夠辛苦的了，他們還在一旁添亂。

雖然小廚房準備的晚餐已經儘量減少油腥，但魏清莛在看見一道茄香肉絲的時候還是吐得昏天暗地。

任武昀在一旁急得團團轉，一迭聲地叫太醫。

阿梨冷靜地道：「四公子別擔心，害喜就是這樣，太醫說沒事的。」

任武昀攏眉。

魏清莛吐完後揮手道：「阿梨說的對，你可別請太醫了，回頭折騰的還是我。」

任武昀只好上床抱了魏清莛睡，心裡心疼不已，他卻不知道這是魏清莛懷孕以來睡得最好的一天了。

任武昀這次立了大功，皇上要論功行賞，下頭的百官一時猜不透皇上的意思。

皇上看著底下不發一言的百官，頓時覺得太過聰明的臣子也不好，一件小小的事都被想成這樣，至於嗎？

竇容心中暗笑，就邁步出來，道：「皇上，任將軍居功至偉，理應大賞。」

皇上點頭。「那朕就給他一個爵位吧，平南王府早就分家，老住在王府也不妥當。」

喜歡腦補的官員們頓時了然，原來皇上是嫌棄任武昀和平南王太過親近了，這是要防止他們聯合起來？

只是皇上的下一句話就讓他們的身子僵住了。「那朕就封任將軍為定王，為安定社稷之意，世襲罔替。」

又一個異姓王產生了，這樣，天下就有了五位異姓王，卻有兩個同姓。

任武昀眼睛一亮，連忙跪下謝恩。

他一直有個心願，就是有一天能用自己的本事為魏清莛爭個誥命。

先前他不過是個二品官，太上皇當年卻是直接封魏清莛為一品夫人，可以說魏清莛的誥命是自己掙來的，不是他給的。所以他一直希望有一天能以自己的身分，為魏清莛爭取一份誥命。

四王，雖然平西王和東順王的勢力減弱，但好歹四王是互相牽制的，他們手上雖然沒了兵權，但都對各自勢力範圍的軍隊有深厚影響，如今皇上乍然封第五位異姓王爺，而且還是平南王的弟弟，難免有人會擔心打破平衡，引起混亂。

只是皇上早就想到，任武昀作為定王的權力大大的受限，可以說他除了有一個爵位，其他什麼也沒有。

其他三王見狀，這才稍稍放下心來，因為就算任武昀沒有這個爵位，他該有的他還是會憑自己的本事得到的，只是心中難免不忿，這好歹也是一個爵位呢。

其中又數安北王最甚，怎麼都是外甥表哥表弟，太上皇對他怎麼就比皇上對任武昀的幾個兒子差這麼多呢？

任武昀拿著聖旨跑回去找魏清莛，興高采烈道：「爺現在也是王爺了，從今以後妳就是王妃，怎麼樣？以後妳就不用再頭疼出去的時候，別人叫夫人不知道是不是在叫妳了。」

魏清莛笑道：「你現在有了爵位，那我們要搬到哪裡去啊？我們在這裡住了這麼多年，我都習慣了。」

任武昀不在意地揮手道：「住哪裡都行，皇上又沒說我一定要搬到新宅子裡去，王府裡的房屋這麼多，也不急著弄這些，以後妳想住到什麼時候就住到什麼時候。」過後又特別去找了平南王妃。

平南王妃就對魏清莛笑道：「這西邊的園子本來就是分給你們的，就算昀哥兒如今做了王爺，這邊還是你們的產業。」

魏清莛不好意思道：「只是這麼多年一直麻煩大哥、大嫂，心裡有些過意不去。」

王妃不在意地笑道：「他們是兄弟，有什麼麻煩不麻煩的？我們妯娌的關係妳又不是不知道。要我看，妳若不急著住進定王府，以後就還住這裡吧。妳二嫂和妳兩個侄媳再過一段日子就該回京城了，我們王府一直靜悄悄的，這下子可算是熱鬧了，妳一個人搬出去怪沒意思的。」

魏清莛想想也是，打算等任武昀回來商量一下再做決定，大不了兩頭住就是了，高興了就回定王府住一段時間，不高興了可以過來這邊住，反正兩邊隨她住就是了。

定王府就選在和平南王府一條街上，雖然中間隔了一家，但也算近，任武昀決定以後要是有機會就將中間那家給買下來打通了，這樣兩個王府就可以連在一起了，也省得他們還要從外頭走過去。

修建王府需要一段時間，任武昀不急，四個孩子卻急壞了，以往一旬才能見一面的人如今天天往家裡跑，然後跑過去看人建房子。
四人早早和父母打了招呼。「我們的院子我們要自己布置。」
任武昀被封為定王，難免要慶賀一下。
平南王覺得這是大事，得等到任武晛回來，全家團聚之後再宴請親朋好友。
任武昀向來不管這些事，甩手給大哥、大嫂，本來魏清莛要管，只是任武昀擔心她的身體，拘住她不讓她管這些事。
王妃見了按住魏清莛，笑道：「這些事交給我就是了，妳只管養胎，不然回頭昀哥兒要心疼死了。」
魏清莛就覺得很不好意思，好像她嫁過來沒幫過王妃什麼事，反而是他們這邊一有什麼事，王妃就會過來幫忙。
王妃好像知道她心中所想，笑道：「我是將昀哥兒當兒子養，雖如今他長大了，還是時不時的看做孩子，妳也不用不好意思。」又道：「昀哥兒這幾天怎總是早出晚歸的？」
「皇上想讓他去西山練兵，這幾天他正在兵部忙著，下衙之後又有人請他喝酒，所以回來得晚些。」
王妃皺眉。「如今妳正有孕，他怎麼還出去和人喝酒？」
魏清莛替他解釋道：「都是一些好友，他也不好推。」魏清莛不好意思說任武昀晚回來是因為怕酒氣醺著她，所以在回來之前還出去跑馬將酒氣散掉。

第一百一十五章　大結局

陶揚也請任武昀喝酒，見他進來，就拉住他似笑非笑地道：「沒想到我們三個中卻是你的爵位最高，當時在北地誰能想到？」

任武昀揚眉，仰著下巴道：「當年我在北地的時候你就該想到的，爺英明神武，怎麼就不能是我們中爵位最高的？」

陶揚失笑。「算了，算了，我收回剛才的話，不過我輸得也不虧。」他是安北王世子，和皇上雖然也是表兄弟關係，但因為從小在京城北地兩邊轉，和皇帝並不熟。

當年他們在北地相識，還是因為與任武昀搶一把刀打起來，他仗著年長幾歲把刀給搶了，第二天就被還是四皇子的皇上給堵在路上，和竇容一起設計，三人將他打了一頓，又將刀給搶了才甘休。四人因此才相識。

因為皇上的身分，陶揚對他有些顧忌，雖然平時笑嘻嘻地看不出什麼，但的確多了分戒心和小心翼翼。

任武昀沒有多少心機，於打仗上卻是一員猛將，當年叔父說過，只要給任武昀時間，他一定會成為一員大將。因為平南王府的事，他對他的定位也只在大將上，沒想到他以後會站在和他一樣的高度，甚至在一定程度上更高。

畢竟，以後他的爵位是繼承祖宗的，但他的爵位是自己掙來的。

陶揚看著得意洋洋的任武昀微微一笑，任武昀有這樣的成就未嘗不是本性使然，不是誰都可以得到上面那位的信任。

宮裡的皇后也在想任武昀封定王的事。

她不喜歡任武昀，在北地的時候就不喜歡，或者說，她看不上任武昀的單純和無心機，甚至有些嫉妒他與四皇子之間的信任，只是那時她的不喜歡是埋在心裡，也僅僅是不喜歡，她並不覺得這會影響到她和皇上的關係。

可在她第一次開玩笑似地貶低任武昀之後就變了，皇上很聰明，又太過在意任武昀，這讓他們的關係有些冷淡，之後她雖沒再表現出對任武昀的不滿，心裡卻對他更加的不喜。

皇后看著外面暗沈的天色，突然想起母親在她來京城前說的話，也許她是該為自己和孩子打算一下了，任武昀做定王就做定王吧，讓皇兒和任武昀的幾個孩子多相處相處，以後對她和皇兒也是一個助力。

御書房裡，皇上扔掉筆，揉了揉脖子，問道：「幾時了？」

魏公公趕緊上前回話，皇上就道：「就去皇后那裡吧。」

魏公公出去叫人，皇上想到過段時間就是皇后的生辰，雖然不是逢十的整生日，但因為這段時間喜事不斷，決定讓人辦一場，也讓皇后高興高興。

皇后沒想到皇上還會記得她的生辰，心中的確沒那麼難受了，心中暗道——就趁著這次機會加強一下和任武昀的關係吧。就笑問：「那我給我伯母他們下個帖子如何？」

皇上笑道：「妳的生辰宴會，妳想請誰自然就請誰。」

皇后笑道：「那再請任四夫人吧，雖然我們成親多年，但定王一直在外地，任四夫人也不喜歡進宮，到如今我也就只在太后和太皇太后那裡見過她幾次，倒是挺投緣的。」

皇上臉上的笑容就有些寡淡，但還是平和道：「妳只管下帖子去請，只是聽說她最近孕吐得厲害，不知能不能進宮。」

皇后一愣，沒想到皇上連這樣的事都知道，要知道她懷孕的時候，也就第一胎的時候他還多關心些，後來卻因為越來越忙，皇上連她的肚子幾個月大都不知道，怎麼會去記住這種事？

皇上也反應過來，頓時有些尷尬，心中就對整天在他耳邊念叨的任武昀有些惱怒，決定下次任武昀再在他面前念叨這些，他就拿東西砸任武昀。

皇后拿出了誠意，只是一直不知道皇后不喜歡他的任武昀大手一揮就給回絕了，很理直氣壯地對魏清莛道：「我早就跟皇上說過妳害喜的事，肯定是他忘了跟皇后說，不然怎麼還給妳下帖子？」

魏清莛看著床上剛拿出來的禮服，頓時說不出話來。

任武昀繼續道：「而且這禮服早就過時了，再過不久，妳可就是定王妃了。」說到這裡，任武昀就奇怪地嘀咕了一下。「按說我的爵位一定，妳的聖旨也該到了啊，怎麼禮部這麼久還沒消息？他們不會把這件事給忘了吧？」說到這裡，任武昀一揚眉。「爺明天就去催他們。」

魏清莛道：「如今你是大紅人，就是忘了誰也不會忘了你的，肯定是沒有得到旨意，禮部才一直沒動靜的，我看說不定是皇上忘了，他事情多，一時忘了下旨也是有的。」
「不可能。」他可是每天都有跟他抱怨說清莛害喜的事，他怎麼可能會忘記這件事？只是這事他到底不敢和妻子說。
第二天，任武昀就專門進宮提這件事。皇上聽他又提起魏清莛，順手拿起桌上的摺子正要砸下去，就聽他催著下旨封魏清莛誥命，頓時嘴角一抽，放下手中的摺子，揮手道：「我知道了，你回去吧。」
不知道腦袋逃過一劫的任武昀心滿意足地離開了。
皇上看著他的背影嘆了一口氣，其實他是故意壓著旨意不下的。在他看來任武昀也太妻奴了，他就想先壓下聖旨，也好殺殺魏清莛的銳氣，可現在看來，他是白為他操心了，這人每天魏清莛不離口，不斷地拆他的臺，皇帝決定以後再不管他了。
任武昀回去沒多久，後腳聖旨就進了門，魏清莛這才從夫人變成王妃，為了和府裡的王妃區分開來，下人們只好叫魏清莛為四王妃。
任武昀得意洋洋地在妻子面前顯擺了幾天，外頭就有管事來回話，定王府建成了，請王爺和王妃有時間過去看一遍，要是有什麼不滿意的還可以改。
任武昀就帶著四個兒子過去了。
四個孩子早有準備，著重對自己的院子提出改造想法，工部的人表示，會盡最大努力完成四位少爺的設計。
魏清莛曾看過他們的圖紙，對此提出了委婉的建議，現在你們喜歡的，長大後未必會喜歡，房子一旦建成，以後再要動工就要他們自己出銀子了。

四個孩子很堅信自己會喜歡自己的院子直到永遠，同樣是打孩子時代過來的魏清莛，屆時只好看著四個孩子一頭撞在牆上。

其中康康的房子建在臨水的地方，以魏清莛的眼光來看，那就是一朵大型的蘑菇，紅頂實木的。

任武昀如今是皇上跟前的紅人，工部的人動作很快，雖然四位小少爺的建議讓工人有說不出話來的感覺，但見定王和定王妃都不言語，他們也不好說話。

王府很快落成，正好魏清莛的肚子也滿四個月了，任武昀決定早點搬進去，免得以後肚子大了麻煩。

四個孩子一溜煙的跑進自己的院子，三胞胎很快就看完自己的院子，和以往一樣，又交換看對方的院子。

任誠勇早就不帶弟弟們玩了，現在他有了自己的朋友，今天他要好好布置一番，明天就請朋友過來慶賀。

任誠勇跑去找母親，纏著她給他撥一些銀子明天辦宴席。三胞胎聽說，眼珠子一轉，也擁上來，一人說一句——

「娘，我也有朋友。」

「娘，我們不像大哥一樣要這麼多銀子，您只要叫廚房給我們準備一些吃的就行。」

「多一些肉。」

「我們的朋友是一樣的……」

「就是啊，娘，我們請客可比大哥請客便宜多了。」

任誠勇沒想到弟弟們這麼拆他的臺，磨牙道：「我下個月初五要去岷山打獵。」

三胞胎立馬改口。「其實大哥請的人也不是很多。」

「大哥一向節省，就是請的人多也不要緊，花費的錢肯定也不多。」

「我可以幫大哥招呼他們，也不會太麻煩家裡的。」

魏清莛頭疼地看向四人的身後，問道：「你確定這四個真是你兒子，不是抱錯的？」

任武昀手裡正拿著橘子，本來是拿來給妻子的，聽到四個兒子的話頓時恨得牙癢癢起來，聽到妻子這樣說，就將手裡的東西放到桌子上，在院子裡折了一節樹枝就氣沖沖地衝著四個兒子過來。

四個兒子頓時跳起來大喊著「救命」逃開，魏清莛只聽到任武昀的怒吼。「爺是教你們節省，可沒讓你們吝嗇，你們每個月這麼多的月錢和過年得的紅包都花哪兒去了？」

「爹爹，您連這個都要算，還說不是吝嗇。」小老虎一邊跑一邊喊道。

三胞胎裡也不知是誰喊了一句。「爹爹，大哥把錢都拿去買馬了，他向陶家的大小子買了一匹馬……」

任武昀更怒，追起小老虎來更是不遺餘力。「爺就在軍中，要什麼馬沒有，你非要敗家的從陶家買，嫌錢多了是不是？」

府裡的奴僕早就見怪不怪，見狀紛紛讓開，各自做著自己的事，對園中的雞飛狗跳視而不見。

魏清莛撐著肚子站在臺階上圍觀，時不時地指點一下任武昀，讓他可以平均地揍到每一個孩子，最後面對他們的請求，魏清莛批覆道：「費用自理。」

四個孩子再不提分開辦的事情，而是湊在一起打算把所有的朋友一塊兒請來，這樣能省下不少的錢。

魏清莛看著四個小腦袋，摸了摸肚子，決定這個孩子說什麼也不能交給任武昀教導了。

——全書完

番外一　秋冷院

正是七、八月的時候，松齡院滿院子的知了都被清理乾淨了，整個院子都寂靜無聲，留頭的小丫鬟屏聲靜氣地站在廊下，即使額頭上滑下汗珠，也不敢動一動。

屋子裡，老王妃冷眼看著底下的兩個兒子，冷哼道：「誰讓你們去興榮街的？」

平南王有些不安的看了一眼母親，低聲道：「兒子覺得應該告訴父親，說不定他會有辦法……」

「他能有什麼辦法？」老王妃厲聲打斷他。「難道你從他那裡得到了什麼好法子？說出來給我聽聽，讓我也知道知道他的高論！」

平南王臉上閃過難堪，低頭不語。

老王妃眼裡閃過諷刺，她就知道！

那個蠢貨腦子裡能有什麼辦法？

他愚蠢的後果卻是讓她的兒女來承受，老王妃心裡一痛，氣得將手中的茶盅朝平南王砸去。「要不是他那個蠢貨，你的姊姊，我的外孫又怎會受這樣的苦？以後不許你們再去找他，就讓他死在興榮街好了！」皇后如今還被拘禁在太廟中呢！

在老太妃眼裡，這一切都是老王爺的錯，要不是他當初同意這門婚事，她的女兒就不會嫁給皇上，現在的一切都不會發生。

皇帝將太子軟禁在行宮中，只說太子謀反，爾後就將四皇子拘在宮裡，皇后也被拘禁在太廟內，如今太子已經自盡，四皇子雖得了自由，但皇后如今還被拘在太廟裡不知情況，平南王府必須做出讓步，讓皇帝儘快將皇后放出來。

平南王低下頭，一個是他的父親，一個是他的母親，都不是他能說的。

一旁的任武晛見大哥被遷怒，心裡微嘆。

老王妃平息了一下怒火，道；「你上摺子吧，不管你用什麼理由，把兩江讓出來，他要是還得寸進尺，」老王妃眼裡閃過厲光。「其他三王也不會善罷甘休的！」

平南王府的封地是浙江和江西，是除了東順王之外最富庶的，皇帝一直想要收回他們的封地。

平南王皺眉思索了一會兒，就舒展開道：「是，母親。」

老二則道：「母親，就換福建和廣東吧，這兩地都是貧窮多瘴之地，皇上也放心，其他三王也一定體諒我們的退步，」

老王妃眼睛一亮，點點頭，來回看了一下兩個兒子，道：「你們也不要心疼，早在你們姊姊出嫁的時候，平南王府就和她捆在一起了，現在只要保住你們姊姊和小四，平南王府才有來日。」

「娘放心，現在人是最重要的，只要有平南王府在，姊姊就一定不會有事，太子的事已經是兒子們疏忽了！」

老王妃想到還被拘禁在太廟裡的女兒，眼眶一熱，差點落下淚來，都是那個混蛋！除了領兵打仗，什麼都不會！

老王妃閉了閉眼睛，睜開就銳利地看著兩個兒子，正要說什麼，她的貼身嬤嬤韋嬤嬤疾步進來，看著她，眼裡震驚哀傷，微微哽咽道：「老王妃，魏家大夫人她……沒了！」

老王妃臉色一白，「謔」地站起。「妳說什麼？」

韋嬤嬤跪下。「大夫人是昨晚上沒的，奴婢正要給王家送一些東西去，就碰到了報喪的人……」

老王妃怒極反笑。「魏家不愧是書香門第，當家夫人去了，竟是第二天才派人回王家報喪，這是欺王家沒人了嗎？」

韋嬤嬤低下頭，平南王眉頭微皺，任武晛卻已經愣在原地，呆呆地看著韋嬤嬤。

平南王回頭正好看見，嘴巴微合，到嘴的話到底還是嚥下去，低頭嘆息一聲，轉身上前一步道：「母親，王氏底下有一兒一女，俱都年幼，也不知如何了。」

「王公為我任家家破人亡，魏志揚敢這樣對三娘，我們卻不能不管，你帶著你媳婦親自去，一定要親眼看見那兩個孩子才好。」

任武晛一個激靈清醒過來，一把抓住大哥的手，對老王妃道：「母親，還是我去吧。」

「你！」老王妃看著二兒子眼裡的痛苦，嘆息一聲，揮手道：「去吧，早去早回。」

任武晛在靈堂上看見了兩個孩子，七歲的魏清莛抱著目光呆滯的弟弟，滿眼戒備地看著來往的人，任武晛就透過兩個孩子看到了當年在百花宴上神采飛揚自信無比的女孩。

任武晛眼睛一熱，連忙低下頭掩飾。

魏志揚臉色憔悴的上前招呼他。「三娘生下青桐後身子一直不好，六月二十四，岳父的罪己書一上，三娘就病倒了，及至後來大舅兄休妻趕子，聖上又落實了王家的罪行，將他們流放……我請了不少的御醫，卻還是留不住她！」

任武晛眼裡閃過厭惡，幾乎破口而出——「王家的罪行？王家有什麼罪行？」，因為姊姊是皇后的關係，他們對太醫院一向很關注，他怎麼不知道魏家為三娘請了太醫？但看著跪在地上的孩子，他到底還是把話嚥回去了。

任武晛從魏家出來就朝王家去了，他沒有立場，可王氏家族也不是好惹的，皇上只將王公的兩個兒子流放，並沒有牽連王家其他人。

王氏家族的確願意為了魏清莛姊弟出頭，王氏剛一下葬，王家的人就登門拜訪魏家老太爺，王家要替兩個孩子保管他們母親的嫁妝！

在王家看來，魏家能算計兩個孩子的也只有這些了，只要嫁妝在王家手裡，知道謀奪無望，兩個孩子自然會平安長大，畢竟在這個時代家族還是很重視子嗣的，而且兩個孩子對魏家的人並沒有什麼威脅，魏青桐雖是魏志揚唯一的嫡子，卻是個傻子，而魏清莛是個女孩，以後說了一門好親事，說不定還是魏家的助力。

任武晛也是這樣認為，當得知王家順利地從魏家接管了三娘的嫁妝，心下一鬆，開始重新將視線放回朝堂——皇上還沒有對皇后和四皇子做處置，平南王府現在還不能鬆懈。

只是王家和任武晛高估了吳氏的人品，卻低估了魏老太爺裝糊塗的功力，王家前腳一走，吳氏後腳就將這兩姊弟扔到了魏府西北角一個名叫秋冷院的小院子裡，美其名曰「守孝」！

這個小院子真如其名一樣，除了前後的兩排房屋、角落裡的幾棵大樹、後院叢叢的野草之外，什麼也沒有了，屋裡，連一些基本的擺設都沒有。

魏清莛看著空落落的屋子，再看窩在她懷裡一無所知、茫然恐懼的弟弟，一時悲從中來，母親死了，外祖家也敗了，他們也許一輩子就只能待在這裡，她還好些，到了年歲，就算吳氏和小吳氏再不喜歡她，為了底下的幾個妹妹也是會放她出去嫁人的，可是弟弟怎麼辦？

小吳氏給魏志揚換了衣裳，朝堂不安穩，這幾天他都是早出晚歸，今天只稍微比往常早些，小吳氏有些忐忑地看著他的臉色，鼓足了勇氣道：「……母親把清莛和桐哥兒送到了秋冷院，說那邊清靜，讓他們在那裡為姊姊守孝……」

魏志揚「嗯」了一聲。「後院的事妳和母親作主就是了，只是妳也時常派人去看看他們，今天皇上下了聖旨，讓四皇子和平南王府的四公子去北地歷練，再過幾天可能就出發了。」四皇子和任四公子去北地，可能是被放逐，也可能是皇帝想要他們遠離京城，從而保護他們，不管是哪一種，魏清莛姊弟最好低調起來，不要出現在人前，免得代替王家成為王家政敵攻擊的對象，住到秋冷院去也好。

小吳氏有些懵懂，不知皇上的旨意和清莛姊弟有什麼關係，魏志揚也沒想她明白，只是囑咐了她一聲。

小吳氏見他並沒有反對清莛姊弟住在秋冷院，心裡一鬆，也沒細想那件事，歡天喜地地下去給他準備好吃的東西了。

魏志揚沈思，他們姊弟雖然住到了秋冷院，但誰知道四皇子以後會不會翻身？還是叫小吳氏多關心一下他們，讓他們再少些怨忿。

而此時，平南王府裡，任武昀蹬蹬地跑進母親的房間，圓圓的臉蛋皺起，叫道：「娘，我們為什麼去北地，而不是南地？」

任武晛敲了一下幼弟的頭。「都這麼大了，怎麼還是這麼咋咋呼呼的，見了母親、兄長連禮都不行！」

平南王含笑，眼光溫和的看著他們。

任武昀噘噘嘴，隨手抱了一下拳，就急哄哄地對平南王道：「大哥，皇上真是這樣說的？你是不是聽錯了，皇上讓我們去的是北地，不是南地？」說著自言自語道：「不可能啊，我們的封地明明是在南邊的，怎麼跑到陶揚那小子那裡去了？我上次還搶了他一把西域刀……」

聲音雖低，但在座的人都有武功底子，平南王聽了是哭笑不得，任武晛則是恨鐵不成鋼。

老王妃面沈如水，斥道：「胡鬧，這是皇上親發的聖旨又怎麼會有錯？這些話要是傳了出去，我們滿府都要受牽連，你都十二歲了，怎麼還這麼不知輕重？你大哥在你這個年紀，都獨自撐起整個平南王府了！」

任武昀卻一點也不怕母親，只是有些沮喪。「知道了，以後我不說就是了。」

平南王拉過他對老王妃道：「母親，四弟還小呢，以後慢慢教他就是了。」

「以後？哪還有以後，過幾天他就要走了，他要是總這樣，別說幫小四，不給小四惹麻煩就是了！」

任武昀不服氣地道：「我怎麼給喜哥兒添麻煩了？他身邊的暗衛都還敵不過我呢，他可說了，這次就靠我去北地呢！」

「所以你更應該謹言慎行，不然別人不會說你什麼，只會說四皇子。」

任武昀噘著嘴，但還是應下了。

老王妃從韋嬤嬤的手裡接過盒子，打開，從裡面拿出一幅畫，衝任武昀招手。

任武昀眼裡疑惑，但還是上前坐在老王妃的身邊。

「這是王家的聖賢老子圖，是王公給你的表禮。」

任武昀臉上微紅，不安地扭了扭屁股，努力地想王家那個才八歲的王素雅，卻只想起一個模糊的人影，他眉頭微皺，他最不耐煩和大人們坐在一起聽他們說一些沒有營養的話，還不如趁著那個時間騎馬出去溜一圈呢，只是印象中那個王素雅卻是最乖巧不過，王家又都是那些之乎者也的老儒生，連帶著女人也是那樣的人，也只有二哥這樣喜歡讀書的人喜歡那樣的女人，他才不要那樣的呢！

任武昀向來是心裡想什麼就說什麼的，當即就推開那幅畫。「娘，我不要！」

「胡鬧！」老王妃厲聲道。「先不說王家對我任家的恩德，就是清莛的家世人品配你也沒什麼差的，這門親事我已經替你答應下來了，本來是想等你長大一些再告訴你，只是現在你就要去北地，此去經年，這才提前告訴你的。」

任武昀眨眨眼睛，清莛？王公親自給的表禮？任武昀眼珠子一轉。「是魏家的？」

老王妃點頭。「她幼年喪母，已是可憐，以後你一定要好好對她，知道嗎？」

任武昀點點頭，抱過那幅畫說了一句「那我走了」就跑出去了。

看著他冒冒失失的樣子，屋裡的三人對視一眼，眼裡皆閃過擔憂。

皇上讓四皇子去北地，既是為了保全他，但同時也防著平南王府和四皇子，任家除了平南王之外，還有能幹的任武晛，皇上卻派了最無心機，又最是調皮搗蛋的任武昀跟著四皇子，不也是防著他們嗎？

現在他們只希望兩人能活著回來就好了。

老王妃也的確是這樣吩咐平南王的。「……讓我們的暗衛跟著，務必將他們平安送進北地，只要進了安北王的勢力範圍就無礙了，陶正那個老東西最是奸猾，他決計不會讓小四和昀哥兒在他的地方出事。」

平南王點頭。「要不要和陶牧說一聲，請他照顧一下兩人？」

「不用，要是四皇子連一個陶牧都搞不定，還不如你現在就上摺子請求削官罷爵來得乾脆！」

平南王和二弟對視一眼，都不由擔心起弟弟和四皇子來。

任武昀跑回房間，將盒子丟在床上，想想覺得這樣對王公不尊重，他雖然最看不起文人，但王公卻是例外的。

任武昀重新抱起盒子，四周看了一眼，就將盒子塞在一堆兵器後面，在他看來，把重要的東西和他的寶貝兵器放在一起是最安全的。全平南王府都知道，動什麼也不能動四公子的兵器架子！

任武昀滿意地點點頭，拿起鞭子就跑去找四皇子，他覺得訂親這樣的大事怎麼也要告訴他一聲，雖然他沒想真的娶魏清莛。

「……我都想好了，等我建功立業回來，我就給她找一門好親事，王家是文官，魏家也是文官，她一定更喜歡文人些。我呢，肯定不喜歡那些唧唧歪歪，說話喜歡拐十八道彎的女孩子，我還會給她備下很多嫁妝，這樣大家就皆大歡喜了！她現在剛剛喪母，魏志揚那個偽君子一定為難她，要是我再退親，她的日子就更難過了。」

四皇子嘲笑他的天真。「你們已經訂親，還交換了表禮庚帖，那就算是半個夫妻了，要是反悔，天下人的唾沫都能淹死你們，更何況王家的女孩最是守禮，要不然當初王家的三娘也不會嫁給魏志揚那個偽君子！」

任武昀自得地揚眉。「這個我早就想到了，你一定猜不到，王公怕魏家的人搗鬼，這門親是偷偷結下的，現在除了她舅母之外就連她也不知道，到時我只要說服母親就是了。」

那更不可能了，話到嘴邊，看著那個傻小子笑嘻嘻地夢想著以後完美的生活，他到底還是嚥下去了！

王公對他與母后恩同再造，甚至王氏的死與此也有一些關係，他願意給魏清莛和魏青桐榮華富貴，卻不願委屈任武昀。

任武昀見一向被母親、大哥稱讚的喜哥兒沒有說反對的話，就喜得跳將起來。「那我晚上就去看看她，和她說一聲。」

四皇子嚇了一跳，連忙拉住他。「你要怎麼去看她？」

「看人還能怎麼看？」任武昀白癡一樣回望他。

四皇子才要鬆一口氣——

「當然是爬牆進去了！」任武昀將後半句說出來。

四皇子的那口氣就堵在胸口，上不去也下不來，他就不該對他抱有太大的希望！

「魏家那個老匹夫現在躲我們還來不及呢，更何況，她是女孩子，我是男孩子，我們怎麼可能見面？」

原來他還知道他們男女有別？四皇子嗤笑一聲，開口就要嘲諷，只是任武昀又道：「所以只有神不知鬼不覺地爬牆進去是最好的！」

四皇子沈默了，以任武昀的心性，就是勸說，說不定他說破了嘴也沒用，想到這裡，便道：「你不如回去問問外祖母，外祖母也不喜歡那些規矩，而且她好像很喜歡魏家那個姑娘，讓她接她到家裡住幾日，你想和她說什麼話不行？要不然你這樣去找她，她沒見過你，萬一叫起來驚動了魏府的人怎麼辦？」

任武昀偏頭想了一下。

「你說的好像是對的。」

「什麼好像是對的？本來就是對的，現在也不早了，我得趕緊回宮了，你也快回去吧！」

任武昀連忙騎馬往回趕，在路過前門大街的時候，偏頭一想，這都晚了，要是回去告訴母親，母親也只能第二天才去接人，要是魏家再推拖一二，說不定一時還接不出來，這麼麻煩，還不如他直接去翻牆呢。

想著，任武昀將馬頭一轉，就朝魏府跑去。

四皇子再聰慧，也只是一個十二歲的少年，以前還有愛護他的大哥在前面頂著，並沒有想過任武昀會中途變卦。

任武昀到魏府後院，輕輕一躍就進去了，只是他在後院逛了大半天還是沒找到魏清莛姊弟的院子，眉頭微皺。

任武昀轉身就要去找魏家那個老匹夫，卻聽到兩個小丫鬟低聲道：「……秋冷院那兩位都餓了兩天，還不送吃的去？他們也真可憐，嫡親的少爺、小姐，比庶出的還不如呢！」

「上面沒有吩咐，誰敢出頭？妳還是安分些，前夫人留下的人都被賣了，聽說還是賣給了名聲最不好的紅婆子。」

那個丫鬟低呼一聲，又連忙掩住嘴。

任武昀克制著自己的脾氣，想聽多一些，只是那兩個小丫鬟也知道說了不該說的，收拾了一下就離開了廚房。

任武昀低頭想了一下，從廚房裡隨手拿了幾個饅頭，小心地往後院的四角尋去。秋冷院，他剛才找過的地方沒有叫這個名字的，既然連飯都不給吃，那住的地方肯定也好不到哪裡去！

——本篇完

番外二　王廷日（一）

王廷日一開始是把魏清莛當妹妹看的，但感情是什麼時候變質的他也不知道，也許是因為相互扶持，也許是因為身邊只有這一個能說得上話的人，總之心思就是變了。

不過是八、九歲的孩子，比妹妹素雅還要小一歲，卻能撐起整個家庭，面對她，王廷日是既愧疚又羞慚。

偏偏他還什麼都做不了，他是一個廢了腿的人，他怎麼可能配得上表妹？何況，他身上還背負著血海深仇，他要為王家洗刷冤屈，將三房撐起來，就要捨去許多的東西。

魏清莛是個單純的人，她不會喜歡他這樣的生活的。

所以他只能隱在暗處護著她，做她背後的強盾，讓她以後的生活過得儘量的舒心。

他做得越多，卻將她推得更遠，他想要的太多了，王家平反，三房重新崛起，而她只希望照顧好桐哥兒，姊弟倆能夠舒心的生活。

隨著王廷日的生意越做越大，王廷日的野心也就越大，魏清莛則更偏向於平穩的生活，兩人之間不免有了矛盾。

王廷日知道，他曉得魏清莛也知道，但兩個人都沒說。只是王廷日派人積極的尋找礦脈和讓魏清莛培養可以代替她賭石的人，魏清莛則用金錢買了更多的地和莊子。兩人都不約而同地為自己留了後路。

他在桐哥兒身邊安排了人，莛姊兒對他也有了戒備。

只是可惜，那些人才跟了桐哥兒第一天就被莛姊兒抓出來了。

他安排人跟著桐哥兒並沒有和魏清莛提前報備過，他一直覺得他們姊弟有秘密，也許是出於嫉妒的心態，也許是因為好奇，他讓人暗中保護桐哥兒未嘗沒有打探的意思在裡面，這無疑加重了他與莛姊兒間的矛盾。

而疤三的事情發生時，他攔住莛姊兒，他本意是不想將事情鬧大，不想讓她手中沾上血腥，但莛姊兒顯然不能忍受疤三對桐哥兒的侮辱，甚至連那種齷齪的心思都不容許存在。

所以莛姊兒不僅閹了疤三，也第一次與他發生正面衝突。

魏青桐是她最在乎的人，王廷日知道他觸及到她的底線。

但他又無比的慶幸，她雖然很生氣，但似乎並沒有切斷兩人的關係。

那一段時間，兩人面上不顯，但關係實在是降到了冰點。

直到魏志揚回來，她將那種戒備轉移到魏家人身上，而他也開始不遺餘力的幫她，為了彌補，也為了出氣。

過後很長的一段時間裡，他無比地感謝魏志揚在那個時間回到京城，並且精準地惹火她。因為隨著之後的發展，他幾乎是將莛姊兒所有的恨意和戒備都拉過去了。

所以，他很快取得了她的原諒，即使她依然對他戒備，但比先前的情況要好得多。

於是，他就要為她做更多，他想方設法送她和桐哥兒進入岷山書院。

事情在不知不覺中就進入一個怪圈，他好像有些忘記自己的初衷了，似乎只是為了讓她消氣而做了許多的事。

任武昀就這麼突然地出現了，他承認他有些懦弱，看著任武昀待在她身邊，他連爭取的勇氣都沒有。那一段時間，他只能儘量將所有的精力放在四皇子身上。

但還是會時不時地偷偷去關注，直到莛姊兒被賜婚，直到新皇登基，看見她被人光明正大地護著，看著她笑得肆意，王廷日才知道，自己似乎並沒有想像的那麼悲傷，更多的卻是一種欣喜和放下。

母親不止一次的暗示他希望他能放下莛姊兒，重新找個姑娘成親生子，可她哪裡知道，他不願尋找，更多的是不願委屈了自己。

任武昀可以和莛姊兒在一起，他為什麼就要隨便找一個女子成親？除了雙腿有疾，他並不覺得他哪裡比任武昀差，所以，他要找一個自己心儀的女孩，再久，他也願意等。

可身邊的人還是誤會了，在他放下對莛姊兒的這段感情時，身邊的人還沒放下。母親、妹妹，似乎每一個人都不願意在他跟前提及莛姊兒，而每當莛姊兒那兒發生什麼事，她們就會緊張地看著他。

之後他不斷地給莛姊兒做靠山，做了一些事情，他是真心為莛姊兒考慮，但也不可否認的是，他在其中也有算計；是不是母親覺得他對莛姊兒餘情未了，就不會太過逼迫他成親生子？

這就是他王廷日，雖然他不是有心算計，但做每一件事的時候，心裡還是會忍不住算計一二，引導著事情朝自己最有利的方向發展。

在看到莛姊兒衝著任武昀毫無顧忌的翻白眼時，他就知道，其實她最適合的還是任武昀，因為只有任武昀不會算計她，也只有她不會去算計身邊的人。

他一直在等著他認為對的那個人出現，幾乎在自己都以為等不到的時候她就出現了。

王廷日第一次見到孔瑩，就覺得這女子微微仰著的頭顱一定很累，明明心裡在流淚，偏眼睛嘴角都帶著笑意，那時候他心裡在想些什麼呢？是了，想這女子如此表裡不一，也難怪要受罪。

王家與孔家同在山東，孔家與王家皆傳世幾百年，所以是世交，這次他是應孔家六房的六郎邀約到孔家做客，進府的時候正巧碰到孔家三房的姑奶奶大歸，當時他雖未見到人，但聽孔六郎惋惜地道：「瑩堂妹才嫁過去就大歸了，家廟中又多一形容槁木的女子了。」

孔家與王家不一樣，孔家自持聖人之後，家中從無再嫁之女，無再醮之婦，守寡的出嫁女若是沒有兒女，就會大歸回娘家進家廟。

王廷日很不喜歡孔家的這個規矩，但也不好議論，只是沒想到第二天好友就氣呼呼地和他說：「劉家簡直不知所謂，我孔家的女兒豈是他們能算計的？之前讓瑩堂妹沖喜也就算了，現在竟然還想讓瑩堂妹回劉家守寡，他們也不看看他們配不配。」

王廷日就不客氣道：「難道你們孔家之前不知道你堂妹是去沖喜？你們不還是應下了這門親事？再說了，回你們孔家又有什麼好的？進了家廟，還不是生不如死，留在劉家守寡，說不定日子比在孔家家廟中還要自在得多。」至少在夫家守寡，也許只是不能穿豔色的衣服、受些委屈，但在孔家的家廟，一飲一食都要看人臉色，甚至終年不聞葷腥，被困在一方小天地中。

孔六郎被噎得說不出話來。

但沒過多久王廷日就知道這位孔姑娘為何才守滿丈夫的熱孝就跑回娘家了。

王廷日喜歡找蔭涼的地方坐著看書，有樹叢擋住，正在與自己的小廝計劃著如何留孔瑩在劉家守寡，並且勾搭住孔瑩的劉方並不知道自己的話被人聽去了。

王廷日坐在輪椅上，只覺得這位孔姑娘也真夠可憐的，幼年喪父喪母，剛嫁人又喪夫，如今又被劉家人這樣算計。

可他沒想到，只第二天就親眼看見她拿著木棍帶著自己的貼身丫頭藏在假山後，劉方才出現她就一棍子將人打暈了，他看著她和她的丫頭將人綁起來然後蒙上眼睛，之後就用兩指長的針狠狠地扎了對方幾下。每一下都在不明顯的位置，每扎一下她臉上就凶了三分，最後臨走前還狠狠地踢了對方好幾腳。

那時候他只覺得若是莛姊兒在這裡，她們一定能成為好朋友。

他身下的輪椅不穩，微微發出了一點聲音，她就像受驚的小鳥一樣跳起來，四處張望。

王廷日見她嚇壞了，只好滑著輪椅出現，笑道：「孔姑娘，在下對孔家不熟，不知前廳如何走？」

孔瑩的貼身丫頭警惕驚疑地看著他，王廷日對腳下的劉方視而不見，只是笑問：「還請姑娘幫忙告知。」

孔瑩驚疑不定地看了他一會兒，就指了指一個方向。

王廷日點頭道謝，就滑了輪椅要走，轉過身的時候道：「這兒的花應該剛澆過水不久。」說著，滑著輪椅就離開了。

孔瑩趕忙低頭去看，卻見自己所站的地方留下了自己的足跡，而且那些泥土還沾上了鞋底，她也沒心思去理會劉方了，連忙帶著丫頭將行跡清理乾淨就急匆匆地離開了。

春紅很是不解。「姑娘，若是那位公子說出去怎麼辦？您在劉家已經夠艱難的了，若是再傳出這樣的事，我們在劉家可怎麼活呀？」

孔瑩不在意地道：「那人不會說出去的，不然就不會提醒我們了。」

春紅想想也是，感慨道：「只不知這位公子是誰，沒想到三老爺請來的人中還有好人。」

孔瑩低下頭，黯然道：「他不是三老爺請來的人，好像是來看六房的人，不過是巧合罷了。」

春紅吐吐舌頭，六房，那可是嫡支，不是他們旁支可比的。

孔瑩回到自己的房間，聽前面鬧起來，就知道劉方被發現了。

在孔家發生這樣的事是一件非常嚴重的事，畢竟，孔家是詩禮之家，竟然讓親家和客人在自家的後花園裡被人綁起來打了一頓。

這件事連孔家的家主都驚動到，劉家鬧得有點大，所以就有幾個人去查。

孔瑩忐忑地在屋裡聽消息。

那些掩蓋過的痕跡一看便知，只是方向到底是往哪裡去卻不得而知了，但可以看得出那人一定是孔家的人，因為那人的痕跡是往孔家後院去的。

孔家人的臉上更難看了。

王廷日坐著輪椅在一邊看著這齣鬧劇。

劉家的一人突然「咦」了一聲，拉了孔家三房的二郎指著地上的痕跡道：「你看這是什麼？」

三房的二郎仔細地看了一下，道：「好像是車輪子，但也不像啊，什麼車這麼小？」

劉家的人就看向一邊看熱鬧的王廷日，孔家的人也看過來。

王廷日冷笑一聲，直直地回看過去。

劉家的人本以為王廷日會主動解釋，誰知道王廷日只是這麼看著他們，他們不問他也不說，場面的氣氛一時有些凝滯。

孔家的人就出來打哈哈，見雙方臉上有所緩和之後才問道：「王公子往這裡來過？」

王廷日點頭。「飯後散步，就過來走走的，見這邊杜鵑花開得不錯，就過來看看。」

眾人這才看見，前面不遠處就有一片杜鵑花，的確長得漂亮，對王廷日的說辭就信了三分。

只是劉家人心中不忿，冷哼道：「走？只是不知王公子是如何走的？」

孔家的人怪異的看了那人一眼，孔家人表面涵養到底夠，也就只有幾個養氣功夫不到家的子弟如此，孔家家主和三房的房主都歉意地朝王廷日看去。

王廷日則看著那人問道：「你這是嘲笑我是廢人？」

那人臉上一滯，眼睛閃爍，到底不敢明說，冷嘲熱諷是一回事，畢竟沒點明了說，可若是點明了說，劉王兩家的交情還要不要了？

王廷日就算是個廢人，那也是個有本事的廢人，如今他是王家三房的掌家人，三房又是嫡支，聽說現在王家家族裡都屬意他為下任的族長。

王家和孔家，劉家根本是比不了的。

王廷日淡淡地轉開目光，對孔家的家主道：「我是剛吃完飯出來的，只在杜鵑花那裡停留了一下就走了，劉家的人若是懷疑，家主可以將在飯廳值班的人找出來問問。這裡雖偏僻，但到底不是人跡罕至之地總能找到人的。」

孔家家主點頭，對三房的房主道：「如此，這事就交給你去辦，務必將那人找出來，給劉家一個交代。」

其實大家都知道不是王廷日。王廷日和劉家又沒仇，而且以王廷日的段數，他要收拾一個人，還用得著這樣幼稚的手段？

劉家的人找他的麻煩，不過是羨慕嫉妒恨罷了。

王廷日並不生氣，這樣的小事還不值得他生氣。

他感興趣的是，那個打人的女子如今是如何的呢？

王廷日輕笑一聲。

在暗處跟著的王四則是眼睛晶亮晶亮的，少爺竟然會對表姑娘以外的女人感興趣，他決定要好好的查一查這個孔瑩。即使對方是已婚婦女，但早上他們過去的時候不是說了？劉家是來和孔家商議以後孔瑩在哪邊住的問題。孔瑩，如今是孀居。

別說她只是個寡婦，王四覺得只要對方不是還和丈夫你儂我儂的女子，他都願意去查一查。

孔瑩正急得團團轉，春紅趕回來，將門關了，低聲道：「姑娘，劉家的人因為劉方老爺被打的事正惱著，所以就沒再提您的事，孔家這邊也沒再提。」

孔瑩鬆了一口氣，緊張地拉著春紅道：「春紅，妳說以後我們真的要一輩子對著青燈古佛嗎？」

春紅心裡微痛，抱著孔瑩哭道：「姑娘，要是我們家老爺和太太還在，他們一定不會讓您吃這樣的苦，三老爺心太狠了，您可是他的親姪女啊。」

孔瑩也覺得心裡難受得緊，她小時候也是進過家廟，那時候父母還在，她調皮，跑著跑著，不知怎麼就跑進了家廟。她只看見五、六個尼姑在裡面打掃庭院，她們臉上麻木的神色嚇了她一跳，當時她還不會掩蓋神色，只是一嚇，她就哭出聲來。

到現在她都還記得那些人聽到哭聲看過來的眼睛，空洞而麻木。她連著作了五天的噩夢，這才慢慢地好轉，以後再也不敢去家廟了。沒想到將來她會在家廟裡過剩下的一輩子。

王四興沖沖地調查，第二天，拿著一張薄薄的紙，幾乎想要仰天大笑。孔瑩竟然是進門第三天就死了丈夫，別說是圓房，對方壓根兒就一直在昏迷著，連牽一下手的可能都沒有，世界怎麼會如此美好?老天果然待他家少爺不薄。

王四轉身高興地拿著那張紙去找王廷日。

「你去查這個做什麼?」王廷日面色古怪地看著王四。

王四板著臉道:「少爺,該出手時就出手,當年表姑娘就是一個教訓。雖然孔姑娘嫁過人,但好在只是一個形式,和黃花大閨女也不差,您要是不好意思說,我們就讓老夫人出面如何?」

王廷日張大了嘴巴。

王四當機立斷地給京城的謝氏去了一封信。

謝氏知道自己的兒子看上了一個遺孀,一時心裡複雜無比。雖然對孔瑩的身分不大滿意,但當初自己覺得只要兒子肯成親,別說是寡婦,就是帶著孩子她也願意的。

等看到後面孔瑩並沒有圓房時心中直鬆了一口氣,那一點不滿就消失了,可是當看到她是孔家的人時,心頓時又提起來了。

孔家是什麼人家?孔老夫子的後人,他們家的姑娘和媳婦就沒有再嫁的,大歸的、守寡的,要是有孩子就跟著孩子過活,要是沒有,就送進家廟。

謝氏只覺得前路艱難。

想了想,她就給魏清莛去了一封信,她想見見桐哥兒的先生孔言措,孔言措是孔家嫡支,且因學識出眾,在族中還有威望,若他願意為王家做說客,這件事就成了一半。

任武昀聽說王廷日看上了一個寡婦,當場仰頭長笑三聲,對瞪大眼睛看著他的魏清莛道：「王廷日他總算要成親了。」

魏清莛沒好氣地道：「婚事還沒說定呢，沒聽舅母說嗎？現在正要找孔先生幫著說情呢。」

任武昀就瞪眼道：「誰敢攔著？我朝律法可是明文規定，再嫁是由自個決定的。」

「是啊，」魏清莛翻了個白眼。「只是我想知道，在這些事上什麼時候律法可以戰勝家族了？」

任武昀張張嘴，頓時說不出話來。

番外三　王廷日（二）

在王廷日還沒反應過來的時候，孔言措就急匆匆地回了孔家，和孔家家主關在書房裡說了一個下午的話。晚上孔言措甩門而去，孔家的家主卻坐在書房裡待了一晚上。

第二天，孔家家主請來了王廷日，直將王廷日看得頭皮發麻，這才嘆道：「也不是我不願成人之美，祖上的確沒這麼多規矩，可如今大歸的姑奶奶進家廟幾乎已經成了規矩，賢侄還是回去吧。」

王廷日張大了嘴巴，一時說不出話來。

孔家家主見了微微一嘆。說起癡情，王家是幾個世家裡最易出情癡的家族。看來這王廷日是對自家那個姪女癡情起來了。

看到孔家家主眼裡的同情，王廷日張張嘴，到底還是沒說這是個誤會。孔瑩已經夠艱難的了，他知道，三房的房主和劉家都想將孔瑩留在家裡守寡，這時候傳出有關他的流言，別人最多說一句他王廷日癡情，可若是他否認了，那麼換過來就該議論孔瑩不甘寂寞勾引他，偏還沒成功的話來，孔瑩怕是連進家廟的機會都沒有了。

但在孔家家主看來，王廷日的沈默更加坐實了這件事情。孔家家主難得的對那個姪女有些同情起來，若是當時她在訂親之前見到王廷日就好了，以王廷日現在的地位，想要求娶孔瑩還是綽綽有餘的。

只是，世事弄人。

王廷日回到客房，當即低喝道：「王四，你給我出來！」

王四就從陰影裡走出來，鼓勵的看向王廷日。「少爺，您別擔心，孔家家主現在不同意，只要我們堅持，孔家總有鬆口的一天。」

王廷日指著王四說不出話來，氣道：「你到底做了什麼？」

王四眼裡閃過笑意，卻很快掩去，故作不解地道：「我沒做什麼呀，只是給老夫人去了一封信罷了。」

王廷日就知道完了。

果然，過幾天王家的一位長老過來找他，暗示他天涯何處無芳草，然後還要替他作媒，當然，最要緊的是希望他能快點成親，為王家三房誕下嫡子。畢竟，王家嫡支不算多，要是三房再斷了後嗣，那王家的嫡支就更少了。

王廷日全程都沈默著，這讓所有人都覺得王廷日對孔瑩用情至深，最後連劉家和孔瑩都知道了。

孔瑩只是面色古怪。

劉家卻是暴跳如雷，特別是劉方，他一口咬定當初就是王廷日打的他，一定是因為他看上了孔瑩，和他們劉家過不去，這才專門打了他。

這樣一番猜測還真有一點可信度，一時大家看向王廷日的目光都有些奇怪。

孔六不好意思道：「讓你過來看我，結果卻讓你陷入這樣的麻煩中，是我的不是。不過，你真的不考慮放棄嗎？我那堂妹雖然不錯，但劉家未必肯放。」

王廷日聽著前面本來還想跟好友解釋，聽到後面一句話立馬轉口道：「他劉家是什麼東西？再嫁看的是自己的意願，什麼時候劉家也能代孔姑娘做決定了？」劉家這幾天在他面前上竄下跳的到底是惹著他了。

孔六愈加同情，看，連劉太太都不願叫，直接就叫孔姑娘了，人家可是嫁過人的，不算姑娘了。

王廷日只當沒看見，扭過頭去。

孔瑩越發沈默下來，春紅高興地轉悠了幾天，天天將外頭最新的消息傳遞回來，開心道：「姑娘，照這樣進展下去，說不得家主真的同意您嫁給王公子呢。」

見孔瑩不說話，春紅好奇道：「姑娘這是怎麼了？我們可以不去家廟了，姑娘不開心嗎？」

孔瑩道：「我不知道這些話是怎麼傳出來的，但我看必定不是王公子的意思。妳說，會不會是當時在花園裡我們連累他了？而他不好出來解釋就是怕我們被查出來？」

春紅頓時不說話了，良久，方感慨道：「沒想到王公子是這麼好的人，難怪六公子會和他做好朋友呢。」

「可如今我們卻是在害這個好人。」孔瑩的情緒有些低落。

春紅的眼睛頓時有些飄忽起來，道：「可是姑娘，要是不這樣，我們就要被送進家廟的，如今又出了這樣的事，王公子要真的出來否認了，外頭還不知道怎麼說您呢，到時……」

孔瑩的眼裡滿是寒光。「毒酒白綾未必就比去家廟差。」

春紅打了一個寒顫，有些膽怯地看著孔瑩。

孔瑩垂下眼眸，道：「我不想連累別人，我們都要走了，怎麼還能欠別人的人情呢？」

孔瑩拉著春紅的手道：「於我來說，毒酒也沒什麼不好，妳想個辦法讓我去見一見那位王公子吧。」

春紅瞪大了眼睛。「姑娘，這、這怎麼可以？」

「有什麼不可以的？要是我不說清楚，只怕他就糊裡糊塗地認下這件事，與其讓劉家去和他鬧，不如解釋清楚。」見春紅眼裡有懼意，孔瑩拉著她的手道：「妳不用擔心，我早安排好了，回頭我把妳的賣身契給妳，我用我的嫁妝給妳在外頭置辦了宅子和鋪子，時間太急，我也沒來得及給妳找個婆家，以後妳要自己看清楚了，可別被人騙了。」

王廷日詫異地看著站在眼前的人，見她雙手緊握，知道她很緊張，微微一笑，帶著些安撫道：「孔姑娘找我是有什麼事嗎？」

孔瑩吞了一口口水，閉了閉眼，抬頭認真地看著王廷日，道：「王公子，多謝你的幫忙，只是沒想到給你惹來這麼多的麻煩，真是對不起。」

孔瑩來見王廷日，一來是想當面感謝他，在她有限的生命裡，他是除了父母和春紅之外對自己表示善意的人。二來，她不想再拖累他，想和他說清楚，到時她扯開的時候他也可以乘機解釋清楚。

王廷日聽她磕磕巴巴地說完，詫異地揚眉，見她眉眼間帶著死寂，眼裡卻充滿堅定，堅硬的心難得的一軟。

王廷日低低地笑了兩聲，道：「妳怎麼知道外頭人誤會了呢？說不定我是認真的呢？」

孔瑩愕然。

王廷日真誠地看著她，道：「我是認真的，不過我當時怕妳嫌我殘破之軀，這才沒敢說。只不知外頭怎麼傳出去，卻是我連累妳了。」王廷日說著就真誠地給孔瑩道歉。

孔瑩張大了嘴巴，王廷日看著好笑。

王廷日含笑道：「妳若是願意，我立刻就向妳叔父求娶，定不會讓妳受了委屈。」

孔瑩的心頓時就亂了，她有些渾噩地回了自己的院子。

三房的房主正好看見，眼底有些暗沈。

孔家以書傳世，而王家以勢傳世，相比於孔家，王家更加不拘一格。在孔家，像王廷日這樣身體有殘疾是不可能成為家主，而在王家卻可能。據他所知，如今王家最有可能成為下任家主的就是王廷日，若是他們這房的人能成為王家家主的妻子，他想想心都熱了起來。

要知道三房並不是嫡支，而他們這輩又沒有什麼傑出子弟，在孔家，三房幾近於透明。心中有了思量，三房房主頓時露出志得意滿的笑容。

孔瑩才回到自己的房間，嬸娘就親自帶了人過來。

孔瑩和春紅都嚇了一跳，春紅有些心驚膽顫地立在一旁，孔瑩剛開始心中還有些膽怯，但又一想，自己已經是將死之人，又還有什麼怕的？想著，神情就坦然起來。

嬸娘見了心中冷笑，八字還沒一撇就得瑟起來，只是面上不露，讓丫頭們將東西拿進來，笑道：「這是妳叔叔讓我帶過來的，妳從劉家回來，身上也沒帶多少東西，這些是給妳用的，回頭我再叫裁縫過來給妳做兩身衣服，妳有什麼想要的只管和我說，妳是大歸的姑奶奶，就和以前做姑娘是一樣的。」

孔瑩愕然，嬸娘的態度怎麼會這麼好？

春紅也驚疑地看著孔瑩，不知道三太太又想幹什麼。

等嬸娘走了，孔瑩才回過神來，看著托盤上的東西，遲疑的問道：「春紅，剛才是嬸娘過來了？」

春紅肯定地點頭。

這些事情孔家三房的房主並沒有瞞著王廷日，還特意讓他聽到了。王廷日就了然地一笑，對王四道：「好了，如今你們最大的阻力也去掉了，想做什麼就去做吧。」

王四嘴角抽抽，這話說的好像娶妻的人是他一樣。

王廷日在棋盤上落下一子，道：「你說我要是請族長親自來給我作媒如何？」

王四額角跳了跳。

誰都知道王廷日和王家族長不和，前任族長在王公故去之後一直對王廷日照顧有加，但新任族長上任後卻斷了對王廷日一家的供給，之後更是數十年不聞不問。

王廷日風光回歸，還給王氏族人再次出仕的機會，現在他作為家主的呼聲日益增多，可以說兩人現在就仇人相見分外眼紅的存在，而王廷日竟然要請他來作媒。

王廷日滑動著輪椅，道：「我既要娶她，自然要幫她在王家立足。」

王四頓時低下頭去。

孔瑩還在猶豫，春紅也察覺到了什麼，臉上的恐色去了一些。

孔瑩翻來覆去的睡不著，猶豫道：「妳說那王公子是真心的？」

「自然是真心的。」春紅肯定道。「姑娘，那王家公子以後可是家主呢，咱們有什麼好圖的？」

說的也是，只是這樣一來，孔瑩的心更亂了。她沒想到沒兩天王家的族長就親自上門來幫王廷日作媒。

孔家的家主對上王家的家主，兩位家主良久無語。

王族長輕咳一聲，道：「我們王家是誠心的。」

孔家主嘴角一抽，就看向老實坐在一旁的王廷日，遲疑道：「只是她畢竟已經嫁為劉家婦……」

王族長道：「我聽說她已大歸，而且不管婆家、娘家都不可干涉婦女再嫁的。」

孔家主抽了抽嘴角，那不過是寫在文書上的法律罷了。只是他也說不出什麼來，點頭道：「既如此，那我就問問她的意思。」

王族長點頭，這是應該的。

孔瑩就被嬸娘拉著低聲囑咐。「等一下家主派人來問妳，妳可一定要答應下來，妳要知道，這件事鬧得沸沸揚揚，妳要是嫁進王家還好，劉家必定不能拿妳怎樣，可要是妳嫁不進去，那劉家要如何，到時妳叔父也幫不了妳。」

孔瑩白了臉。

嬸娘笑道：「妳也不用擔心，誰不知道王氏族長和王公子不和，他能請王族長來提親，可見他對妳的看重。」

孔瑩就垂下眼眸。

等孔家主派人過來的時候，孔瑩沈默了片刻，抬頭道：「他若是真的看上我這個人，我就願意嫁。」並不是嬸娘想的沈默以對。

王廷日佩服她的勇氣，讓人回了話給她。「我也只看得上妳。」

孔瑩的嘴角就高高的翹起來。

劉家氣得跳腳，叫囂著讓孔瑩給劉家守孝。

王廷日冷哼一聲，他還沒計較劉家的算計呢，他們倒先跑出來了。

對劉家囂張的態度，孔家主也有些不滿，所以對王廷日的動作睜隻眼閉隻眼，當做沒看見了。所以沒兩天，劉家的人就火急火燎地離開了。他們知道家族裡出了事，那些事多半是王廷日動的手腳，偏他們沒有證據，一時沒有辦法，只好忍氣吞聲地離開了。

謝氏心急，哪裡還有時間慢慢地議親、下定和議期？直接就讓人過來下定，為了方便，還從京城回了本家，打算就近打理王廷日的婚事。

等魏清莛收到消息的時候，才知道王廷日已經抱得美人歸。

任武昀就特意去和皇上請假要去參加王廷日的婚禮。

任武昀見到王廷日，就笑著推了推四個兒子，揮手道：「去，給你表舅壓床去。」

四個孩子歡呼一聲衝進了洞房。

謝氏笑盈盈地看著，只盼來年孔瑩也能為她生一個大胖小子。

王廷日笑笑，從輪椅上站起來，道：「明天還請妹夫騎馬隨我去迎親。」

任武昀詫異地看著他的雙腿。「你不坐輪椅了？」

王廷日搖頭。「我的腿可以支持一段時間的。」王廷日的腿不能長時間的站立和走動，而且也出於心理微妙的感覺，他一直都不願意用雙腿在人前走路，都是坐著輪椅。

明天畢竟是自己唯一一次成親，他不希望出什麼事。

所以當孔瑩第二次披著蓋頭等新郎官來接的時候，就聽到外面一聲驚呼，心頓時提了起來。上次也是這樣，外面一聲驚呼，她才知道原來自己的未婚夫已經病得人事不省，來迎親的是他大哥劉方，她是要進門沖喜的。現在又聽到驚呼，孔瑩的手頓時抓緊身下的裙子。

春紅卻興奮地跑進來，高興地叫道：「姑娘，姑娘，姑爺親自來迎娶您了，還是騎的高頭大馬呢，姑爺是自己走進來的。」

話在腦子裡過了兩、三遍，孔瑩這才明白春紅的意思，有些猶豫道：「妳的意思是說王公子他，他能站起來？」

春紅打心裡為自家姑娘高興，狠狠地點頭道：「外頭的人說公子的腿早就好了，只是他覺得坐在輪椅上威風，所以一直坐在輪椅上讓人推的。」

若是以往，孔瑩一定會覺得對方吃飽了撐的，此時她卻只覺得滿心的歡喜。她自然不會認為王廷日的腿真的好了，畢竟，要是好了他怎會不出仕？他一定是為了她，這才忍痛站起來，心下更是感動。

孔瑩能想到這點，外頭的人自然也能想到。那些男子也罷，只是暗地裡猜測那孔瑩到底是怎樣的絕色女子，這樣讓王廷日犧牲？

孔家主滿意地一笑，讓王廷日順利地接到了新娘子。

王廷日身後的迎親隊一露出，本來還有些笑話孔瑩再嫁的孔家女頓時更不是滋味了。先不說任武昀，就是竇容和陶揚單獨拿出來也是一方雄霸，更何況還有孔家和王家的幾個英傑，不看王廷日如何，但看王廷日能請這些人過來幫忙，就可見他對孔瑩的看重了。

雖然是再嫁之身，卻比第一次嫁人還要隆重十倍不止，就算是長房的嫡長女也沒有這個規模，一時羨慕的有，嫉妒的有，坦然的也有。

孔瑩現在哪還有心思思量這些，只是紅著臉小心翼翼地隨著媒婆的指令坐上花轎，春紅就在她耳邊低聲說著四周的情況。

雖然是第二次拜堂成親，但因為規模和第一次不一樣，心情也不一樣，所以孔瑩也如所有的新嫁娘一樣有些慌亂。

番外四　王廷日（三）

新婦第二天認親，謝氏見孔瑩臉上的紅潤和羞澀，心就放回了肚子，過後和女兒王素雅道：「妳哥哥總算願意成親了，等他有了孩子，我這一顆心就算是全都放下來了。」

王素雅也是特意為了哥哥的婚事趕回本家的，聞言笑道：「娘這下可以放心了，等嫂子回門之後我們就一起回京城。」

謝氏點頭，多年不在本家居住，即使三房的房屋還留著，她還是覺得京城住著比較舒心些。

等到孔瑩回門之後，一家人就決定上京城。

孔瑩的叔父想要借王廷日的勢，卻不知道王廷日對他心中不喜。當初孔家和劉家定的這門親事本來就是孔瑩有些吃虧，等到劉元病重，需要沖喜的時候又將孔瑩推出來，他從劉家換到的利益自己獨吞，卻不肯接納大歸回來的孔瑩，要想王廷日對他多有好感是不可能的。

如今他希望能透過王廷日做珠寶生意，王廷日冷笑一聲，他並不介意幫他引薦幾個人，只要他有那個本事駕馭。

孔瑩並不知道王廷日這樣做是為她出氣，只是見叔父三天兩頭的登門，她心中就有些擔心，歉意地看著王廷日，問道：「叔父是不是求你辦什麼事？你也不要隨便答應，要是、要是不合適，就不要幫他……」孔瑩有些擔心地看向王廷日，怕他以為她是一個薄情寡義的人。

王廷日笑道：「不是多要緊的事，叔父不過是想從事珠寶生意，讓我給他介紹幾個夥伴，我正好認識幾個，不過是幫著引見罷了，能不能達成合作卻要看他們各自的意思。」並沒有告訴她叔父還想從他這裡拿貨的意思。

孔瑩這才鬆了一口氣。

王廷日拉了她的手道：「這些事情我們都別管了，母親說她以前跟隨父親走過不少地方，這次回京城，時間充裕，我們就一路遊著回去，妳路上要是有什麼想要去的地方只管說，我們路上停一停。」

孔瑩眼睛頓時一亮，她以前就最喜歡看各地的地志，如今見有機會遊玩那些地方，心中都有些激動，雖然只是其中的一、兩處，不過是從山東到京城罷了，但對以前的孔瑩來說依然是作夢都不可能的事。孔瑩雙眼亮晶晶的看著王廷日，遲疑道：「真的可以嗎？」

「當然。」

謝氏當年就隨王父走過這些地方，現在再走，一時心中複雜，腦海中都是當年的情景，哪裡還有時間去管王廷日小倆口。

等回到京城的時候，謝氏收拾好心情後，才發現小倆口的感情急劇升溫。謝氏欣慰，就打算讓孔瑩接手王家的中饋。

「我們家人口不多，外頭的事有廷哥兒打理，倒不用我們操心，府裡倒沒多少事，只是妳沒管過家，從明天開始妳就跟在我身邊，等以後妳上手了，我也能歇一歇。」

孔瑩應下。

第二天一大早孔瑩從床上爬起來，王廷日攬住了她，將她壓在自己的身下，低聲道：「起那麼早幹什麼？」

孔瑩紅著臉道：「今天母親讓我跟著她學管家，我要起早一些……」

王廷日已經含住她的嘴，大手伸進她的衣服裡，含糊不清地道：「那也沒這麼早的，我們先幹點別的……」

孔瑩根本來不及拒絕。

等她再起床時，外面天已經大亮，她急急忙忙地將王廷日推開，披起衣服，有些惱怒地瞋了他一眼，她不知道這時她臉頰通紅，眼角眉梢帶著媚意，嗔怪的一眼卻是無限風情。

一向覺得情慾寡淡的王廷日也不由地咽了一口口水。

春紅等人早就拿了東西在外面等著，水早已經換了四遍，聽到動靜，春紅連忙讓人將剛送來的熱水抬進去。

孔瑩紅著臉任春紅給她梳洗。

春紅將孔瑩的衣服收起來，中途好像想到了什麼，眼睛頓時一亮，伏在孔瑩耳邊道：「姑娘，不是，夫人，您的小日子遲了有半個多月了……」

孔瑩心中一跳，強制鎮定道：「前些日子趕路，小日子遲些也是有的。」

春紅有些失望，但想想自家姑娘嫁過來也不過才兩個多月，並沒有什麼急的。

春紅快速地幫孔瑩收拾好，本來就已遲了，孔瑩也沒吃早餐，帶著春紅先趕過去了。

王廷日微微皺眉，指著一個盤子裡的點心對春紅道：「用荷包裝了，回頭趁空給妳夫人用一些。」

春紅見王廷日這樣關心孔瑩，心中高興，就開心地應了一聲，半路上就將荷包拿出來喜孜孜地道：「夫人，您看，大爺怕您沒吃早餐餓著，特意讓我帶了給您吃。」

孔瑩臉上一紅，腳下加快了步伐，道：「還是快些走吧，別讓婆婆等久了。」

謝氏對兒子院子裡的事也知道，聽說他們夫妻感情好，謝氏心中高興，待看到孔瑩，忙招手笑道：「快過來。」

孔瑩連忙請罪，謝氏就笑道：「我也是剛到，快過來坐吧。」

孔瑩自然不會坐，就站在謝氏身後伺候著，中途抽空吃了兩塊點心，雖然覺得有些反胃，還是強撐著嚥下去了。

等到中午的時候，謝氏就留了孔瑩吃飯。

謝氏的飯食一向比較清淡，今天還是因為孔瑩留在這裡用膳，特意讓人做了紅燒羊肉。

孔瑩要服侍謝氏用飯，謝氏就揮手道：「我們家沒這些規矩，快坐下吧，吃完了飯就下去休息一會兒。」

孔瑩給謝氏挾了兩筷子，這才坐下。

謝氏想了想，就給她挾了一筷子紅燒羊肉，道：「如今是冬天，多吃些羊肉好……」

孔瑩只覺得一股氣直衝自己而來，胃一陣翻滾，她強壓住不適，但還是忍不住掩住嘴巴。

謝氏見了一愣。「我見妳上次吃羊肉的時候還是很喜歡的啊……」想到了什麼，謝氏眼睛一亮，對下人道：「快去請大夫。」

孔瑩脹紅脹紅了臉，連忙揮手道：「母親，我不要緊的，休息一下就好了。」她不敢說可能是早飯沒吃的緣故。

「那怎麼行？身體不好就要看大夫，而且大夫就養在府裡，過來也不要多長時間。」

孔瑩就紅著臉低下頭，她覺得大夫一看就肯定知道她早餐沒吃的事，這樣一來好不容易在婆母面前立起的好印象就沒了。

只是形勢讓她來不及阻止，謝氏已經讓人將孔瑩扶到榻上去休息了。

大夫很快就來到，他小心翼翼地給孔瑩把過脈，左右手換了一下，又看了一眼桌上還來不及撤下的食物，笑道：「老夫人放心，夫人沒事，不過是早餐沒吃，午餐乍然看見這油腥的東西反胃，只要改善一下飲食即可，不過接下來的兩天可能會有些難受，夫人要多加注意才是。」

謝氏心中有些失望。

孔瑩則是脹紅了臉，小聲道：「不要緊的，只是早上胃口不大好，這才不吃的。」

誰知大夫卻板了臉道：「夫人這樣是不對的，您現在是孕婦，就算是再不想吃也是要用一些的，不然大人受得，胎兒也未必受得。」

謝氏和孔瑩嚇了一跳，異口同聲道：「你說什麼？孕婦？」

「是啊，」大夫遲疑道：「難道老夫人和夫人不知道嗎？我還以為夫人在路上看過大夫了。」孔瑩的脈象已經明顯，所以他以為他們回京的途中已經把脈過了，這次急匆匆地將他叫來，屋內的擺設待遇顯然是對待孕婦的態度嘛。

謝氏心中大喜，讓大夫下去開藥，轉身對孔瑩道：「妳有什麼想吃的告訴春紅，讓春紅去廚房裡叫。對了，以後妳要燉些湯品什麼的，還是有自己的小廚房好，我讓人在妳院子裡弄個小廚房。」說著風風火火地就要下去安排。

孔瑩根本就攔不住。

王廷日在書房裡坐了一下，聽說後面在請大夫就微微皺了眉頭，聽說是為孔瑩請的，一時間有些後悔起來。他今天早上不該貪歡的，想了想，還是起身去了後院。

才走進院子，院裡的丫頭們都喜氣洋洋地衝他道喜。

王廷日一時摸不著頭腦，還沒來得及問，就聽到裡頭母親吩咐的話，王廷日只覺得大腦「轟」地一聲炸開，一時呆愣在原地。

謝氏出來，就看見呆呆的立在門邊的兒子。

她何時見過聰慧的兒子這副樣子？就笑著推了他一把，道：「還不快去看看你媳婦，只管在這兒站著做什麼？」

屋裡的丫頭見王廷日進來就紛紛退下，將空間讓給了夫妻倆。

孔瑩紅著臉看他，今天她的臉色都沒正常過。

從前院到後院，又在門口站了半晌，王廷日的腿也有些累，他順勢坐在孔瑩身邊，有些驚奇的看著她的腹部，指著她的腹部道：「這是，孩子？」

孔瑩點頭。「大夫是這麼說的。」

「那，」王廷日咽了口口水，緊張道：「有多大了？」

「大夫說有四十來天了。」

王廷日的眼睛就越發的明亮了，小心翼翼地伸手摸了摸孔瑩的腹部，感受了一下，只覺得一顆心都軟了。

孔瑩見了，眼角也微濕。她在嫁進劉家的時候就死了心，以為這一輩子都沒了指望，恐怕就那麼過了，可誰知道王廷日會突然降臨在她的生命裡。現在她不僅有了全新的生活，甚至還有了孩子。不管以後還會遇到怎樣的磨難，孔瑩覺得，這一切都值了。

王廷日卻覺得神奇，他竟然也有了孩子，就像小老虎和三胞胎一樣軟軟小小的孩子。

小倆口就在屋子裡相依在一起，低聲的說著孩子的將來，謝氏站在門邊聽了一下就轉身離去。

——本篇完

番外五　魏青桐（一）

魏青桐看見苗安素的時候，苗安素也看見了魏青桐。

她從沒見過這麼漂亮的人，就是女人也不曾見過。一向最愛美的事物的苗安素，眼睛頓時離不開魏青桐了。

魏青桐只覺得她的眼睛亮晶晶的，好像小時候的白白看見嫩青草的樣子一樣，嗯，和三個小侄兒看見窩絲糖的表情也差不多，只不過比那還要熱切一些。

秉著友好原則，魏青桐首先衝她微笑點頭，就見她的臉霎時紅了，就如同傍晚天邊的彩霞一樣，說不出的好看。

魏青桐一時間也看愣了，還是身後的阿力提醒了一句，魏青桐才醒過神來，他衝苗安素點點頭，才快步離開。

苗安素情不自禁地追了兩步，雪鶯連忙攔住她。「姑娘，我們該回去了，三公子只怕在前面等著了。」

苗安素呆呆地看著魏青桐離開的身影，問雪鶯。「妳說我們還能見面嗎？」

雪鶯知道自家姑娘的脾氣。「那位公子可能是聽聞福龍寺的名聲才過來的，以後說不定他還會來的。」

苗安素的情緒頓時失落下來。「妳也說了他是衝著福龍寺來的，那他現在都看過了，以後還來幹什麼？」

「話不能這麼說，姑娘和公子們不也來過福龍寺了？結果還不是常常來？這次他來是為了遊玩，下次可能就是求籤來的，再下次也可能是為了詩會來的，總之來這裡的理由多了去呢。」

但他是外來的人，我卻是這裡土生土長的人啊！這句話苗安素到底沒說出口，也許她的內心還是帶著一些希望的。

苗安素只好隨著雪鶯去前面找自家三哥。

苗三公子很快就發覺了自家妹妹的異樣，將雪鶯叫過去一問，頓時放下一半的心來。自家的妹妹什麼脾性他最清楚，她最喜歡那些長得漂亮的東西和人。

不過大多時候都是半刻鐘熱度，許多時候連半刻鐘的時間都不到，所以他並沒有太放在心上，只是對嶺南竟然還有他未見過的美男子而有些驚訝罷了。

據雪鶯說，那美男子長得非常漂亮，是她見過的人中最漂亮的。

雪鶯從小就跟著妹妹，她都沒見過的美人，他實在不知道是有多美。

不過是一閃而過的念頭，苗三公子還有許多事情要做。

只是讓眾人沒想到的是苗安素竟對那人念念不忘起來，就連苗安素也有些奇怪。她摸著胸口對三個哥哥道：「也不知為什麼，就總是會突然想起他，晚上作夢也夢見他。」

苗安素的三個嫂子紅了臉，但苗安素卻很正常，只是有些奇怪地看了三個嫂子一眼。

坐在上方的苗父黑了臉。「他和妳說了什麼？」

苗安素眼裡閃過迷茫。「沒有啊，他沒有和我說話，只是衝我笑了一下。」苗安素眼睛晶亮的道：「爹爹，您不知道，那人笑起來有多好看，我現在想起來心還是劇烈地跳著。」

這下連三個哥哥也黑了臉。

三個嫂子對視一眼，都有些無奈。小姑子這是單相思了，這可是比以往任何一件事都要嚴重得多。

苗父讓三個兒子去找，無論如何都要找到那人，他倒要看看，是誰這麼大的膽子竟然敢勾引他的女兒。

三個哥哥臉上還是一片溫雅，只是都握緊了手，眼睛犀利凶狠，此時要是仔細地看他們的眼睛，只怕就會被嚇一跳。

這次不管苗家的人想了多少法子，都沒能讓苗安素對魏青桐的熱情減退。

苗家的人為了讓苗安素將心思轉開，就決定全家出遊。

一行人到了獨山腳下的莊子裡，馬車還沒進莊子，就看見旁邊駛來幾匹馬，苗三公子回頭去看，打頭的是沈家的老三，他家的莊子就在他家旁邊。待看到騎在他旁邊的人時，饒是見多識廣的苗三也愣在當場，一時說不出話來。

嶺南是蠻荒之地，各部落都有酋長管理，前朝時，因漢人奴役苗人，嶺南一直不肯歸順朝廷，直到先皇打破僵局，收服嶺南之後讓苗人與漢人共同管理嶺南，嶺南雖有都督領兵駐守，知府管理民政，但還設了土司，由嶺南各部落酋長選出德高望重之人擔任土司，與漢人共同掌權。

苗家三代都是土司，在嶺南有至高無上的地位，如今土司就相當於苗家的世襲了。

而沈三是現任知府的兒子，魏青桐有爵位在身，又身負皇命，沈知府就讓與魏青桐年歲相當的沈三帶魏青桐四處走動。

沈三早看見苗家的人，和魏青桐說了幾句，一行人就朝著他們騎過來。

苗大公子看見三弟站在那裡一動不動，就拍了他一下道：「看什麼呢，還不快跟著進去伺候父親。」

苗三呆呆地道：「大哥，我覺得我找到了治好妹妹的方法。」魏青桐穿著一身寶藍色的直襟，上面繡著如意連雲紋，清麗白皙的臉龐在陽光照射下讓人心驚動魄，對方只是轉眼看過來，苗三只覺得胸腔的空氣被人抽光，連呼吸一下都有些困難，對方一定是女扮男裝吧，一定是吧，不然怎會有這麼漂亮的男人？

「什麼方法？」

苗三用手指指著魏青桐給苗大公子看。

苗大公子回頭去看，看見魏青桐也是驚豔不已，不過他馬上就恢復過來，相比於三弟，他的閱歷和心機要深得多。

兄弟倆迎上了沈三，互相見過禮後，苗大公子就轉看向魏青桐，好奇地問道：「這位是？」

沈三介紹道：「這位是錦鄉侯，魏侯爺，這位是苗大公子，這位是苗三公子，我們從小一塊兒長大，我和你提起過的。」

「你們好。」魏青桐對他們露齒一笑。

苗大公子和苗三公子一愣，這是什麼問候？

魏青桐卻好像沒有察覺到他們的異樣，只是興致勃勃的指了前面莊子裡的荷塘問道：

「那裡也是你們家的？」

苗大公子點頭。「魏侯爺是否有興趣前往一遊？」

「好啊，」魏青桐立刻就答應，笑道：「那我們現在就去吧。」

阿元悄悄地扯了一下魏青桐的衣袖，魏青桐歪著頭想了一下，才道：「我們該去拜訪苗前輩才是。」

兩人的動作可以瞞得過苗三，卻瞞不過站在他旁邊的沈三和目光如炬的苗大公子。

苗大公子笑道：「那魏侯爺請。」

魏青桐連忙下馬，和幾人一起進了莊子。

苗二公子正一邊安排莊子裡的事，一邊要伺候老爹，還要照顧妹妹，正忙得不可開交，看見沈大公子進來，正要招手叫他過來幫忙，就看見兩人身邊有客人，這才放下手過去打招呼。

苗安素正煩躁著，一邊要擺脫雪鶯，一邊要出去玩，迎頭就撞上了魏青桐。

苗安素撞出來的時候，魏青桐身後的阿力快步擋在魏青桐身前，並將他往旁邊帶了兩步，所以兩人都沒和苗安素撞上，苗安素抬頭就對上魏青桐好奇的眼睛。

苗安素一時就呆了。

魏青桐也還記得苗安素，看見她就笑道：「沒想到這麼巧，能在這裡遇上姑娘。」

苗安素心中驚喜。「你，你還記得我？」

魏青桐點頭，別說兩人才見面沒多久，就是隔了一、兩個月，只要在他的腦海裡留下印象，他就還能認出人來，除非是易容過後面容相差太大。

苗家三兄弟對視一眼，因為魏青桐相貌而對他產生的些微好感頓時都消失了。

而苗安素卻是讚許地看向自家的三個哥哥，果然哥哥們最疼她了，竟然無聲無息的將人找到了。

苗安素笑道：「能見到你真是太好了，你不知道我這幾天腦海中全都是你。」

沈三打了一個寒顫，雖然已經見怪不怪了，但乍然聽見這樣奔放的話還是有些不適應。他瞄了一眼苗家三兄弟，覺得他們無比的可憐起來。

苗家三兄弟則是緊張的盯著魏青桐，生怕他說出什麼逾越的話來，誰知魏青桐只是好奇地看了苗安素一眼，道：「妳是要畫工筆畫嗎？」

苗安素眨著眼睛一時沒聽明白，就聽魏青桐一本正經地道：「妳若是要畫工筆，回頭我可以坐在那裡任妳畫，只是我希望妳也能幫我一個忙。我想畫一幅林中嬉戲圖，我覺得妳笑起來很活潑，妳能不能和我到樹林裡玩一會兒？」

苗安素呆呆地轉頭去看三個哥哥。

阿元和阿力無力地苦笑兩聲，阿元連忙上前解釋，他家公子只是癡迷於畫畫，並沒有冒犯的意思，還請幾位見諒。

苗大公子見魏青桐眼裡清澈如水，甚至還帶著些疑惑地看著他們，好像不明白自己的一番話有什麼不妥。

苗大公子輕咳了聲，正要拒絕，就聽妹妹道：「好，我陪你去，我們現在就去吧。」

苗二公子和苗三公子就拿眼睛去瞪魏青桐，只聽魏青桐道：「現在不行。」幾人鬆了一口氣，又聽魏青桐繼續道：「我們現在要去看荷塘，下午妳要是有時間，我們就下午去吧，明天我還要進獨山。」

苗安素一口應下。

幾人就看著魏青桐和苗安素有說有笑地朝荷塘走去。

阿元只得又解釋道：「幾位公子放心，我家公子赤子之心，斷沒有什麼不好的心思。」

苗大公子見魏青桐臉上毫不作偽的神色卻覺得很生氣，他妹妹哪點配不上他，他還敢嫌棄？而且看他的年紀也有二十了，誰知道他有沒有成親？他們苗家還不願意呢，妹妹可是他們家幾代以來的第一個女兒，他們放在手心裡疼了十幾年的。

苗三公子更是冷哼一聲，拉了沈三到一旁，黑著臉問道：「他到底是誰？」

沈三奇怪地看了他一眼。「剛才不是說過了嗎？他是錦鄉侯。」

苗三皺起眉頭。「朝中有這麼多的侯爺，我哪知道哪個是哪個？你只管說他是做什麼的，家裡還有些什麼人，這次到嶺南來幹什麼？」

沈三摸摸鼻子，有些同情地看了魏青桐一眼。

魏青桐毫無所覺。

苗安素紅著臉看魏青桐的側臉，苗大公子和苗二公子看了更是擔憂。

等送走魏青桐，苗大公子就攔了妹妹問道：「妳老實告訴大哥，妳是不是喜歡上他了？」

苗安素就紅著臉跺腳道：「大哥胡說些什麼呢？」跑走了。

苗大公子看了哪裡還不明白。

兩兄弟一起看向苗三，苗三連忙將自己打探到的情況說出來。

苗二公子皺眉道：「都二十了還沒成親，不會有什麼問題吧？」

苗三翻了一個白眼。「那他要是成親了，問題豈不是更大？」

苗大公子橫了他一眼。「你說的那是什麼話，我們妹妹是那種人嗎？行了，這事還得父親拿主意，我們去問過父親再說。」

苗父沈吟片刻，道：「京城離我們嶺南也太遠了，若是出了事，只怕是鞭長莫及。先看看對方的人品，要是安素執意，那就看看他能不能搬到嶺南來，他不也說了，京城也就還有一個牽掛著的姊姊嗎？那就方便多了。」

三兄弟齊齊點頭。

之後三人陸續請魏青桐一起出去遊玩，暗地裡觀察他。沈三隱約猜到一些，心裡對魏青桐又是羡慕，又是同情。羡慕魏青桐竟然有娶苗安素的機會，同情魏青桐竟然有苗家三個這樣的大舅哥。

只是魏青桐卻毫無所覺，依然帶著小廝、護衛四處跑，有時興致來了，就讓人擺起案桌，當場寫寫畫畫起來。

三兄弟發現魏青桐幾乎每到一個地方都要畫畫，而且畫的還都不錯。

苗大公子比兩個弟弟多更多的閱歷，心思也比較敏感。雖然只有幾天的相處，但苗大公子一直覺得自己好像忽略了什麼，他曾經無意中見兩個侍衛使的功夫，這樣的本事可不是一個普通的侯府能培養得起來的，而且魏青桐有時候畫的東西又不是山水人物，更像是單純在畫眼睛所看到的景象。

苗家的幾個男人還想再觀察觀察，只是苗安素卻不喜歡這樣拐彎抹角地打探，她直接找上了魏青桐。

等苗家的幾個男人知道趕到的時候，她已經攔在魏青桐面前，苗安素沒看趕來的父親和三個哥哥，而是認真地看著魏青桐，說了一句話，成功地將八個男人震在當場，除了苗家的四兄弟，就是阿元、阿力和兩個侍衛了。

苗安素的第一句話是──「魏青桐，你娶親了嗎？」

魏青桐一愣，就搖搖頭。「沒有。」

「那你訂親了嗎？」

魏青桐繼續搖頭。「沒有。」

「那我嫁給你吧。」

苗家的四個男人一過來就聽到這句話，頓時整個人都不好了。

誰知魏青桐還認真的思量起來，片刻後問道：「妳會做飯嗎？」

苗安素想了一下，道：「會，不過除了我爹和哥哥們，沒人能吃得下去，我也不知道你能不能吃。」

魏青桐就笑道：「我不挑食的。那妳會洗衣服、洗碗、收拾房間嗎？」

「會！」苗安素狠狠地點頭，只不過衣服是泡了水就拿起來，反正也沒多髒，碗雖然碎了，但再買就是了，收拾房間更簡單，她全都會做。

魏青桐聞言就鬆了一口氣，認真道：「我姊姊說成親是大事，所以在成親前雙方最好說清楚些，不然等成親後再發現不合適要分開就困難了。」

苗家的四個男人頓時眼神不善的看著魏青桐，難道他們的寶貝女兒（妹妹）嫁給他就是為了做這些家務的？

魏青桐已經開口道：「既然我已經知道妳的情況，那下面就輪到我了。」魏青桐想了想，開口道：「我有些笨，他們說是因為我小的時候發燒把腦子燒壞了，可姊姊說我是天底下最聰明的孩子，我可以掙錢養家，我算過了，我每年的俸祿加上賣掉字畫得的錢足夠我們生活了。就算是以後可能爵位沒有了，憑著我的手藝也餓不死的。」

苗安素詫異地問道：「你就沒有田莊、鋪子這類的嗎？怎麼還要自己去賣畫賺錢？」

「可這些都不是我自己掙來的，姊姊說，當一切處於最困難的時候我都能挺過來，並且過得很好，那麼以後不管再遇到什麼樣的困難，我都可以克服。所以妳要會做飯、洗衣服、洗碗這些，那麼如果有一天我們一無所有了，我們還能活下去。」

苗父和苗家的三兄弟全部吃驚地看著魏青桐。

苗安素若有所思，片刻後看著魏青桐的眼睛道：「那你願意娶我嗎？」

魏青桐點頭。「我對妳很有好感，我覺得看見妳我會很開心，不過我得問問姊姊的意見，妳也要問一問妳爹爹的意見吧。」

苗安素見他只提起姊姊，而不見他提起父親、母親之類的，就好奇的問道：「怎麼只聽你提起你姊姊，你父母呢？」

「我母親去世了，我和我父親分家了。」

站在假山後面聽牆腳的苗父和苗家三兄弟有些尷尬起來，卻怎麼也不願意離開，而是要好好的聽一聽。

中途，兩個侍衛不止一次的朝這裡看過來。當初兩人被派到魏青桐身邊時就被囑咐過要聽魏青桐的調派，除非遇上生命安全的事，不然任何事不得私自作主。侯爺身邊的阿力也會兩手功夫，他應該也早就知道假山後面有人，他既然不言語，那他們也不好開口說什麼。

偷聽的和旁聽的有些尷尬，就連苗安素都有些不好意思起來，只是見魏青桐神色坦然，臉上不見悲戚，心中微微放下。

「那，你姊姊會喜歡我嗎？」苗安素有些忐忑地問道。

「應該會的。」魏青桐歪著腦袋想了一下，道：「姊姊說過，只要是我喜歡的，人品沒有什麼大問題就行了。」說著，歪著腦袋去看苗安素。「妳的人品應該沒問題吧？」

「當然沒有了，我可是個好人。」

苗父就拉了三個兒子離開。

番外六　魏青桐（二）

「這個錦鄉侯到底是怎麼回事？他說和父親分家了，那這爵位怎麼是他繼承？既然是他繼承，怎麼不是他奉養父親？難道他父親的爵位還要高？可也沒聽說過哪個世家是姓魏的呀。」

國家的公侯太多，苗父哪裡記得這麼多？所以他根本不知道這錦鄉侯到底是怎麼來的，料他也想不到，一個有智障的人會靠著自己的本事得到了一個爵位吧？

苗三就起身道：「爹，不如我去打聽打聽。」

苗父點頭。「為了你妹妹，你一定要把他祖宗十八代都查清楚。」

苗三狠狠地點頭。

兒女果然都是債，這還只是一個顧慮，魏青桐的人品相貌看著都還不錯，智商上，苗父嘆了一口氣，他何嘗不想讓女兒嫁給一個聰明絕頂的人？

但女兒叫他給養壞了，因為家中只有一個女兒，他與兒子們自然寵愛她，誰知道卻養成了一副不知世事，天真爛漫的樣子，而以苗家的家世，不管嫁給誰，女兒以後都免不了應酬，可她連自己的院子都打理不好，怎能做好一個主母？

他倒是可以讓兒子們幫女兒管家，但想也知道女婿不會樂意岳家插手自家家事的，到時候免不了要納一門貴妾幫襯，不說自家女兒不會樂意，就是他也不願意。

人心易變，女兒又沒能耐，誰知道以後女婿和那妾侍會不會變？

也正因為這些顧慮，苗安素的親事一直耽擱到現在，要知道，苗人早婚，十二、三歲嫁人的比比皆是。

而嫁給魏青桐就沒這個顧慮了，對方自己都無能力理家，到時候和魏青桐的姊姊商量一下，他們這邊派人幫他們管家，讓他們小夫妻自在的過日子，只等他們生了孩子，苗家這邊同樣幫著教養成才，到時候再讓他們的兒子去接手照顧……

苗父越想越樂，但前提是魏青桐值得託付，還是先查清他的祖宗十八代再說吧。

魏青桐回去後給魏清莛寫了一封信，將苗安素介紹給姊姊認識，並且將苗安素提親的事說了，也把自己的感覺告訴姊姊，希望能得到姊姊的支持。

阿元則和阿力說了一聲，出去打聽苗家和苗安素的情況。夫人將他安排在公子身邊，不僅僅是為了讓他幫著公子處理各種事物，還有中途發生的一些事情也是需要他化解的。

公子的年紀大了，當初在離京前夫人就說了只要公子看得上，不管對方的家世年紀什麼的，只要不是別人的老婆都可以追，而他則要將這些事固定一段時間傳回京城。這次卻是突發事件，阿元不想等到每月的初二、十六，就將打聽到的消息寫好發出去了。

魏青桐並不心急，他只是感興趣的在嶺南四處遊玩，有時還會帶一些小東西回去送給苗安素，有時候是一些漂亮的小籃子，有時候是一些草編的蚱蜢，或是自己親自畫的畫。

苗安素高興得不得了，從沒人送她這種東西過，特別是男孩，他們只會送她他們寫的詩啊、或是一些首飾什麼的。

詩不實用，那些首飾她有的是，也不稀罕，反而是魏青桐送的東西她第一次收到。

苗父看著兩人的感情日漸升溫很是擔憂，偏偏又不能真的將女兒關在家裡，或是把魏青桐關在外面。苗安素發起脾氣來，可是連他這個老爹都害怕得不得了。

等了十來天，苗三就趕回來。苗父和苗家兄弟兩個正奇怪，這一來一回的，再快也不可能就到了京城吧？

苗三擦了一下額上的汗，道：「我沒到京城，中途遇到了幾批從北邊下來的行商，我再一路向北打聽，才知道這魏家並不難打聽，是我們嶺南封閉，才沒聽說。」

「行了，行了，趕緊說重點。」

苗三咳了一聲，道：「要說起來，這妹夫其實還是名人呢。」

「胡亂叫些什麼，」苗大公子一巴掌拍在苗三的頭上。「八字還沒一撇呢，什麼妹夫妹夫的你就叫上了？」

「這是因為我看好他們。」苗三解釋道。「這魏家不顯，但魏青桐的外祖家你們一定聽說過，就是王公！」

苗父詫異。「你說他是王公的外孫？」

苗三點頭。「是嫡親的外孫。聽說王公唯一的女兒就嫁給了他爹，只是後來他爹寵妾滅妻，聽說他很小的時候就和他姊姊被關在一個小院子裡，他和他姊姊相依為命長大，所以他很聽他姊姊的話，還有我還查到，他因為小時候發燒燒壞了腦子，智力可能永遠停留在這個時候的樣子。」

苗父不由地坐直了身子，繃著臉道：「這樁婚事不行！你們馬上去將你們妹妹給我看好了。」

三兄弟對視一眼，異口同聲道：「那父親就負責專門看著妹妹，我們來處理外頭的事物。」

苗父頓時氣了個倒仰，指著三個兒子叫道：「不孝啊不孝，你們就忍心讓老父親去做這樣的事？你們娘親走得早，是我一把屎一把尿的把你們拉扯大，到頭來你們卻指使起我來了。」

三兄弟頓時低下頭，苗三則暗地裡嘀咕。「那他看著也不像是個腦子有問題的嘛……」

另外三人沈默下來。

苗大公子突然問道：「那他的爵位是哪來的？」

「自然是自己掙來的了。」

苗父和苗大公子、苗二公子目光炯炯地看著他，苗三縮了縮脖子，道：「這話我也沒說錯啊，的確是他自己掙來的。」

「怎麼掙的？」

說起這個，苗三也有些疑惑，道：「我只是聽說他給皇上畫了幾幅畫，還寫了一本書，啊，對了，還畫了幾幅地圖，如今他四處行走，一是為了遊歷，二卻是為完成聖上給他的任務。」

苗父正了正神色。「那書你可買來了？」

「買了，一共有三本，可厚了，聽說後面還有呢。」苗三掏出幾本書給幾人看。

苗二公子翻了翻，道：「這也看不出他腦子有問題啊。」

苗大公子皺眉。「父親，我看他行事有規有矩，只不過待人真誠，還有些幼稚罷了，但這對妹妹來說未必是壞事。」

苗家在嶺南之外算不上什麼，所以幾人壓根兒沒想過要把苗安素嫁到嶺南外面去。畢竟嶺南外面離嶺南遠，而且那邊不是他們的勢力範圍，就是出了什麼事也不如在嶺南方便。

但在嶺南內招親也不妥。

苗家在嶺南的勢力不低，上門提親的不是醉翁之意不在酒，就是圖謀甚多。苗父不願意女兒嫁給這類心思深沈的人。要說嶺南裡面的世家也不是沒有，但自家的女兒自家知道，苗安素被他們寵壞了，心思單純，什麼都寫在臉上，這樣的性子要是嫁進世家，只怕會被吃得連骨頭都不剩。

如今他和三個兒子還活著，明面上自然沒人敢對她怎麼的，但暗地裡呢？而且要是有一天他們四個都走在她前面呢？她的日子該多難過啊！苗父想想都心疼。

幾人這樣一分析，卻覺得魏青桐無比的合適了。

首先魏青桐心地善良，這是經過試驗證明的，第二，魏青桐和苗安素一樣心思單純，他肯定不會騙苗安素，換句話說就算他騙了，苗安素也能知道，他們倆一個段數上的——苗三頓時呸了兩聲，他妹妹可不是弱智，第三，也是最重要的一點，苗安素喜歡魏青桐。

魏青桐的身分不低，至少於苗安素來說卻是苗安素高攀了。

魏青桐姊姊的身分更是顯赫，但疼愛女兒的苗父可不會這樣算。

被幾個兒子這樣一分析，本來堅決反對的苗父有些軟和了，只是道：「那他們成親後要怎麼辦？」

苗大公子就道：「父親不放心，我們也不放心，不如我們再觀察一段時間看看？」

苗父連連點頭。

這一觀察就是三個多月。

這三個多月了，魏青桐並不固定待在一個地方任由四個人打量，而是該怎麼做就怎麼做，將嶺南要去的地方、能去的地方都畫了下來和記載下來，這才要回來和苗家作別。

苗父自然不會讓他就這麼走，他們一家可是才下定了決心呢。

魏青桐看著的確和普通人差不多，至少生活上他們做什麼，他也能做什麼，甚至有的他們不會做的他也會做，而他平時的表現也很成熟，只是時不時地有些幼稚罷了，但苗父幾人選擇性地忽略了。

實在是苗安素反抗得太過激烈了。

自從知道父親和幾個哥哥對魏青桐不大看好之後，苗安素就鬧了起來。她可是和魏青桐說好了的，他姊姊要是答應了，那他就過來提親，這時候她反悔成了什麼樣子？而且她是真心覺得魏青桐長得真好看，她怎麼看都不覺得厭煩。

魏清莛早就給魏青桐回信了，對弟弟竟然在外談戀愛，魏清莛給予十二萬分的肯定，並且明確地表示，只要魏青桐喜歡，對方身家清白，人品上沒有什麼問題她就答應了，並且還告訴魏青桐，她早就給他準備好了聘禮什麼的，看他要真決定定下來，她就親自派人過來提親。

魏清莛自然不會這麼放心魏青桐，不過是阿元在隨後給魏清莛寫了信，將苗家和苗安素的情況仔仔細細地彙報了。魏清莛覺得還不錯，這才有了這段話。

只是苗安素怕魏青桐這時候提出苗父會反對，到時可真的是一點餘地也沒有了。所以她讓魏青桐將信收好了，等時機到了再說。

這段時間苗安素的抗爭終於取得階段性的勝利。

苗父雖然半強迫性地同意了這門親事，但心氣還是不順，於是他要求婚事要在這裡辦。

魏青桐寫信回去問魏清莛。

魏清莛有些無奈地點了點老四的鼻子，道：「這還沒娶媳婦呢，竟就開始向著岳家了。」一心中到底放心不下，在任武昀回來後就提出要去嶺南一趟。

任武昀就道：「這一來一回，加上給桐哥兒辦婚事的時間，沒有一年是不可能的，妳要是一年以後才回來，那我和孩子們誰來照顧？妳要真放心不下，我就給幾個舅舅去信，讓他們主持婚事，而且等桐哥兒回來我們再大辦一場。」任武昀本來只是說說，但越說越覺得有道理，道：「不錯，就這麼和苗家說，等他們在那邊辦完婚事，就要馬上回京城來，這樣桐哥兒也有了一個回京城的理由。」

魏清莛想想也不錯，就趕緊給桐哥兒去信。

苗父張嘴就要反對，苗大公子趕緊扯了父親一下，低聲道：「父親，這樣也好，我們不正想到京城去看看以後妹妹生活的環境嗎？等辦完婚事就護送妹妹進京，也好好看看那位王妃對妹妹是個什麼態度。」要是不好，他們再把妹妹帶回來就是。反正這個時代和離再嫁的也有許多，並不歧視。有他們苗家在，妹妹還愁嫁不出去嗎？

從嶺南到京城，走走停停，夫妻兩個和苗三一共走了七個月，而苗安素已經有了五個月的身孕。

魏清莛驚奇地看著苗安素的肚子，桐哥兒竟然也要有孩子了，時間過去的真快。

苗三輕咳一聲，將他們苗家的想法說出來，苗安素是孩子心性，魏青桐更不必說，兩人連自己都還是孩子，又怎麼會養孩子呢？所以苗家人希望魏家（其實就是魏清莛）能夠答應讓他們教育撫養兩人的孩子。就算以後他們不能照顧兩人了，他們的兒女也已經長大成人，也可以接手照顧這對父母。

苗三小心地看了魏清莛一眼，其實他們就是怕定王妃不同意，只怕她會親自教養她的侄子。雖然不是不可以，但苗家人還是認為他們親自教導會更好些。

如果是純正的古人是一定不會答應的，那魏青桐和入贅還有什麼區別？

只是魏清莛是從現代來的。

在現代，大多數都是一對夫妻養著兩對老人，一個孩子四個老人帶，所以對將孩子留在苗家教養她並沒有太大的意見。她在意的是教育的過程，魏青桐和苗安素充當一個什麼樣的角色？

如果只是把孩子生下來就交給幾個舅舅帶，這對孩子無疑也是一種傷害，所以魏清莛希望他們能和自己的孩子生活在一起，而苗家只是教導他們一些道理。當然，她也會對未來的侄子和姪女很關注的。

「我知道親家公對弟妹很看重，幾位舅爺也捨不得弟妹。桐哥兒的孩子有外祖和舅舅疼愛我自然是開心的，」魏清莛笑道。「只是孩子若是對他們的父母沒有多少感情，以後只怕剩下的也不過是恭敬和奉養罷了。但你我都知道，照顧，並不只是奉養而已。」

苗三精神一振。

魏清莛慈愛地看著魏青桐。「桐哥兒是我一把帶大的，我希望他童年快樂，青年快活，老年安樂，自然希望他老來有伴，有兒女孝順，享天倫之樂。你們提的建議也不是不好，他們兩個的確有些孩子氣，他們可能教不好自己的孩子，卻不代表照顧不好他們。所以我希望他們能夠親手照顧他們的孩子長大，以後他們在哪兒，孩子就在哪兒。」

苗三立刻就明白了魏清莛的意思，苗家可以教育孩子，可以培養他成才，但孩子一定要在魏青桐和妹妹的照顧下長大，這樣孩子以後才能和自己的父母有感情。

「可是，妹夫身上不是還有皇上的旨意嗎？這到處走，對孩子，只怕不好吧？」

魏清莛淡笑道：「桐哥兒去畫那些地圖不過是應皇上的一個邀請，當初我就請求過皇上，皇上也答應過我們，桐哥兒畫了他就要，不畫他也不強求。」

苗三眼睛頓時迸發出神采，那豈不是說魏青桐就是待在嶺南十年、八年的皇上也不會怪罪？

魏清莛又道：「更何況，讀萬卷書不如行萬里路，這對孩子來說也未必是壞事。」

兩個人一時間就孩子的教育問題討價還價起來，並快速地達成了共識。

任武昀見孩子還沒出生就已經被搶來搶去了，頓時摸了摸鼻子，怎麼他的幾個兒子就沒這個待遇？頓時替幾個兒子不平起來。

番外七　魏青桐（三）

魏青桐沒在大廳，他去了廚房，親自煲湯給苗安素喝。

苗安素眼睛閃亮的看著他，一下子就將一碗湯喝完了。魏青桐頓時眉開眼笑，跑去書房拿筆墨，他今天還沒給妻子和肚子裡的寶寶畫畫呢。

雪鶯見魏青桐走了，連忙倒了一杯白開水給苗安素。「太太快喝點水。」

苗安素則感動的將水推開，道：「今天的湯很正常，我一直以為他不知道，原來他一直在改。」

雪鶯見太太感動的樣子，簡直不知道該說什麼了，她覺得一切都很不可思議。

君子遠庖廚，侯爺下廚讓她覺得不可思議，太太喝下各種奇怪味道的湯水還睜著眼睛說好喝，這也讓她覺得不可思議，現在呢，侯爺竟然也察覺了湯水有問題，一個人泡在廚房裡折騰了兩個時辰弄出一份湯來，更讓她覺得不可思議。

頓時，她有些理解太太為什麼會選擇嫁給侯爺了，比起嶺南的那些閨秀，太太過得要比她們舒心得多。

至少太太現在已經懷孕五個月了，侯爺卻從沒想過要通房，甚至還和太太同床而睡，每天晚上更是照顧太太起夜喝水什麼的。

而她所知道的，大戶人家的太太們在懷孕之後，就會給丈夫安排通房，夫妻倆也會分開睡。

只是現在到了京城，姑太太只怕不會讓太太這樣糊弄過去了。

苗三也正在考慮這個問題。

作為男人，他覺得這種事是很正常的，他們兄弟三個都有妾室，通房更不必說。當然，魏青桐是他們的妹夫，妾室什麼的能沒有還是不要了，但通房什麼的，實在是無傷大雅，所以他對妹妹的堅持很不理解。

妻子和兩個嫂嫂也說了，這時候主動安排通房是最好的，難道要等定王妃主動給魏青桐納妾不成？

所以苗三趁著魏清莛和魏青桐說話的空隙再一次進來找妹妹，希望她等一下能主動提一下這個問題，就算是表態一下。

苗安素就白了臉，生氣道：「青桐都沒說要通房，幹什麼你們一個個急巴巴地給他送進來？到底我是你們的妹妹，還是他是你們的弟弟？」

苗三就勸說道：「他能想到這個嗎？他笨，他姊姊可不笨！他姊姊可是定王妃，現在她不提就是等妳主動提呢。難道要她來提醒妳？到那時可不就是多了一個、兩個通房，而是多了一個妾室了。」而且定王妃看上的女子能有多差？到時有的妹妹哭了。

最要緊的是，苗三覺得要禮尚往來。本來嘛，他們最擔心的是定王妃不同意苗家插手孩子的教養，結果現在人家大方的同意了，他們怎麼也要表態一下嘛，友好是相互的。

苗安素不願意，在去吃飯的時候就倔強的仰著頭。

魏青桐感受到妻子的不開心，也不顧及在場的幾人，就湊到苗安素跟前關心地問道：「妳怎麼了？是不是哪裡不舒服？」

苗安素看了魏清莛一眼，搖頭道：「不是。」情緒卻有些低落。

魏清莛對人心很敏感，感覺到她的悶悶不樂，就笑問：「是不是心情不好？懷孕就是這樣的，孕婦的情緒起伏很大。回頭讓桐哥兒領妳到處去走走，京城和嶺南的風俗相差很大，而且京城附近也有許多名勝，妳可以到處去散散心，到處去走走，心情就會好了。」心情好了，寶寶才會更健康。

魏清莛看向苗安素的肚子，目含欣慰。

苗三警告地看向苗安素，苗安素頓時紅了眼圈。

魏青桐和魏清莛嚇了一跳，就是一直板著臉的任武昀也好奇地看著她，原來女人真的就像竇容和陶揚說的一樣，動不動就哭啊，看向英姿颯爽的妻子頓時慶幸起來，幸虧莛姊兒不是這樣的人。

魏青桐就學著小時候姊姊哄他的樣子半抱住她，哄道：「別哭，別哭，快別哭，回頭我給妳烤肉吃。」

苗三頓時哭笑不得。

苗安素卻更覺得委屈了。

魏清莛蹙起眉頭，苗三嚇了一跳，正要為妹妹說情，就聽魏清莛問道：「是不是府裡的下人為難妳了？」

這是在魏青桐的錦鄉侯府，桐哥兒因為常年不在家，就是回家也不住在侯府，而是跑到定王府和姊姊、姊夫一塊兒住，所以這邊幾乎是空置的，雖然有人在這邊打掃，但伺候的人卻是在聽說魏青桐要帶著妻子上京來的時候，魏清莛才從外面買來調教過的，還有的就是從定王府選的一些，所以魏清莛以為是那些下人不懂規矩衝撞了苗安素。

苗安素深吸一口氣，搖搖頭，道：「不是，我是在想給青、侯爺安排通房的事。」

苗三幾乎想要一頭撞地。好妹妹，他的小祖宗，現在是提這個的時機嗎？妳都這麼委屈了，這時候提這個不是明擺著告訴定王妃妳犯了嫉妒了嗎？

他看向魏清莛，正要道歉，就再一次被魏清莛搶先，只聽到魏清莛笑道：「我還以為是什麼大事，是誰跟妳說要給桐哥兒安排通房的？」

桐哥兒自然知道通房是什麼意思，自己就先脹紅了臉，在姊姊的注視下嚅嚅地道：「我不要通房，姊夫就沒有通房。」

任武昀就挺了挺胸膛。

苗三看神經病一樣的看著任武昀的反應，這有什麼好自豪的？

只是他腦子還沒轉過彎，魏清莛已經含笑誇道：「桐哥兒真懂事！」誇完，就轉頭對呆呆地看著她的苗安素道：「我也不瞞妳，我可不喜歡妾室、通房這些，好好的一個家插進來這些人有什麼意思？弄得烏煙瘴氣的。我的弟弟我瞭解，他是斷不會有這樣的心思的，我希望妳以後也不要起這樣的心思。一家子和和美美的過，哪怕是吵架、打架了也不准在中間插一個人，多少人家敗落就是因為這些嫡庶之爭！」

苗安素就眼睛晶亮的點頭，應聲道：「是，姊姊，我記住了。」

魏清莛看著她孩子氣的樣子搖頭一笑。

苗三已經看著魏清莛說不出話來了。誰說有妾室就會烏煙瘴氣了？他家就很和諧。

雖然如此，但妹夫不納妾不收通房對妹妹卻是好事，他自然不會笨得跳出來反對。先前他逼著妹妹這樣做，也不過是為了防止定王妃給魏青桐納妾罷了。

魏清莛對苗安素很看重，只要她不是太累就會帶她去認識一些她們這圈子的人。

魏青桐一回來就向朝廷上表請求誥封苗安素。

皇上當時給王家平反的時候順便給王氏一個誥封，正二品的夫人（反正也不花錢），比桐哥兒的品階還要高一級，所以這次魏青桐就直接略過母親給苗安素請封了。

因為有任武昀的原因在，皇上很快就批覆了，沒多久，誥封苗安素的聖旨就下了。這樣一來，侯府上下就都改了稱呼，苗安素從太太變成了夫人。

在魏清莛的幫助下，苗安素漸漸地融入京城的生活當中，而本來想要到京城晃蕩一圈就回嶺南的計劃也破產了。

魏清莛好不容易才見到弟弟，苗安素又懷孕了，她怎麼可能這麼快就讓兩人離開？怎麼也要把孩子生下再說吧！苗三也覺得妹妹挺著個肚子趕路不方便。

可是，生完孩子後，孩子還小，肯定也不適合趕路，那就得在京城待個一、兩年吧，到時說不定又有什麼事，這世間就更說不定了。

苗三將這些寫信告訴了苗父和兩個兄長，自己則繼續留在京城，等妹妹生產。

只是這段時間他也沒閒著，他將京城逛了個遍，因為有定王府的人領著，他在京城也沒人敢招惹，這樣一來，他倒是找到了好幾個商機。

苗父就動了心思，若是此時將生意擴大開來，到了京城，豈不是也能照顧一下女兒？

苗家人動了起來。

苗三興沖沖地在京城找鋪面，選了好幾個位置好的店鋪，他就讓人去打聽，想要買這幾個位置的鋪子。他也沒想著都能買成，只要能成一、兩個就算好的了。

誰知道小廝苦著臉回來道：「三爺，那些鋪子都不賣。」

苗三皺眉道：「其他的倒還罷，城西和城南的那兩個也不賣？我見他們家的生意也沒多好嘛，我出的銀子也不少了。」

小廝面色古怪地道：「三爺，小的看，您要買鋪子的事還是和姑爺說一聲吧，說不定姑爺能幫咱們。」

苗三看著小廝問道：「你可是聽說了什麼？」

「不是聽說了什麼，三爺，您看中的六家店鋪裡，有一家的東家姓張，一家姓劉，兩家卻是姓王，還有剛才您說的那兩家卻是咱們姑爺的產業。」

苗三吃了一驚。「那是錦鄉侯府的？」

小廝點頭。「三爺您猜那王家是哪家？」

「不會是我們家姑爺的外家吧？」

「就是啊。」

苗三頓時沈默下來，轉身去找魏青桐，他想看看侯府的帳本。他也不隱瞞，他想知道侯府到底有多少家業，而苗家還想給妹妹置辦一些產業。

魏青桐不明白這些，只道他已經有很多產業，不用再另外置辦了。他直接偷換了概念，苗安素的就是他的，他的就是苗安素的。

苗三這次沒有糾正他，只堅持要看。魏青桐也沒多想，直接帶他去書房，打開一個箱子，指著裡頭的冊子道：「都在這裡了，都是姊姊給我的，你慢慢看吧。」

苗三拿起一本翻了翻，見裡面都是莊子，再一本，裡面卻全都是田地。苗三放下，直接從下面抽出一本，那是在江南那邊的鋪子……

苗三一時說不出話來，魏青桐的身家只怕不比苗家差多少，但他們苗家有三兄弟，還有數不清的旁支需要養著，但魏青桐……

苗三閉了閉眼，睜開眼睛問魏青桐。「你說這些都是定王妃給你的？」

魏青桐點頭。

苗三遲疑道：「定王沒有意見嗎？」

魏青桐奇怪地看了他一眼，道：「姊夫為什麼要有意見？」

好吧，當他沒問。

苗三更加堅定了要培養好魏青桐兒子的想法。

魏子涵就是在這樣的盼望中來到人世的。

魏青桐第一次做父親，雖然只會笨手笨腳地給孩子換尿片，卻還是堅持每天晚上爬起來給孩子換，而苗安素更學著魏清莛的樣子親自給孩子餵奶。

苗三的教育大計還沒來得及開始，就開始擔心這對父母會將孩子寵壞了。

而苗三的妻子和孩子也被送到了京城，苗家開始嘗試著在京城發展。

六年後魏青桐卻開始帶著妻子和六歲的大兒子、四歲的小兒子出發，從京城一路往嶺南而去，一路上不停地轉道走陌生的地方，每到一個陌生地方他就會停下畫一些東西，還要走訪民眾，妻兒則是安排在租住的院子裡。這次隨行的護衛更多，也更精幹。

魏青桐身邊的護衛都是任武昀選出來的，而每一個在跟隨魏青桐幾年後回到京城都能得到重用，所以在魏青桐身邊當差，還是有許多人掙破了頭顱的。

魏青桐回到租住的院子時，看到六歲的大兒子正捧了一本《論語》在看，看到父親回來，眼睛亮了亮，只是還是板著臉行禮道：「父親。」

魏青桐可不在意自己兒子嚴肅的小臉龐，直接上前將大兒子抱起來，問道：「今天有沒有幫著你娘親做事？你弟弟有沒有惹禍？」

魏子涵還沒來得及回答，二弟就從內院跌跌撞撞地跑出來，一頭撞進父親的懷抱，仰著頭道：「子文沒闖禍，子文可乖了，哥哥，你說是不是？」

魏子涵想了一下，覺得今天弟弟要不是將雪鶯阿姨剛拿回來的乾淨衣服泡到水裡就還算得上是聽話。

魏青桐將大兒子放下，誇了二兒子一下，這才牽著兩人的手去後院。

苗安素看見三人進來就招手道：「快過來看看，你們的新衣裳到了。」

「怎麼又做新衣服了？」

「這不是快到嶺南了，而他們原先的衣服都有些不合適了嗎？」

魏子涵和魏子文歡呼一聲圍上去，一時間屋裡如春暖花開般溫暖。

——全篇完

家好月圓

柴米油鹽的農家記趣，
酸甜苦辣的逆轉人生，
日子再苦再難又有何懼？
有她在，生活一定會蒸蒸日上！

波瀾更迭，剛柔並蓄／恬七

別人是高唱家庭真幸福，溫月只能怨嘆自己遇人不淑，
不僅爹不疼、娘不愛，還看到老公與小三勾勾纏，
她一怒之下，借酒澆愁，沒想到宿醉醒來竟離奇穿越？
不過幸好上天待她不薄，除了賜她一位良人，
還讓一直冀望有個孩子的她，一穿來就有孕在身，
只是……這夫家生活也太苦了吧～～
打獵她不會，種田更是沒經驗，這該如何是好呀？
好在她腦筋轉得快，運用現代絕活也能不愁吃穿，
不只繡藝技壓群芳，涼拌粉條更征服了古代人的胃，
可好日子總是不長久，最渣的「大魔王」竟出現了──
失蹤的公公突然歸來，不僅帶回兩個美妾，還說要休掉正妻？
果真是色字頭上一把刀，更何況這狐狸精心懷不軌，
既想謀奪家產，又想當他們的後媽，哼，門兒都沒有！

醫嬌百媚

她堂姊不識藥材、未讀藥書，夫君卻視如珍寶，唯願娶之；
她努力辨藥、苦讀藥書，卻被棄如敝屣，話不投機。
原來，她這輩子的存在，不過是個笑話罷了……

妙手回春冠扁鵲，起死回生賽華陀／上官慕容

為了討夫君歡心，被公婆貶為妾的寇彤幾年來努力辨藥，
每當夫君需要，而她立即就拿對藥時，總會得來夫君一笑，
這個時候，她便覺得自己真是世上最幸福的女子了，
只要夫君喜歡她，願與她同房生子，她便沒什麼好擔心的。
整日盼呀盼的，終於，離家一年的夫君被她盼回來了，
但，他卻穿著大紅喜袍，還笑容滿面地與人拜堂成親！
她當場吐血身亡，幸得老天垂憐重生，回到未嫁前，
原本她是打算此生鑽研醫術，好好帶著寡母過活就好的，
偏偏，永昌侯世子關毅卻闖入了她平靜的世界，
照理說，他們這輩子應該是很難有什麼交集才對，
壞就壞在她曾一時心軟，救了身上帶傷倒地的他，
說實在的，那就是道小傷，對她來說是個微不足道的小忙，
可自此後他就看上了她，對她百般的好，還要以身相許！
若說對他沒好感是騙人的，但她實在是怕了男人的無情背叛，
面對他這份上天送來補償她的大禮，她是收還是不收啊？

和貓寶貝 狗寶貝
廝守終生(一定要終生喔！)的幸福機會

對人來說，貓寶貝狗寶貝只是生活的一部分，但妳（你）對牠們來說，卻是生活的全部，領養前請一定要考慮清楚——

▲ 招人疼的貓兒子大慶

性　　別：正港男子漢
品　　種：米克斯
年　　紀：約3歲
個　　性：親人活潑
健康狀況：已施打狂犬病及三合一，已結紮，
已植晶片，二合一檢驗通過
目前住所：新北市

本期資料來源：http://www.meetpets.org.tw/content/57295

第246期推薦寵物情人

『大慶』的故事：

大慶是從新店收容所出來的。當時看到牠，發現只要經過的人摸摸牠，牠就會舒服地瞇起眼睛，滿足地直打呼嚕。大慶就這樣待在收容所的籠子裡，雖然遙遙等著愛牠的人出現，卻也一直很知足。

直到我終於下定決心當牠的中途，開始了我們一起找家的終極目標。可能因為缺乏安全感，再加上長期關籠的關係，大慶表達一切需求的方式就是喵喵叫。但是將牠接回家、和牠生活一段時間之後，身處環境大抵安逸的牠卻仍是如此，這才發現牠應該是養成喜歡說話的習慣了。

話癆的大慶，一旦你回到家，牠便會跟前跟後，喵喵叫著彷彿在跟人分享牠的所見所聞；當你坐定下來後，牠卻能默默窩在附近陪伴，還常常愛翻肚肚討摸。大慶是個小探險家，幾乎每天牠都會探索一遍家裡所有小空間，偶爾在你路過牠時，還會伸手去撈你正行走的腳，簡直是超可愛、甜入人心的貓兒子！

大慶胃口很好，不挑食，但吃某些飼料會拉肚子，所以需要依照我提供的牌子餵食。如果想給大慶一個溫暖的家，且願意詳述下列問題者，歡迎來信waterpolo0128@gmail.com（黃小姐），主旨註明「我想認養大慶」。

認養資格：

1. 認養者須年滿20歲，已獨立自主，並獲得同住家人或室友的同意。
2. 須具備基本養貓知識，並確定自己與同住家人不是貓毛過敏體質。
3. 須請認養人自備生活相關用品。
4. 同意配合簽署認養保證書（須出示正本身分證核對）。
5. 同意認養後撥空主動聯絡送養人，及日後可能之追蹤探訪。
6. 認養者認養前務必三思，須有自信對牠不離不棄，愛護牠一輩子。

來信請說明：

a. 個人基本資料：姓名、性別、年齡、經濟來源、居住地、住家環境、聯絡方式等，住家環境越詳盡越好。同住家人或伴侶是否願意一同參與照顧？
b. 想認養「大慶」的理由。
c. 過去有無養寵物的經驗。如果寵物成為天使了，麻煩說明過去的飼養歷程。
d. 目前家中有無其他寵物？牠們現況如何？（例：年齡、性別、是否絕育）會如何安排「大慶」和目前寵物成員度過適應期？
e. 貓咪難免亂抓亂咬，不論家具或是飼主手腳，若有此情形發生，會如何處理？
f. 對照顧「大慶」有什麼計畫？（例：時間分配、空間安排、食物）
g. 未來若有當兵、結婚、懷孕、畢業、出國或搬家等計劃，將如何安置「大慶」？

姊兒的心計 4 完

國家圖書館出版品預行編目資料

姊兒的心計 / 郁雨竹著. --
初版. -- 臺北市 : 狗屋, 2015.01-
冊 ; 公分. --（文創風）
ISBN 978-986-328-411-6（第4冊：平裝）. --

857.7　　103025640

著作者　郁雨竹
編輯　王佳薇
校對　林俐君　周貝桂
發行所　狗屋出版社有限公司
地址　台北市104中山區龍江路71巷15號1樓
電話　02-2776-5889～0
發行字號　局版台業字845號
法律顧問　蕭雄淋律師
總經銷　知遠文化事業有限公司
電話　02-2664-8800
初版　2015年2月
國際書碼　ISBN-13　978-986-328-411-6
原著書名　《随身空间：玉石良缘》，由創世中文網〈http://chuangshi.qq.com〉授權出版

定價250元
狗屋劃撥帳號：19001626
網址：love.doghouse.com.tw　E-mail：love@doghouse.com.tw